オリジン・ストーリー

138億年全史

デイヴィッド・クリスチャン

柴田裕之　訳

筑摩書房

ORIGIN STORY

A Big History of Everything

by

David Christian

Originally published by Little, Brown and Company,
a division of Hachette Book Group, Inc., New York
Japanese translation rights arranged with
Brockman, Inc., New York

オリジン・ストーリー　138億年全史　目次

まえがき

私たちは物事を理解するために物語を語る。人間とはそういうものだ。
――リア・ヒルズ「心への回帰（Return to the Heart）」

現代版のオリジン・ストーリー（万物の起源の物語）という発想が関心を集めている。私が興味を持ったきっかけは、一九八九年にオーストラリアのシドニーにあるマッコーリー大学で初めて教えた万物の歴史についての講座だった。私はその講座を人間の歴史を理解する一つの方法と見ていた。当時、私はロシアとソヴィエト連邦の歴史を教え、研究していた。だが、民族あるいは帝国の歴史（ロシアは民族でも帝国でもあった）を教えると、最も根源的なレベルで人間は競合する部族に分かれているという意識下《サブリミナル》のメッセージを伝えてしまうのではないかと心配だった。核兵器を持つ世界にあって、そんなメッセージは、ためになるのだろうか？　キューバ・ミサイル危機のとき、高校生だった私は、人間がこの世の終わりを目前にしていると思ったことを、ありありと覚えている。何もかもが間もなく破壊されようとしていた。そして、「向こう」のソ連にも同じぐらい怖がっている子供たちがいるのだろうかと思ったことも覚えている。なにしろ、彼らも人間なのだから。子供の頃、私はナイジェリアに住んでいた。そのおかげで、人間は単一の途方もなく多様なコミュニティである、という強烈な感覚を植えつけられ、一〇代になって、イギリスのサウスウェールズにあるアトランティック・カレッジというインターナショナルスクールに行ったとき、その感覚が裏づけられた。

数十年後、本職の歴史家として、人間の統合的な歴史をどう教えるかについて考え始めた。すべての人間が共有する遺産について教え、なおかつ、その物語を語るにあたって、民族の堂々たる歴史には付き物の壮大さや畏敬の念を多少なりとも伝えられるだろうか？　旧石器時代の祖先や新石器時代の農耕民が、歴史研究の対象として圧倒的優位を占めてきた支配者や征服者や皇帝たちと同じぐらい重要な役割を果たしうるような物語を人間は必要としていると、私は確信するようになった。

やがてわかったのだが、これはどれ一つ独創的な考えではなかった。偉大な世界史家のウィリアム・H・マクニールは一九八六年に、「人間全体としての勝利と苦難」の歴史を書くのが、「我々の時代に歴史研究に従事する者の道義的義務」だと主張している(1)。さらに時代をさかのぼるものの、H・G・ウェルズは同じ思いで、第一次大戦の殺戮《さつりく》に対する応答として人間の歴史を書いた。

私たちは気づいた。今や、全世界における共通の平和以外には平和はありえず、全体の繁栄以外には繁栄はありえないのだ。だが、共通の平和と繁栄は、共通の歴史認識抜きにはありえない。……狭量で、利己的で、相争うナショナリズムの伝統しかなければ、人種や民族は知らず知らず闘争と破壊へと向かう運命にある(2)。

ウェルズには他にも承知していることがあった。すなわち、人間の歴史を教えようと思うなら、おそらく万物の歴史を教える必要がある、ということだ。だからこそ彼の『世界史概観』は宇宙の歴史になったのだ。人間の歴史を理解するには、これほど奇妙な種《しゅ》がどのように進化したかを理解しなくてはならず、それには地球における生命の進化について学ぶ必要があり、それには地球の進化について学ぶ必要があり、それには恒星や惑星の進化について学ぶ必要があり、それには宇宙の進化について知る必要がある。今日では、ウェルズが書いていた頃には考えられなかったほど正確かつ科学的に厳密な形でその物語を語ることができる。

　ウェルズはすべてを統合する知識を探し求めていた。さまざまな民族だけではなく学問分野も結びつける知識だ。オリジン・ストーリーはみな、知識を統合する。ナショナリズムの歴史観を綴ったオリジン・ストーリーでさえそうだ。そして、最も雄大なものは、多くの時間スケールの枠を越え、幾重にも重なる解釈とアイデンティティの同心円を貫いて、自己から家族や氏族《クラン》へ、民族、言語集団あるいは宗教へ、人間と生物の巨大な円の数々へ、そして最終的には自分は森羅万象の一部、全宇宙の一部であるという考え方へと人を導いていくことができる。

　だがここ数世紀の間に、異文化間の接触が増え、オリジン・ストーリーや宗教がみな、どれほどそれぞれの土地の慣習と自然環境に根差しているかが明らかになった。そうした局地性があったからこそ、グローバル化と新しい考え方の拡散によって、伝統的な知識への信頼が損なわれたのだ。自分たちのオリジン・ストーリーを固く信じている人でさえも、さまざまなオリジン・ストーリーがあり、まったく異なる内容を語っていることに気づき始めた。自らの宗教や部族や民族の伝統を積極的に、さらには暴力に訴えてさえ守るという対応を見せる人もいた。だが、たんに信仰や信念を失い、それに伴って自分の立場がわからなくなり、森羅万象の中で自分がどんな位置を占めているかという感覚を失う人も多かった。アノミー、すなわち、あてどなさや意味の欠如の感覚、ときには絶望感さえもが浸透し、二〇世紀の文学や芸術、哲学、学問のあれほど多くを特徴づけた理由も、そのような信頼の喪失を考えれば説明しやすくなる。多くの人はナショナリズムのおかげでいくばくかの帰属意識を抱くことができたが、地球全体がつながった今日の世界では、ナショナリズムは特定の国の中で国民を結びつけるそばから、人間社会を引き裂くことは明らかだ。

私は楽観的な信念を持って本書を書いた。私たち現代人は慢性的な分裂と意味の欠如の状態に陥ることを運命づけられてはいないと信じて。現代という創造的な大嵐の中で、新しいグローバルなオリジン・ストーリーが現れつつある。それは、従来のどんなオリジン・ストーリーにも劣らぬほど意味と畏敬と神秘に満ちているが、多くの学問領域にまたがる現代の科学の学識に基づいている(3)。その物語は完成には程遠いし、豊かに生きる術《すべ》や持続可能な形で暮らす術について、古いオリジン・ストーリーの見識を取り込む必要があるかもしれない。だが、その物語は知る価値がある。なぜならそれは、入念に吟味された情報と知識から成るグローバルな遺産を拠り所にしており、世界中の人間の社会と文化を受け容れる、初めてのオリジン・ストーリーだからだ。その創出は集合的でグローバルな事業であり、それはブエノスアイレスでも北京でも、ラゴスでもロンドンでも通用する物語であるべきだ。今日、大勢の学者がこの現代版のオリジン・ストーリーを構築して語るという胸躍る課題に取り組み、その物語に(あらゆるオリジン・ストーリーと同じように、ただし今日のグローバル化した世界のために)どんな指針を提供してもらえばいいか、どうすれば目的を共有しているという感覚を与えてもらえるかを模索している。

前述のように、宇宙の歴史を教えるという試みを私自身が始めたのは一九八九年だった。そして一九九一年には、自分がしていることを言い表すために、「ビッグヒストリー」という言葉を使いだした(4)。その物語の全貌が少しずつ見えてきたときになってようやく、新たに出現しつつあるグローバルなオリジン・ストーリーの主要な筋の数々を、自分がそこから引き出そうとしていることに気づいた。今日、ビッグヒストリーは世界のさまざまな地域の大学で教えられており、ビッグヒストリー・プロジェクトを通して、何千もの高校でも教えられている。

私たちは二一世紀のグローバルな重要課題や機会に取り組むなかで、過去をこのように新しい形で理解することが必要になる。本書は、この壮大で精緻で美しく感動的な物語の最新版を語るという、私の試みにほかならない。

オリジン・ストーリー　138億年全史

序章

現れては消える姿や形――じつはお前の体もその一つにすぎない――は、私の踊る四肢のきらめきだ。私を知り尽くせば、お前は何を恐れることがあろうか？

――ヒンドゥー教の神シヴァの、想像上の言葉。ジョーゼフ・キャンベル『千の顔をもつ英雄』

これらの出来事はすべてまったく起こりえないものではあるとはいえ、それらはおそらく、起こっていてもおかしくなかったことに、以下と同じ程度に似通っている。すなわち、けっして人格を取ったことのない他のいかなることにも見込みうるものと同じ程度に。

――ジェイムズ・ジョイス『フィネガンズ・ウェイク』

私たちはこの宇宙の中で生を受けるが、それは自らの選択ではなく、誕生する時も所も自分で選んだわけではない。私たちはほんの束の間、この大宇宙に漂うホタルさながら、他の人間たちや、親、兄弟姉妹、子、友や敵とともに旅をする。細菌から霊長類までの他のさまざまな生物、岩や海やオーロラ、衛星や流星、惑星や恒星、クォークや光子や超新星やブラックホール、銃弾や携帯電話、そして、何一つない厖大《ぼうだい》な空間とともに旅をする。この行列は豊かで、色鮮やかで、賑《にぎ》やかで、謎めいている。私たち人間はいずれ離れ去るが、行列は進み続けるだろう。遠い将来、他の旅人たちもこの行列に加わり、そして離れていく。とはいえ、最後には行列は先細りになる。今から何億兆年も後、夜明けの亡霊のようにしだいに薄れ、最初に姿を現したエネルギーの海の中へと溶けてなくなる。

私たちとともに旅するこの奇妙な一団は何なのか？　私たちはこの行列でどんな位置を占めているのか？　行列はどこから出発し、どこへ向かい、最後にはどのように消えていくのか？

今日、私たち人間はその行列の物語を、かつてないほどうまく語ることができる。地球から何十億光年もの彼方に何が潜んでいるかや、何十億年も前に何が起こっていたかを、驚くほど正確に突き止められる。なぜそんなことが可能かと言えば、それは知識のジグソーパズルのピースを前よりはるかに多く持っているからであり、そのおかげで全体像がどんなふうに見えるかを思い描くのが楽になった。これはごく最近の目覚ましい偉業だ。私たちのオリジン・ストーリーのピースの多くは、私が生まれてからの月日に、収まるべき場所に収まったのだから。

自分たちの宇宙とその過去を描いた、これらの巨大なマップを私たちが構築できるのは、一つには、私たちが大きな脳を持っており、脳が発達した生物の例に漏れず、その脳を使って世界の脳内マップを創り出すからだ。私たちは、これらのマップに一種のバーチャルリアリティを提供してもらい、その助けを借りて進むべき道を見つける。もちろん、世界をすべて細部に至るまで直接目にすることはけっしてできない。そうするには、宇宙ほどの大きさの脳が必要になるだろう。だが私たちは、途方もなく複雑な現実を、単純なマップを創り出して表すことができる。そして、そうしたマップが現実の世界の重要な特徴と一致していることを承知している。よくあるロンドンの地下鉄路線図は、曲がりくねった部分を大胆に簡略化しているが、それでも何百万もの人がこの都市を行き来するのに役立っている。本書はいわば、ロンドンの地下鉄路線図の宇宙版を提供する。

人間を他のすべての賢い種から際立たせているのは言語であり、このコミュニケーション・ツールは並外れて強力だ。なぜなら、私たちは言語のおかげで各自の世界のマップを共有し、それを通して、個々の脳が創り出すものよりもはるかに大きくて詳しいマップを形成することができるからだ。また、共有することで、自分のマップを他の無数のマップと比較し、詳細を吟味することも可能になる。こうして人間のそれぞれの集団は、何千年という歳月と多くの世代にわたる多数の人の見識やアイデアや考えをまとめた世界の解釈を構築する。私たち現生人類という種は出現以来の二〇万年間に、集合的学習の過程を通して画素を一つまた一つと加え、森羅万象のしだいに濃密なマップを構築してきた。これは、宇宙の中の、ある小さな部分が自らを眺め始めていることを意味する。それはあたかも、宇宙が長い眠りの後、ゆっくりと目を開けかけているかのようだ。今日、その目にはますます多くのものが映っている。それは、アイデアと情報のグローバルな交換や、現代科学の正確さと厳密さ、原子を砕く衝突型の粒子加速器から宇宙望遠鏡にまで及ぶ新しい研究機器、途方もない演算能力を備えたコンピューターのネットワークの助けのおかげだ。

これらのマップが語ってくれる物語ほど壮大な物語は想像できない。

私は子供の頃、何かしらのマップに載せてみないかぎり、何一つ物事の意味が理解できなかった。

多くの人と同じで、学んでいる分野がみなばらばらで、それを結びつけるのに苦労した。文学は物理学とは何の関係もなかった。哲学と生物学、宗教学と数学、経済学と倫理学の間には、まったくつながりが見つからなかった。だから私は何かしらの枠組みを探し続けた。人間の知識のさまざまな大陸や島を載せた一種の世界地図を。すべてがどう組み合わさるのか見て取りたいと願った。子供時代にナイジェリアで暮らし、宗教が違えば、世界がどのようにして今の姿に至ったかを解釈する枠組みも違うこと、そうした枠組みが矛盾する場合も多いことを、幼い頃に学んでいたので、伝統的な宗教の物語はあまり役に立たなかった。

今日、解釈のための新しい枠組みが、グローバル化した私たちの世界の中で現れつつある。その枠組みは、数多くの国で多種多様な学問分野の何千もの人によって集団で構築され、練り上げられ、広められている。彼らの見識を結びつけると、どれか特定の学問領域の中からは見えないものが見えやすくなる。平地ではなく山頂から世界を見渡すことが可能になる。私たちはさまざまな学問の地平をつなぐリンクを目にできるので、複雑さの特質や生命の特質、さらには私たち自身の種の特質といった、幅広いテーマについて、より深く考えることが可能になる！　なにしろ、現時点で私たちは、多くの異なる学問領域のレンズ（人類学、生物学、生理学、霊長類学、心理学、言語学、歴史学、社会学）を通して人間を研究しているが、こうした専門化のせいで、十分距離を取って人類全体を目にするのが、誰にとっても難しくなっているのだから。

異なる種類の知識を結びつけられるオリジン・ストーリーの探求は、人間の歴史と同じぐらい古い。こんな光景が頭に浮かぶ。四万年前、日暮れ時に一団の人が焚火を囲んで座っている。そこはニューサウスウェールズのウィランドラ湖群地域にあるマンゴ湖の南岸で、オーストラリアで最古の人間の化石が発見された場所だ。今日では先住民《アボリジニ》のパーカンジーやンギヤンバーやマティマティの人々の居住地となっているが、彼らの祖先がこの地方に少なくとも四万五〇〇〇年にわたって暮らしていたことがわかっている。

一九六八年に考古学者たちによって発見されたある祖先（「マンゴ1」と呼ばれる）の化石が、一九九二年にようやく地元のアボリジニのコミュニティに返還された。この祖先は若い女性で、部分的に火葬されていた。(1) 五〇〇メートルほど離れた場所では、五〇歳ぐらいで亡くなった、おそらく男性と思われる別の人（「マンゴ3」）の化石が見つかった。彼は関節炎を患っており、歯が著しく摩耗していた。網あるいは紐を作るために植物の繊維を歯でしごいていたためと思われる。遺体は丁寧に恭《うやうや》しく埋葬されており、二〇〇キロメートル離れた所から運ばれた赤色黄土《オーカー》の粉末が降りかけられていた。マンゴ3は二〇一七年一一月にマンゴ湖に戻された。

この二人はともに、約四万年前に亡くなった。ウィランドラ湖群は今では干上がってしまったが、当時は満々と水をたたえており、魚介類が豊富で、多数の鳥や獣を惹きつけたので、そうした鳥獣を狩ったり罠《わな》で捕えたりすることができた。(2) 二人が生きていた頃、マンゴ湖周辺の暮らしは、かなり恵まれていた。

私が想像する黄昏《たそがれ》時の焚火の場面では、子供や若い男女、親や祖父母たちが言葉を交わし、毛皮に身をくるんだ者や赤ん坊を揺すってあやしている者もいる。湖畔では子供たちが追いかけっこをし、大人たちはイガイや捕りたての魚とザリガニ、ワラビーのステーキという食事を終えようとしている。

徐々に会話は真剣になり、年寄りの一人が語りだす。長い夏の日や寒い冬の晩によくやるように、年寄りたちは先人や物知りから学んだことを語り直している。彼らはこれまでずっと私を魅了してきた類の疑問を投げかけている。丘や湖、盆地や峡谷のあるこの地形は、どのようにして形作られたのか？　星々はどこから現れるのか？　最初の人間たちはいつ生きていたのか、そして、どこからやって来たのか？　あるいは、私たちはずっとここにいたのか？　私たちはオオトカゲやワラビーやエミューの仲間なのか？（この最後の問いに対するマンゴ湖の人々と現代科学の答えはともに、断固たる「イエス！」だ）。物語の語り手たちは歴史を教えている。彼らは、遠い過去に強い力や存在によってどのようにして私たちの世界が創り出されたかについての物語を語っているのだ。

何日も何晩も語られる年寄りたちの物語は、マンゴ湖の人々の大きなパラダイムを成すさまざまな考えを述べている。それは、長期に及び、ずっと語り継がれる考えだ。ぴったり組み合わさり、この世界にまつわる情報の広大なモザイクを形成する。物語にはあまりに複雑で微妙な箇所もあり、一度聞いただけでは理解できない子供もいるかもしれない。だが、折々に繰り返し耳にしているうちに、そうした物語にも、物語の中の深遠な考えにも馴染んでくる。子供たちは成長するにつれ、それらの物語に心を奪われる。すっかり慣れ親しみ、その美しさや、えも言われぬ細部や意味がわかってくる。

語り手たちは、星々や地形、ウォンバット〔訳注　オーストラリアに分布する有袋類の一種〕とワラビー、自らの祖先の世界について話すうちに、解釈をまとめた共有のマップを構築し、そのマップがコミュニティのメンバーたちに、豊かで美しく、ときに恐ろしくもある宇宙における彼らの位置付けを示す。これこそお前の何者たるかだ、これこそお前の出自だ、これこそお前が生まれる前に存在していた人だ、これこそお前がほんの一部でしかないものの全体像だ、これこそお前のような者たちのコミュニティに生きるときの責任と課題だ。こうした物語は信用されているので、大きな力を持つ。幾世代にもわたって祖先から伝えられてきた最高の知識に基づいているので、真実のように感じられる。マンゴのコミュニティと祖先や隣人たちの手に入る、人や星、地形、動植物についての豊富な知識を使い、正確さや妥当性、一貫性が繰り返し確認されてきたからだ。

　私たち全員が、祖先が創り出したマップの恩恵に浴することができる。偉大なフランスの社会学者エミール・デュルケームは、オリジン・ストーリーと宗教の中に潜んでいるマップは私たちの自己感覚の根本にかかわると断言した。それなしでは、人はあまりに深い絶望感と意味の欠如感に陥りうるので、自殺にすら追い込まれかねないと彼は主張した。既知の社会のほぼすべてが、オリジン・ストーリーを教育の中心に据えてきたのも不思議はない。旧石器時代の社会では、人は長老たちからオリジン・ストーリーを学んだ。後の学徒たちが、パリやオックスフォード、バグダードやナーランダーの大学や学問所で、キリスト教やイスラム教や仏教の核心を成す物語を学んだのとちょうど同じだ。

　ところが不思議にも、宗教とは無縁の現代の普通教育は、あらゆる学問的解釈の分野を結びつける、自信に満ちたオリジン・ストーリーを欠いている。そして、人々が自らの位置付けを見失い、つながりを断たれ、どちらへ向かえばいいのか見当もつかないように感じるという、デュルケームが述べたような状態が、デリーであろうとリマであろうと、ラゴスあるいはロンドンであろうと、今日の世界のあらゆる場所ではっきり見られる理由も、それで説明しやすくなるかもしれない。問題は、グローバルにつながった世界では、人々の信用と注意を得ようとして競合するそれぞれの土地のオリジン・

ストーリーがあまりに多過ぎるので、それが互いに足を引っ張り合っているという点だ。だから現代の教育者の大半は、物語の各部分に焦点を当て、学生は自分の世界について、学問領域ごとに学ぶ。今日の人々は、微積分学から近代史、コンピューターコードの書き方まで、マンゴ湖の祖先たちが聞いたためしもないことについて学ぶ。だが、マンゴ湖の人々とは違い、その知識をまとめて単一の一貫した物語にするように促されることはめったにない。昔ながらの教室にある地球儀が何千という局地的な地図をつなぎ合わせて単一の世界地図にまとめ上げていたのと同じようには。というわけで私たちは、現実と、全員が所属する人間のコミュニティの両方について、断片的な解釈しか持てずにいる。

現代版のオリジン・ストーリー

それにもかかわらず……現代版のオリジン・ストーリーが少しずつ姿を現しつつある。マンゴ湖で語られた物語と同様、私たちの現代版のオリジン・ストーリーも、祖先によって組み立てられ、幾世代にもわたり、何千年もかけて、試され、真偽を確認されてきた。

もちろんそれは、伝統的なオリジン・ストーリーの大半とは違う。それは一つには、その物語が特定の地域あるいは文化ではなく七〇億を超える人から成るグローバルなコミュニティによって構築され、世界のあらゆる部分に由来する知識の集積となっているからだ。これは現代人全員のためのオリジン・ストーリーであり、現代科学のグローバルな伝統の上に築かれている。

多くの伝統的なオリジン・ストーリーとは違い、現代版のオリジン・ストーリーには創造神がいない。ただし、多くの伝統的なオリジン・ストーリーのさまざまな神々に劣らず魅惑的なエネルギーや粒子は出てくるが。儒教や初期仏教のオリジン・ストーリーに似て、現代版のオリジン・ストーリーは、ただそこに存在するにすぎない宇宙にまつわるものだ。何であれ物事の意義は宇宙からではなく私たち人間に由来する。「この宇宙の意味は？」と、神話と宗教を研究していたジョーゼフ・キャンベルは問う。「ノミの意味は？　ただ存在している、それだけのことにすぎない。そしてあなた自身の意味も、存在していることにある」[3]

現代版のオリジン・ストーリーの世界は、多くの伝統的なオリジン・ストーリーの世界よりも不安定で、混迷しており、はるかに規模が大きい。そしてそこからは、現代版のオリジン・ストーリーにはさまざまな限界があることが窺われる。この物語は及ぶ範囲がグローバルであるとはいえ、生まれてから日が浅く、若さ特有の未熟さや盲点を抱えている。人間の歴史におけるじつに特別な時期に現れ、動的で物事を不安定にさせかねない現代資本主義の伝統の枠にはまっている。世界各地の先住民のオリジン・ストーリーには、生物圏に対する深い気遣いが見られるが、現代版のオリジン・ストーリーが多くの形でそうした気遣いを欠いている理由も、それで説明がつく。

現代版のオリジン・ストーリーの宇宙はとどまることを知らず、動的で、進化しており、巨大だ。地質学者のウォルター・アルバレスは、この宇宙にはいくつ恒星があるかを問うことで、その大きさを思い知らせてくれる。ほとんどの銀河には一〇〇〇億ほどの恒星があり、宇宙には少なくともそれと同じぐらいの数の銀河がある。つまり宇宙には、驚くなかれ、10,000,000,000,000,000,000,000（一〇の二二乗）個の恒星があるということだ[4]。二〇一六年後期に新たに行なわれた観測によって、宇宙にはさらにずっと多くの銀河があるかもしれないことが示唆されたので、この数字にゼロをあといくつか加えてもらっても、いっこうにかまわない。私たちの太陽は、この厖大な集団のごくありきたりのメンバーにすぎない。

現代版のオリジン・ストーリーは、今なお「建設」中だ。次々に増築が行なわれており、既存の部分も検査したり整備したりしなければならないし、足場や瓦礫も取り除く必要がある。そして、この物語には相変わらずあちこちに未知の箇所が残っているので、オリジン・ストーリーがすべてそうであるように、私たちに神秘的な感覚や畏敬の念をこれからもきっと抱かせ続けるだろう。とはいえ、過去数十年の間に、自分が生きている宇宙に対する私たちの理解は以前よりもはるかに深まった。そのため、私たちが宇宙に対して抱く神秘的な感覚は、なおさら募るかもしれない。なぜなら、フランスの哲学者ブレーズ・パスカルが書いているように、「知識は球体のようなもので、大きさが増すほど、未知との接触も増える」[5]からだ。現代版のオリジン・ストーリーには多くの不備や不確かな点があるものの、私たちはこの物語を知る必要がある。マンゴ湖の人々が自分たちのオリジン・ストーリーを知る必要があったのとちょうど同じように。現代版のオリジン・ストーリーは、すべての人間が共有する遺産について語る。だからそのおかげで人間は、地球の歴史におけるこの重大な転機に、私たち全員が直面する途方もない難問と機会の数々に向けて備えることができる。

現代版のオリジン・ストーリーの核心にあるのは、複雑さがしだいに増しているという考え方だ。私たちの宇宙はどのようにして現れ、さまざまなものや力や生き物たち（私たちもその一部だ）から成る長大な行列を生み出したのか？　この宇宙が何から生まれたのかや、宇宙が生まれる以前に何かが存在していたのかどうかは、よくわからない。だがこの宇宙は、エネルギーの広大な海から現れたときには、すこぶる単純だったことはわかっている。そして今もなお、単純さは宇宙の初期設定条件《デフォルト》のままだ。なにしろ、私たちの宇宙の大部分は、暗く、冷たく、何もない空間なのだから。そうはいうものの、私たちの惑星の表面のように、特別で例外的な環境ではゴルディロックス条件が完璧に整っていた。すなわちそれは、ゴルディロックスの物語に出てくる子グマのお粥《かゆ》のように、熱過ぎもせず冷た過ぎもせず、濃過ぎもせず薄過ぎもせず、複雑さが徐々に現れるのに打ってつけの環境だった。(6) ゴルディロックス条件を満たすこのような環境では、何十億年もの間に、さまざまなものがしだいに複雑さを増しながら現れた。より多くの可動部分と、より入り組んだ内部関係を持つものだ。断っておくが、複雑なものは単純なものよりも必ず優れていると決めつけるような過ちを犯してはならない。だが、複雑さは私たち人間には重要そのもので、それは、私たちが非常に複雑であり、今日私たちが暮らす動的でグローバルな社会は、既知のもののうちでも並外れて複雑だからだ。というわけで、複雑なものがどのように現れ、どのようなゴルディロックス条件のおかげでそれらが出現できたのかを理解するのは、自分自身や今日私たちが暮らす世界を理解するための、素晴らしい方法となる。

重要な変わり目を迎えるたびに、より複雑なものが現れた。私はそれらの変わり目のうちでもとりわけ重要なものを「臨界」〔訳注　原語は「threshold」で、「敷居」「境界」「出発点」「閾《いき》」といった意〕と呼ぶことにする。臨界は現代版のオリジン・ストーリーの複雑な物語に形を与えてくれる。既存のものが配置し直されたり、改変されたりして、新しい創発特性（かつて存在していなかった特性）を備えたものが創り出されるという、大きな転機を際立たせてくれる。初期の宇宙には恒星も、惑星も、有機体もなかった。それから少しずつ、まったく新しいものが現れ始めた。水素とヘリウムの原子から恒星が生まれ、死にゆく恒星の内部で新しい化学元素が創り出され、これらの新しい元素を使い、氷と塵の小さな塊から惑星と衛星が形を成し、岩だらけの惑星の、豊かな化学環境で最初の細胞が進化した。私たち人間は、この物語の紛れもない一部分であり、それは、私たちが地球における生命の進化と多様化の産物だからだが、人間の短いながら目覚ましい歴史の間に、私たちはまったく新しい形の複雑さをじつに多く創り出してきたので、今日、この世界に起こる変化の最大の要因となっているように見える。先行するものよりも新しく複雑なもの、すなわち新しい創発的属性を持ったものの登場はいつも、赤ん坊の誕生のように奇跡的に見える。なぜなら、複雑さと秩序を減じるのが宇宙の一般的な傾向だからだ。ゆくゆくは、しだいに無秩序へと向かうその傾向（科学者が「エントロピー」と呼ぶもの）が勝利し、宇宙はパターンも構造も持たない一種のランダムな混乱状態に陥る。だが、それはまだまだずっと先のことだ。

当面私たちは、創造性に満ちて活気にあふれる若い宇宙で生きていくのだろう。宇宙の誕生——第一の臨界——は、私たちの現代版のオリジン・ストーリーにおける他のどの臨界にも増して驚異的だ。

年表

この年表には、現代版のオリジン・ストーリーの基本を成す出来事の年代が、おおよその絶対的な数値と、宇宙が一三八億年前ではなく一三・八年前にできたかのように計算し直した数値の両方の形で挙げてある。後者を見れば、このオリジン・ストーリーの年代構成が、感覚的に捉えやすくなるだろう。なにしろ自然選択は、何百万年、何十億年という時間単位に対処するようには、私たちの頭脳をデザインしなかったから、この短縮版の年代のほうが把握しやすいはずだ。

数千年以上前に起こった出来事に付されている年代の大半は、放射年代測定法を筆頭に、近代的な年代測定技術を使って過去五〇年間にようやく確証された。

出来事	おおよその絶対年代	一〇億分の一に換算した年代
臨界1　ビッグバン　私たちの宇宙の始まり	一三八億年前	一三年一〇か月前
臨界2　最初の恒星が輝きだす	一三二（?）億年前	一三年二か月前
臨界3　死にゆく巨星の中で新しい元素が作られる	臨界2から今日まで継続中	臨界2から今日まで継続中
臨界4　私たちの太陽と太陽系が形成される	四五億年前	四年六か月前
臨界5　地球上の最初の生命	三八億年前	三年一〇か月前
地球上の最初の大きな生物	六億年前	七か月前
小惑星が恐竜を一掃する	六五〇〇万年前	二四日前
ホミニンの系統がチンパンジーの系統から分かれる	七〇〇万年前	二・六日前
ホモ・エレクトス	二〇〇万年前	一七・五時間前
臨界6　私たちの種であるホモ・サピエンスの最初の証拠	二〇万年前	一〇五分前
臨界7　最終氷期の終わり　完新世の始まり　農耕の最初の徴候	一万年前	五・三分前
都市、国家、農耕文明の最初の証拠	五〇〇〇年前	二・六分前
ローマ帝国と漢王朝が繁栄する	二〇〇〇年前	一・一分前
ワールドゾーンがつながり始める	五〇〇年前	一五・八秒前
臨界8　化石燃料革命が始まる	二〇〇年前	六・三秒前
グレート・アクセラレーション　人間が月面に着陸する	五〇年前	一・六秒前
臨界9（?）　持続可能な世界秩序（?）	一〇〇年後（?）	三・二秒後
太陽が死ぬ	四五億年後	四年六か月後
宇宙がしだいに輝きを失い暗闇に没する　エントロピーの勝利	何億兆年も後	今から何十億年も後

第I部

宇宙

1　始まり――臨界1

一からアップルパイを作るには、まず宇宙を創り出さなければならない。
　――カール・セーガン『COSMOS』

だからそれは、あのささやかな光が生まれた後のことだったに違いない
回りに回る最初の場所で、うっとりした馬たちが生き生きと歩を進めた
いななきに満ちた緑の厩《うまや》から外に出て、
賛美の野へと。
　――ディラン・トマス「ファーン・ヒル（Fern Hill）」

オリジン・ストーリーの始動

英語で「ブートストラッピング」とは、自分が履いている靴の踵《かかと》のつまみ革《ブートストラップ》を思い切り引っ張って自分を宙に持ち上げるという、実行不能の骨折り仕事を意味する。この言葉は、（「ブートする（起動

する）」や「リブートする（再起動する）」として）コンピューター関連の専門用語に取り込まれ、コンピューターがオフの状態から目覚め、次に何をするかを伝える指示を読み込むことを指して使われている。当然ながら、文字どおりのブートストラッピングは不可能だ。なぜなら、何かを持ち上げるには、梃子《てこ》の力を利かせる足場を必要とするからだ。「我に梃子と足場を与えよ、さすれば地球をも動かそう」と古代ギリシアの哲学者アルキメデスは言った。だが、新たに宇宙を創造するとしたら、いったいどんな足場があるだろう？　宇宙はどうやって起動するのか？　いや、それを言うなら、新たな宇宙がどのようにして現れたかを記述するオリジン・ストーリーは、どうやって起動すればいいのか？

オリジン・ストーリーを起動するのは、宇宙を起動するのとほとんど同じぐらい難しい。だからこんなアプローチが考えられる。始まりの問題を取り除くために、宇宙は昔からずっとあったと決めてかかるのだ。そうすれば、ブートストラッピングは必要なくなる。多くのオリジン・ストーリーがこの道を選んできた。近代の多くの天文学者も同様で、二〇世紀半ばに定常宇宙論を支持した人々もそれに含まれる。定常宇宙論というのは、大きなスケールでは、宇宙は昔から今日とほぼ同じだったという考え方だ。それと似ているが、少しばかり違う考え方もある。そう、宇宙が生み出された瞬間があり、そのときには、いくつもの大きな力あるいは存在が宇宙を巡り、さまざまなものを作ったが、それ以来、たいして変わっていないというのだ。マンゴ湖の長老たちは宇宙をそのように眺め、祖先によっておおむね現在と同じ形で生み出された世界を描写したかもしれない。アイザック・ニュートンは神を万物の「第一原因」と考え、神は宇宙空間にあまねく存在すると論じた。だからニュートンは、宇宙は全体としてあまり変わらないと考えていた。彼はかつて、宇宙は「非物質的で、生きている、知的な存在の感覚中枢」であると書いている。(1) 二〇世紀初期には、アインシュタインは（大きなスケールでは）宇宙は変化していないと確信していたので、自分の相対性理論が定常な宇宙を想定するように、特別な定数を加えた。

永遠の宇宙あるいは不変の宇宙という考え方は、納得のいくものなのか？　いや、そうでもない。「最初は何もなかったが、それから神が○○をお造りになり……」といった具合に、造物主をさりげなく登場させて宇宙の物語を始動させなければならないのなら、なおさらだ。それが論理的欠陥を孕《はら》んでいることは明白だ。ただし、それをはっきり見て取るには、見識のある人々が長い年月を要したが。バートランド・ラッセルは一八歳のとき、ジョン・スチュアート・ミルの自伝で以下のくだりを読んだ後、創造神という考え方に見切りをつけた。「父は教えてくれた。「誰が私を造ったのか？」という問いには答えようがない。なぜならそれは、「誰が神を造ったのか？」というさらなる問いをただちに提起するからだ、と(2)」

難問は他にもある。もし神が宇宙をデザインするほど強力なら、その神はどう見ても宇宙より複雑に違いないから、創造神がいると考えるのは、とてつもなく複雑な宇宙の存在を説明するために、何かなおさら複雑なものの存在を仮定し、その存在がただ……宇宙を造った、と言うのに等しい。これはまやかしだと考える人がいてもおかしくない。

古代インドの「ヴェーダ」として知られる聖典は、うまくこの問題をかわしている。「そのときには非存在も存在もなかった。空間の領域も、その向こうの天空もなかった(3)」。ことによると、すべては実在と非実在との間にある一種の原初の緊張関係から生じたのかもしれない――何かとまでは言えないものの、何かになりうるような、はっきりしない領域から。あるいは、現代オーストラリアのアボリジニの格言にあるように、完全に無であるものはないのかもしれない。[4] これは摑み所のない考え方であり、空間はけっして完全には虚《うつ》ろではなく可能性に満ちあふれているという、量子物理学には不可欠の現代の考え方と驚くほど類似していなかったら、曖昧で神秘的だとして退ける人もいることだろう。

エネルギーあるいは潜在性の海のようなものがあって、そこから特定の形が波や津波のように現れてくるのだろうか？　これはとても身近な概念なので、究極の始まりについて私たちが抱いている考え方は自分自身の経験に由来すると、つい思いたくなる。私たちの誰もが毎朝、形状や感覚や構造を伴う意識の世界が、混沌とした無意識の世界から現れてくるように思えるところを経験する。ジョーゼフ・キャンベルはこう書いている。「個人の意識は夜の海の上にあり、眠りに落ちると水の中へと下りていき、そこから抜け出して不可解な形で目覚める。それと同じように、神話の比喩的表現の中では、宇宙は永遠の中から突然生じ、永遠の上に横たわり、やがてまたその中へと戻り、再び消えてなくなる[5]」

だがこれは、あまりに空想的かもしれない。論理に無理があるからだろうか。スティーヴン・ホーキングは、始まりは、という問いの立て方が悪いだけのことだと主張している。時空の形状が地球の表面に似て球形（ただし、もっと次元が多い）なら、宇宙が誕生する前に何が存在していたかを問うのは、テニスボールの表面上で出発点を探すようなものだ。それではうまくいかない。地球の表面には縁《へり》がないのとちょうど同じで、時間にも縁や始まりはない(6)。

今日、始まりも終わりもない宇宙という考え方へと私たちを引き戻す、別の一連の概念に惹かれる宇宙論研究者もいる。それは、私たちの宇宙は次々にビッグバンが起こっては宇宙が誕生する多元《マルチ》宇宙《バース》の一部であるという見方だ。これは正しい可能性はあるが、現時点では、私たち自身の宇宙を生んだビッグバンよりも前に何かが存在していたという確かな証拠は一つもない。私たちの宇宙の誕生はあまりに荒々しかったので、この宇宙が何から現れたかについての情報は残らず消し去られてしまったかのようだ。他に宇宙があるとしても、私たちはまだそれを目にできない。

率直に言って、今日私たちは、究極の始まりの問題に対してこれまでありとあらゆる人間社会が出してきた答えを凌ぐほどのものを持っていない。宇宙の「ブートストラッピング」は、依然として論理的・形而上学的パラドックスのように見える。どんなゴルディロックス条件が宇宙の出現を可能にしたか、私たちは知らないし、小説家のテリー・プラチェット以上にその始まりをうまく説明することも、相変わらずできない。プラチェットはこう書いている。「現在わかっていることは、次のように要約できる。始めには、何もなかった。そしてそれが爆発した」(7)

臨界1――宇宙の画期的な起動

究極の起源の説明として今日最も広く受け容れられている説で起動役を担っているのがビッグバンだ。ビッグバンの考え方は、生物学における自然選択や地質学におけるプレートテクトニクスなどと並んで、現代科学の主要なパラダイムの一つになっている(8)。

ビッグバンの説明にとって決定的な情報がようやく出てきたのは、一九六〇年代初期になってからだった。天文学者たちが宇宙マイクロ波背景放射（ＣＭＢＲ）を初めて検知したのだ。ＣＭＢＲはビッグバンのエネルギーの残りで、今日の宇宙の至る所に存在する。宇宙論研究者は、私たちの宇宙が現れた瞬間を理解しようと、相変わらず苦闘しているものの、宇宙が出現してからおよそ一〇の四三乗分の一秒後に始まる、目くるめく物語を語ることはできる。

かいつまんで述べると、それはこんな物語になる。私たちの宇宙は原子よりも小さな点として始まった。それはどれほど小さかったのか？　人間という種の頭脳は、自分のスケールのものに対処するために進化したので、これほど小さいものはピンとこないが、参考までに言うと、英文の終わりに来るピリオド一つには原子を一〇〇万個詰め込める。[9]ビッグバンの瞬間、宇宙全体は原子一個よりも小さかった。その中に、今日の宇宙に存在するエネルギーと物質がすべて押し込まれていた。ありとあらゆるエネルギーと物質が。そんなことを言われると、たじたじとなってしまう。最初はまったくの狂気の沙汰に思えかねない。だが、この奇妙な極小の、信じ難いほど高温の物体が、およそ一三八億二〇〇〇万年前に本当に存在していたことを、現時点で手に入る証拠のすべてが物語っている。

その物体がなぜ、どのようにして出現したかは、まだわかっていない。だが量子物理学によれば、真空では無から本当に何かが出現しうるというし、粒子加速器（原子よりも小さい粒子である亜原子粒子を電場あるいは電磁場を利用して高速まで加速する装置）もそれを示している。ただし、それが意味するところを把握するには、「無」の高度な理解が必要とされる。現代の量子物理学によれば、亜原子粒子の位置と運動の両方を同時に確定することは不可能だという。つまり、特定の空間領域が真空かどうか、けっして確実に判断できないということで、それは、真空は何かが出現する可能性で張り詰めていることを意味する。古代インドの「ヴェーダ」に出てくる「非存在も存在もない」状態に似た、この緊張状態が私たちの宇宙を起動させたように思える[10]。

今日、宇宙の最初の瞬間は「ビッグバン」と呼ばれる。生まれたばかりの赤ん坊さながら、宇宙が誕生とともに大声を上げたかのようではないか。この生々しくもコミカルな名称は、一九四九年にイギリスの天文学者フレッド・ホイルが考案したが、彼はこの発想は馬鹿げていると考えていた。一九三〇年代初期にビッグバンの概念が初めて提唱されたとき、ベルギーの天文学者（でカトリックの聖職者）のジョルジュ・ルメートルは、生まれたての宇宙を「宇宙の卵」あるいは「原初の原子」と呼んだ。この発想を真剣に受け止めた一握りの科学者には、これほどのエネルギーを詰め込まれたその「原初の原子」は、想像を絶するほど高温で、圧力を解放するために猛烈な勢いで膨張していたはずなのは、明白だった。この膨張は今日も続いている。まるで巨大なゼンマイが一三〇億年以上にわたって解《ほど》け続けているかのようだ。

ビッグバン直後の数秒から数分の間には多くのことが起こった。なかでもいちばん重要なのは、最初の興味深い構造やパターンが出現したことだ。固有の非ランダムな形状と属性を持った最初の存在物あるいはエネルギーが現れたのだ。固有の新しい特性を備えたものの出現は、いつも魔法のように不思議に思える。私たちはこれから、現代版のオリジン・ストーリーの中で何度となくそれが起こるところを目にするだろうが、最初は魔法のように見えたものも、新しいものやそれが持つ新しい特性がどこからともなく現れたわけでも、無から生じたわけでもないことがいったん理解できれば、それほど不思議ではなくなるかもしれない。新しい属性を備えた新しいものは、すでに存在するものや力が新たな形で配置されることで現れる。新しい配置が新しい属性を生み出すのであり、それはモザイクでタイルを前と違う形で配置すれば新しい図柄を生み出せるのと同じだ。化学から例を引こう。水素と酸素は普通、無色の気体だと思われている。だが、水素原子二個を酸素原子一個と特定の配列でつなげば、水の分子が一個できる。その分子を大量に集めれば、私たちが「湿潤性」と考える完全に新しい特性が得られる。私たちが新しい特性を備えた新しい形状や構造を目にしているときには、本当はすでに存在していたものの新しい配置を目にしているのだ。イノベーション（刷新）は創発だ。創発を私たちの物語の登場人物と考えれば、それはおそらく、人目を避ける謎めいた人物で、予想がつかず、不意に暗がりから飛び出してきて、筋を新しい意外な方向へと導く可能性が高い。

　宇宙で最初の構造とパターンは、ビッグバンから飛び出してきたものやエネルギーが新しい配列で配置されたときに、まさにそうした形で現れた。

　証拠が存在しているうちで最も早い瞬間はビッグバンの直後で、そのとき宇宙は、純粋でランダムで一様で無形のエネルギーから成っていた。エネルギーは、何かが起こるための潜在性、何かをしたり何かを変えたりする潜在的な能力と考えることができる。「原初の原子」内部のエネルギーは厖大で、絶対零度よりも何兆度も高かった。そして、ごく短時間、「インフレーション」として知られる超高速の膨張が起こった。この膨張はあまりに速かったため、宇宙の大半は、私たちが目にできる範囲をはるかに超えて拡がった可能性がある。つまり、今日私たちに見えているのは、全宇宙のほんの一部にすぎないということだ。

次の瞬間には、膨張率が落ちた。ビッグバンの荒れ狂うエネルギーが落ち着き、宇宙が膨張を続けるにつれてエネルギーは分散し、稀薄になった。平均温度も下がり、その後も下降を続け、今では、宇宙のほとんどは絶対零度のわずか二・七六度上でしかない（絶対零度とは、何一つ微動さえしない温度だ）。地球上では、私たちも他のどんな生物も、それほどの低温は感じない。それは、太陽のキャンプファイアが私たちを温めてくれているからだ。

ビッグバンの極端な高温の中では、ほとんどどんなことも可能だった。だが温度が下がるにつれ、可能性の幅が狭まった。冷めていく宇宙の混沌とした霧の中で、はっきりした存在物が亡霊のようにどこからともなく現れ始めた。ビッグバン自体の激烈な狂乱の大釜の中では存在できなかったものたちが。科学者は、こうした形状や構造の変化を「相転移」と呼ぶ。私たちは日常生活で相転移を目にしている。水蒸気がエネルギーを失って水になるとき（水の分子は水蒸気の分子よりも動きがはるかに鈍い）や、水が氷に変わるときだ（氷はエネルギーをほとんど持っていないので、氷の分子はその場で微動するだけだ）。水と氷は、ごく低温の、狭い温度域でしか存在できない。

ビッグバンが起こってから一〇の三六乗分の一秒以内に、エネルギーそのものが相転移を経験し、四つの非常に異なる種類に分かれた。今日その四つは、「重力」「電磁気力」「強い核力」「弱い核力」と呼ばれている。それらの力が持つ異なる性質は、知っておく必要がある。なぜなら、この四つの力が私たちの宇宙を形作ったからだ。重力は弱いが、はるか彼方にまで及び、常にものどうしを引きつけてまとめるので、その強さはしだいに増していく。重力のせいで、宇宙には塊が多くなる傾向がある。電磁気力には、引きつけ合う力と押しのけ合う力があり、それが相殺されることが多い。重力は微弱ではあるものの、大きなスケールで宇宙を形作っている。だが、電磁気力は化学と生物学のレベルでは優位に立っており、私たちの体も電磁気力によってまとまりを保っている。三番目と四番目の基本的な力は、強い核力と弱い核力という、面白みのない名前で知られている。及ぶ距離がごくわずかで、そのため、原子よりも小さいスケールで重要になる。私たち人間はこの二つの力を直接経験することはないが、両者はこの世界のあらゆる面を形作っている。なぜなら、原子の内奥で起こることを二つの核力が決めているからだ。

エネルギーには他の種類もあるかもしれない。一九九〇年代に宇宙の膨張率を新たに測定すると、率が増していることがわかった。今では多くの物理学者と天文学者が、アインシュタインが最初に提唱した考えを借り、次のように主張している。すなわち、一種の反重力が存在して宇宙全体に行き渡っているので、宇宙が膨張するにつれてその強さも増しているというのだ。今日、このエネルギーの質量は、宇宙の全質量の七割にも相当するかもしれない。だが、たとえこのエネルギーが宇宙を支配し始めていたとしても、私たちはまだ、それが何かも、どのように作用するかもわかっていないので、物理学者はそれを「暗黒《ダーク》エネルギー」と呼んでいる。それは仮称にすぎない。その正体が何かは注目に値する。なぜなら、暗黒エネルギーの解明は、現代科学の大きな課題の一つだからだ。

ビッグバンが起こってから一秒以内に物質が出現した。物質とは、エネルギーがあちらへこちらへと動かすものだ。わずか一世紀余り前まで、科学者と哲学者は、物質とエネルギーは別個のものだと思い込んでいた。だが、今ではわかっているとおり、じつは、物質は著しく圧縮されたエネルギーの形態にすぎない。若き日のアルベルト・アインシュタインは、一九〇五年の有名な論文でそれを立証した。$E=mc^2$、すなわちエネルギー（E）は質量（m）と光速（c）の二乗の積に等しいというアインシュタインの式は、特定の量の物質の内部にどれほど莫大なエネルギーが詰め込まれているかを教えてくれる。物質の中に閉じ込められたエネルギーの量を求めるには、その物質の質量に光速（時速一〇億キロメートルを超える）ではなく、光速の二乗を掛ける。これは途方もない数だから、微小な物質でもその圧縮を解けば、莫大な量のエネルギーが得られる。水素爆弾が爆発したときに起こるのがそれだ。初期の宇宙では、それとは逆の過程が起こった。厖大な量のエネルギーがぎゅっと圧縮されて微小な物質となり、巨大なエネルギーの霧の中に塵の微粉が漂うような光景が現出した。驚くべきことに、私たち人間は、スイスのジュネーヴ近郊にある大型ハドロン衝突型加速器の中で束の間、そのようなエネルギーを再現してのけた。すると、はたして、その沸き立つエネルギーの海から、粒子が飛び出し始めるのだ。

　これでもまだ、ビッグバンが起こってから一秒すら過ぎ切っていない……

最初の構造

　ビッグバン直後の混沌としたエネルギーの霧の内部で、はっきりした形状や構造が現れ始めた。エネルギーの霧は常にそこにあるとはいえ、その霧から出現した構造は、これから私たちのオリジン・ストーリーに輪郭と筋を与えてくれる。構造やパターンのなかには、何十億年も続くものもあれば、ほんの一瞬で消えていくものもあるが、無限に存在し続けるものは一つとしてない。どれも海面の波さながら、儚《はかな》い。熱力学の第一法則は、エネルギーの海が常にそこに存在することを教えてくれる。

この海は、ずっと保存される。熱力学の第二法則は、出現する形状がいずれみな溶けてエネルギーの海へと戻っていくことを教えてくれる。形状はダンスの動きと同じで、無限に保存されることはない。ビッグバンが起こってから一秒以内に、はっきりした構造や形状が出現した。それはなぜか？　宇宙はなぜ、たんにエネルギーのランダムな流動ではないのか？　これは根源的な疑問だ。

もし私たちのオリジン・ストーリーに創造神がいたら、構造の出現を説明するのは簡単だろう。神が混沌よりも構造を好んだと、（多くのオリジン・ストーリーがしているように）あっさり決めてかかることができる。だが、現代版のオリジン・ストーリーの大半のバージョンは、創造神という考え方をもはや受け容れない。なぜなら、現代科学は神が存在するという直接の証拠を見つけられないからだ。神にまつわる経験をする人は多いが、報告されている経験は、多様で矛盾しており、再現できない。どのようにでも説明でき、あまりにとりとめがなく主観的なため、客観的で科学的な証拠が提供できない。

だから、現代版のオリジン・ストーリーは、構造と形状の出現を説明するために、他の方法を見つけなければならない。そして、それは容易ではない。なぜなら熱力学の第二法則によれば、あらゆる構造はけっきょく遅かれ早かれ崩壊することになっているからだ。オーストリアの物理学者エルヴィン・シュレーディンガーが書いているように、「我々は今や、この物理学の基本法則が、未然に回避してやらないかぎり、ものが混沌状態に近づく自然な傾向（図書館の本あるいは書き物机の上の書類や原稿の山が示すのと同じ傾向）にすぎないことを認識している」[11]。

もし現代版のオリジン・ストーリーに悪役がいるとすれば、それは間違いなくエントロピー、すなわち構造が崩れてランダムになる、見たところ普遍的な傾向だろう。エントロピーは熱力学の第二法則の忠実な僕《しもべ》だ。だから、エントロピーを私たちの物語の登場人物と考えたなら、ふしだらで、こそこそしていて、他者の痛みや苦しみに無頓着で、人と目を合わせようとしない人間を想像するべきだ。エントロピーははなはだ危険でもあり、私たちはみな、けっきょくはエントロピーにやられる。エントロピーはあらゆるオリジン・ストーリーで最後まで生き残る。エントロピーはすべての構造、すべての形、すべての恒星や銀河や生細胞を消滅させる。ジョーゼフ・キャンベルは神話についての著書の中でエントロピーの役割を詩的に描写している。「私たちの知っているような世界には……結末は一つしかない。死、崩壊、寸断、そして、愛してきた形状の消滅に伴う、私たちの心の磔刑《たっけい》だ[12]」

現代科学はエントロピーの役割を統計学の冷徹な言葉で説明する。ものは無数の形で配置しうるが、そうした配置の圧倒的多数は構造を持たず、ランダムで無秩序だ。ほとんどの変化は、トランプのカード一〇の八〇乗枚（一〇の八〇乗というのは、一の後にゼロが八〇個ついた数で、宇宙に存在する原子の数にほぼ匹敵する）を一まとめにして、何度もシャッフルするようなものだ。エースが全部連続するような組み合わせになることは期待しようがない。それは考えられないほど珍しいパターンであり、宇宙誕生以来の年月の何倍にも及ぶ時間にわたってシャッフルし続けたときでさえ、目にできないだろうほど稀だ。たいていの場合、構造はほとんど、あるいはまったく見られない。レンガやモルタル、電線、ペンキが所狭しと並ぶ建設現場に爆弾を投げ込んで炸裂させ、視界が晴れたら、すべて配線が済み、塗装も終わり、入居を待つばかりのアパートの建物ができ上がっていたなどということが起こる確率がどれだけあるだろうか？　魔法の世界はエントロピーを無視できるが、私たちの世界は違う。

だから宇宙のほとんど、とくに銀河どうしの間の何もない広大な空間は、形状や構造を欠いているのだ。

エントロピーはあまりに強力なので、そもそも構造などというものがどうして現れたのか理解するのは容易ではない。だが、現れたことはわかっている。そして、構造はエントロピーの許可を得て現れたように見える。エントロピーは、ものが結びついてより複雑な構造を形成するのを許す見返りとして、エネルギーの形で支払う「複雑税」を要求したかのようだ。実際、これから見ていくとおり、エントロピーはこれまで多種多様な「複雑税」を求めてきた。専門の役所を置いて、新しい税を考案させた、ロシアのピョートル大帝が頭に浮かぶ。エントロピーはこの取引を気に入っている。なぜなら、複雑なものがみなこの税を払ってくれれば、宇宙全体をどろどろの粥のような混沌状態にするという冷酷な課題をエントロピーがこなす助けになるからだ。エントロピーに税を払う行為そのものが、さらなる混沌と廃棄物を生み出す。現代の都市生活からは、厖大なゴミと熱が出るのとちょうど同じだ。私たちはみな、生きている間ずっと休むことなくエントロピーに税を払い続ける。支払いをやめるのは、死ぬ日が来たときだ。

それでは、最初の構造はどのようにして出現したのか？　この問題に関して、科学にはまだ完全な答えがわかっていない。とはいえ、有望な考えはたくさんある。

ビッグバンからは、エネルギーと物質に加えて、それらの基本的な作動規定も出現した。それらの法則がどれほど根源的なものかを科学者がようやく理解し始めたのは、一七世紀に科学革命が起こってからだった。今日、私たちはそれらの規定を、物理の基本法則と呼ぶ。物理の基本法則は、「原初の原子」の持つ、狂乱し混沌としたエネルギーには完全に方向性がなかったわけではない理由を説明してくれる。物理法則は変化を導いて特定の道筋をたどらせ、ほぼ無限にあった他の可能性が実現するのを阻んだ。物理法則は、自らと相容れない宇宙の状態を排除したので、どの時点を取っても、宇宙は自らの作動規定と一致する多くの状態の一つでしか存在しなかった。そして、今度はそうした新しい状態がさらに多くの法則を生み出し、それが変化を新たな道筋に導いた。

ありえない状態がこうして絶えず排除されたおかげで、最小限の構造の出現が保証された。法則がなぜ出現したかや、なぜそのような形を取ったのかはわからない。それらの法則が現れるべくして現れたのかどうかさえわからない。ひょっとすると、微妙に異なる法則を持った宇宙が他に存在しているかもしれない。重力がもっと強かったり、電磁気力がもっと弱かったりする宇宙があるかもしれない。もしあったら、そうした宇宙の棲息者たち（仮に、いるとすればだが）は、それぞれ異なるオリジン・ストーリーを語るだろう。一〇〇万分の一秒しか存在しなかった宇宙もあれば、私たちの宇宙よりもはるかに長持ちする宇宙もあるかもしれない。多くの風変わりな生命体を生み出す宇宙もあれば、生物とは無縁の宇宙もあるかもしれない。もし私たちの宇宙が本当に多元宇宙の中に存在しているのなら、こんな場面が想像できる。私たちの宇宙が創造されたときに、壮大なサイコロ投げが行なわれ、それに続いて結果が発表される。「決まりました。この宇宙は重力を持つことになります。電磁気力も、です。そして、その電磁気力は重力の一〇の三六乗倍の強さになるでしょう」（少なくとも私たちの宇宙では、それが本当に重力と電磁気力の強さの割合になっている）。こうした法則が存在していたおかげで、私たちの宇宙はけっして完全な混沌状態に陥らないことが保証された。どこかで何か興味深いものが出現することが確実になったのだ。

エネルギーが明確な形で出現するやいなや、構造とパターンが生まれた。エネルギーが凝結して最初の物質の粒子になったとき、それらも法則を持っていた。原子の基本構成要素である中性子と陽子と電子がビッグバンから数秒のうちに現れるとともに、陽子と電子の反粒子（負の電荷を帯びた陽子と正の電荷を帯びた電子）も出現し、物理学者が「物質」と「反物質」と呼ぶものを形成した。物質と反物質を簡単に創り出せる温度よりも宇宙の温度が下がると、全宇宙で激烈な破壊合戦が起こり、物質と反物質が互いを消滅させ合って、厖大なエネルギーが解き放たれた。私たちにとっては幸いなことに、この大虐殺をわずかな量（粒子一〇億個につき一個ほどの割合だろうか）の物質が生き延び、残った物質の粒子が定着した。ほどなく温度が下がって、それらの粒子は純粋なエネルギーには戻れなくなったからだ。そして、その残った物質から私たちの宇宙はできているわけだ。

温度が下がるにつれ、物質は多様化した。電子とニュートリノは電磁気力と弱い核力に支配されていた。原子核を形成する陽子と中性子は、「クォーク」として知られる三つ組みの奇妙な粒子が強い核力で結合してできた。電子、中性子、クォーク、陽子、ニュートリノ……ビッグバンからほんの数秒以内に、急速に冷えていく私たちの宇宙は、それぞれ独自の創発特性を持った明確な構造をいくつか定着させていた。だが、ビッグバンの大嵐が弱まると、こうした原初の構造を解消させるのに必要な極端なエネルギーが消えてなくなった。だから私たちには、さまざまな形のエネルギーや陽子や電子のような粒子はおおむね不滅に見える。

このように、偶然性と必然性が組み合わさって最初の単純な構造が生まれた。物理法則は多くの可能性を排除した。これが必然の部分だ。その後、残っていた可能性のなかから、偶然がさまざまなものをランダムに配置し直した。物事はみな、このように進む。ナノ物理学者のピーター・ホフマンは次のように書いている。「偶然性は、必然性を少々加えてくれる物理法則によって加減されると、創造的な力を発揮し、私たちの宇宙の原動力となる。銀河からヒマワリまで、私たちが身の周りで目にする美しいものはみな、混沌と必然性の間のこの創造的な協働の結果だ[13]」

最初の原子

ビッグバンから数分以内に、陽子と中性子が手を組むと、さらに多くの構造が現れた。水素原子の原子核は陽子一個でできているが、陽子二個と中性子二個が合わさると、ヘリウム原子の原子核を形成する。こうして、宇宙は最初の原子を構築し始めた。とはいえ、陽子を融合させるには莫大なエネルギーが必要とされる。陽子は正の電荷を帯びているため、反発し合うからだ。ところが、ビッグバンの直後から温度が急速に下がっていたので、さらに多くの陽子を融合させてもっと大きな原子核を形成するのは不可能だった。これで私たちの宇宙の根源的な一面の説明がつく。宇宙に存在する全原子のほぼ四分の三が水素で、残りのほとんどがヘリウムなのだ。

もっとずっと多くの物質を形成しているのが「暗黒物質《ダークマター》」だ。私たちはこの物質をまだ理解できていないが、それが存在することはわかっている。暗黒物質の重力が銀河の構造と分布を決めているからだ。というわけで、ビッグバンの数分後には、私たちの宇宙は暗黒物質の巨大な雲の数々から成っており、その中にはプラズマの陽イオンと電子が含まれ、光の粒子である光子が流れていた。今日では、プラズマは恒星の中心部などで見つかる。

ここで私たちは一息つき、およそ三八万年（現生人類が地球上に存在してきた期間のほぼ二倍）待たなくてはならない。この間、宇宙は冷め続けた。温度が一万度を下回ると、蒸気が水に変わるように、もう一度、相転移が起こった。この相転移を説明するためには、熱は実際には原子の運動の尺度であることを理解する必要がある。落ち着きのない子供たちと同じで、物質のあらゆる粒子は絶えず動き回っており、温度はそうした動きの平均的度合いの尺度だ。この動きは現実に起こっている。アインシュタインは一九〇五年に発表した有名な論文で、原子の動きが空気中の塵の粒子のランダムな旋回運動を引き起こすことを示した。温度が下がるにつれ、粒子の動きは減り、やがて結びつくことができるようになる。宇宙が冷えてくると、電磁気力が負の電荷を帯びた電子を正の電荷を帯びた陽子に向かって引っ張り、ついに電子が十分落ち着くと、陽子の周りの軌道に収まった。そしてでき上がり！　私たちの周りのあらゆる物質の基本構成要素である原子が初めて誕生した。

普通、孤立した原子は電気的に中性で、それは、陽子の正の電荷が電子の負の電荷で相殺されるからだ。だから、最初の水素原子とヘリウム原子が形成されたとき、宇宙のほとんどの物質は突如として電気的に中性になり、プラズマは消えてなくなった。電磁気力を伝える光子は、原子と暗黒物質の電気的に中性の霧の中を、今や自由に流れることができた。今日、天文学者はこの相転移の結果を検出できる。なぜなら、プラズマから逃げ出した光子が、かすかなエネルギーの背景雑音（宇宙マイクロ波背景放射）を生み出したからで、この雑音は今もなお、全宇宙を満たしている。

私たちのオリジン・ストーリーは、最初の臨界を超えた。宇宙ができ上がった。そこにはすでに、固有の創発特性を持った構造が存在していた。それぞれが独自の性質を備えた、明確な形のエネルギーと物質が存在していた。原子があった。そして、独自の作動規定があった。

その証拠は？

この物語は最初に聞いたときには奇妙に思えるかもしれないが、真剣に受け止めなくてはならない。なぜなら、厖大な証拠で裏づけられているからだ。

ビッグバンが本当に起こったことを示す最初の手掛かりは、宇宙が膨張していることの発見だった。もし今膨張しているなら、論理的に言って、遠い過去のある時点では限りなく小さかったに違いない。宇宙が膨張していることはわかっている。私たちは、マンゴ湖の人々には手の届かなかった機器と観測技術を持っているからだ。彼らは肉眼を使って素晴らしい天体観測を行なっていたと思って間違いないけれど。

ニュートンの時代以降のほとんどの天文学者は、宇宙は無限に違いないと考えていた。なぜなら、もし無限でなければ、重力の法則のせいで宇宙の中身は、油だめの中の油のように、単一のどろっとした塊にまとまっていたはずだからだ。一九世紀までには天文学者は精密な機器を手に入れ、恒星や銀河の分布のマッピングを始めた。そして彼らの作る天文マップは、従来とは非常に異なる宇宙像を窺わせるようになってきた。

マッピングはまず星雲から始まり、天文学者のどの星図にも、それがぼんやりした染みのような形で現れた（ほとんどの星雲はそれぞれ何十億もの恒星を持つ銀河であることが今ではわかっている）。星雲はどれほど遠くにあるのか？　その正体は？　星雲は動いているのか？　やがて天文学者たちは、恒星が発する光から、恒星についてますます多くの情報を引き出せるようになった。そのなかには、地球からどれだけ離れているかや、地球に近づいているのか、それとも地球から遠ざかっているのか、といった情報も含まれていた。

恒星や星雲の動きを研究するには、じつに独創的な方法がある。ドップラー効果（一九世紀のオーストリアの数学者クリスティアン・アンドレアス・ドップラーにちなむ）を利用して、恒星や星雲が地球に向かってきたり地球から遠ざかったりしている速さを測定する方法もその一つだ。エネルギーは波の形で進む。そして、浜辺に打ち寄せる波と同じで、波には周波数がある。一定のペースでピークに達するので、それを測定すれば周波数がわかる。だが、観測者が動いていると周波数は変わる。海に入って沖に向かって泳いでいると、波に出合う頻度が高まるように見える。音波に関しても同じことが起こる。オートバイのような物体が音を出しながら近づいてくると、音波の周波数は増すように見える。そして、聞いている人の耳は、高い周波数の音を、高い音として認識する。オートバイが過ぎていくと、音は低くなるように感じられる。なぜなら今度は、音波が引き延ばされるからだ。もちろん、乗り手はオートバイに対しては動いていないから、同じ高さの音を耳にし続ける。ドップラー効果は、物体どうしが近づいたり離れたりするときの、波の周波数における見かけ上の変化だ。

同じ原理が星の光にも当てはまる。ある恒星あるいは銀河が地球に向かって動いていれば、それが発する光波の周波数が増すように見える。私たちの目は高周波の可視光線を青い光として認識するので、光が電磁スペクトルの青いほうの端に向かって偏移したと言う。逆に、地球から遠ざかっていれば、光波の周波数が減って、スペクトルの赤いほうの端に向かって偏移するように見える。天文学者は「赤方偏移」したと言う。そして、周波数がどれだけ偏移したかを測定すれば、恒星や銀河がどれだけの速さで動いているかがわかる。

一八一四年、ドイツの若い科学者ヨゼフ・フォン・フラウンホーファーは、最初の科学的分光器を作った。それは、ガラスのプリズムが光を虹の色に分けるのとちょうど同じように、恒星の光を周波数ごとに分ける特殊なプリズムだ。フラウンホーファーは、太陽光のスペクトルには、言わば宇宙版のバーコードのように、特定の周波数の箇所に細い黒い線が入っていることを発見した。グスタフ・キルヒホフとロベルト・ブンゼンという、やはりドイツの二人の科学者が、特定の元素が特定の周波数の光エネルギーを発したり吸収したりすることを、やがて実験室で示した。黒い線は、太陽の核からの光が、太陽の外側のもっと温度が低い領域でさまざまな元素の原子によって吸収された結果のようだった。そのせいで、特定の周波数のエネルギーが減り、発光スペクトルに黒い線が残ったのだ。この黒い線は「吸収線」と呼ばれ、各元素はそれぞれ異なる吸収線のパターンを生み出す。たとえば、炭素に特有の吸収線や鉄に特有の吸収線がある。恒星の光が赤方偏移していれば、吸収線はみな、スペクトルの赤いほうの端に向かって移る。そして、どれだけ偏移したか、正確に測定することさえできる。これは言うなれば、警察のスピード違反取締装置の天文学者版だ。

二〇世紀初期、アメリカの天文学者ヴェスト・スライファーはこれらの技術を使い、驚くべき数の天体が赤方偏移している――つまり地球から遠ざかっている――こと、しかも非常な高速で遠ざかっていることを示した。そのような分散は、なんとも奇妙だった。それが真に意味するところは、やは

ケフェイド変光星（とも座 RS 星）

りアメリカの天文学者エドウィン・ハッブルがこれらの発見をそうした遠方の物体までの距離の測定値と結びつけたときになって、ようやく明らかになった。

恒星や星雲までの距離の推定は一筋縄ではいかない。古代ギリシア人が理解していたように、原理上は、測量技師のように視差を利用できる。地球は太陽の周りを回っているので、何か月にもわたって夜空を眺め、他の恒星と比べて相対的に動いている恒星がないかを調べる。もしあれば、三角法を使ってどれほど遠くにあるかを突き止められる。あいにく、地球に最も近い恒星のプロキシマ・ケンタウリでさえ、あまりに遠い（地球から約四光年ある）ので、高性能の装置がなければ、どんな動きも検出できない。一九世紀になるまで、天文学者は視差を使って近くの恒星までの距離を測定することができなかった。だが、いずれにしても、ヴェスト・スライファーが研究していた天体は、それよりもはるかに遠かった。

幸い、二〇世紀初期にハーヴァード大学天文台の天文学者ヘンリエッタ・リーヴィットが、「ケフェイド変光星」として知られる特別な種類の恒星を使って遠くの恒星や星雲までの距離を測定する方法を発見した。ケフェイド変光星は非常に規則正しく明るさが変化する（北極星はケフェイド変光星だ）。リーヴィットは、明るさの変化の頻度と光度（明るさ）との間に単純な相関関係があることを発見した。そこで、彼女はケフェイド変光星の絶対的な明るさを計算することができた。それからその明るさを、地球から見たときの見かけ上の明るさと比較することで、その恒星がどれほど遠くにあるかを計算できた。なぜなら、恒星からの光の量は、光が進む距離の二乗に反比例するからだ。この素晴らしい手法のおかげで、エドウィン・ハッブルは不可欠の標準光源として使える恒星を得て、私たちの宇宙に関する二つの重大な発見をすることができた。

二〇世紀初期には、ほとんどの天文学者は全宇宙が私たちの銀河である「天の川銀河」の中に収まっていると信じていた。一九二三年、ハッブルはロサンジェルス郡にあるウィルソン山天文台で世界有数の望遠鏡を使い、当時は「アンドロメダ星雲」として知られていたものの中のケフェイド変光星があまりにも遠く離れているために、私たちの銀河の中にあるはずがないことを示した。これによって、それまで一部の天文学者が推測していたことが証明された。すなわち、宇宙は天の川銀河よりもはるかに大きく、私たちの銀河だけではなく多くの銀河から成り立っているのだ。

ケフェイド変光星を使って遠方の多数の天体までの距離を測定し始めたハッブルは、なおさら驚異的な発見をした。ほぼすべての銀河が私たちから遠ざかっているように見えること、そして、最も遠方の天体が最も大きな赤方偏移を見せるらしいことを、一九二九年に実証したのだ。言い換えると、遠くの天体ほど高速で遠ざかっているということだ。そしてそれは、宇宙全体が膨張していることを意味するように思えた。ベルギーの天文学者ジョルジュ・ルメートルはすでに、純粋に論理に基づいてこれを推測していた。そして彼が指摘したように、現在もし宇宙が膨張しているなら、過去のある時点では、宇宙に存在するもののいっさいが微小な空間に圧縮されていたに違いなかった――彼が「原初の原子」と呼んだものの中に。

　おおかたの天文学者は、膨張する宇宙という考えに衝撃を受け、ハッブルの計算に間違いがあるものと思い込んだ。ハッブル自身もこの考えにはまったく自信が持てなかったし、アインシュタインは宇宙が不変だと固く信じていたので、自分が「宇宙定数」と呼ぶものを加えることで、一般相対性理論の方程式に手を入れ、定常な宇宙を想定するように変えた。

　天文学者が懐疑的だったのは、一つには、ハッブルの推定には実際に問題があったからだ。彼の計算では、宇宙の膨張はわずか二〇億年前に始まったことになるが、地球と太陽系がそれよりはるかに古いことを、天文学者はすでに知っていた。それもあって、たいていの天文学者は数十年にわたり、膨張する宇宙という考えは興味をそそるもののおそらく間違っていると見なしていた。彼らの多くは、一九四八年にヘルマン・ボンディとトーマス・ゴールドとフレッド・ホイルが提唱した定常宇宙という考えを有力視していた。そう、銀河はみな互いに離れていっているように見える、と定常宇宙論の支持者は認めるものの、それと同時に新しい物質が生み出されているので、大きなスケールでは、宇宙はほぼ同じ密度を保ち、ほとんど変化しないと主張した。

とはいえ最終的に証拠は、膨張する宇宙という考えに有利な方向に傾いた。一九四〇年代に、ロサンジェルス郡のウィルソン山天文台（かつてハッブルが勤務していたのと同じ天文台）で働いていたウォルター・バーデが、ケフェイド変光星には二種類あり、両者から得られる距離の推定値には違いがあることを示した。バーデが修正した計算は、ビッグバンが一〇〇億年以上前に起こったかもしれないことを示唆していた（現在、最も正確と思われる推定では、一三八億二〇〇〇万年も前に起こったとされている）。これで時系列の問題が解消された。今日、一三八億二〇〇〇万年以上前の天体は、一つも知られていない。これは、ビッグバン宇宙論を支持する有力な論拠だ。なにしろ、もし宇宙が変化しておらず、永遠のものなら、一三八億二〇〇〇万年以上前の天体が多数あってしかるべきだからだ。決定的な証拠は一九六〇年代半ばに出てきた。宇宙マイクロ波背景放射（ＣＭＢＲ）の発見だ。ビッグバンの約三八万年後に最初の原子が形成されたときに起こった放射であるＣＭＢＲが、膨張する宇宙という考えにとって決定的な証拠となった。それはなぜか？

一九四〇年代までには、ハッブルのデータに感心し、現にビッグバンがあったとしたら何が起こったかを割り出そうとする天文学者や物理学者が出てきていた。もしすべてが「原初の原子」の中に押し潰されていたとしたら、宇宙は始まりの頃、どんな様子だっただろう？　ハッブルとルメートルが正しいのなら、初期の宇宙は極端なまでに濃密で高温だっただろう。そして、急速に膨張し、冷却していたに違いない。そのような極端な条件下では物質やエネルギーはどのように振る舞うだろうか？第二次世界大戦中、原子爆弾を製造するためのマンハッタン計画のおかげで、非常に高温での物理についての研究が促進された。一九四〇年代後期に、ロシア生まれの物理学者ジョージ・ガモフは、マ

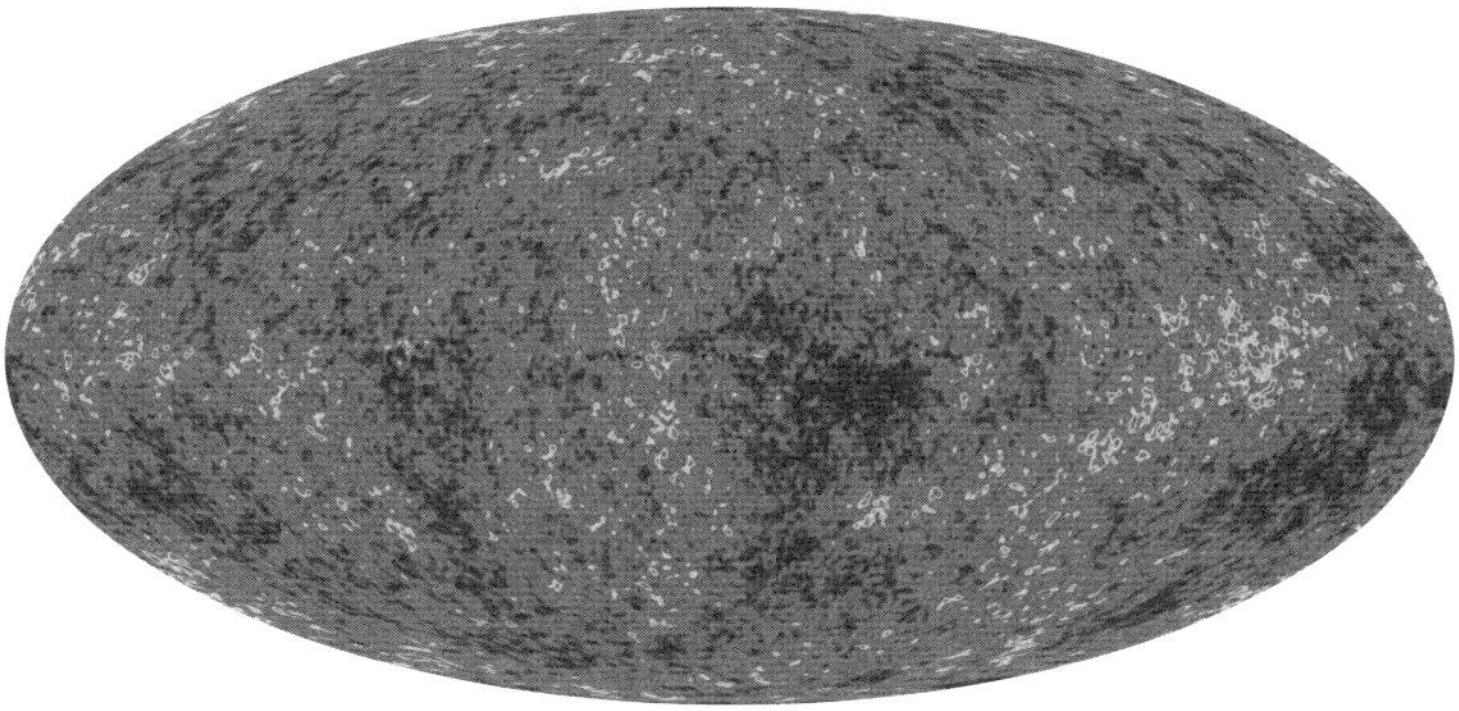

宇宙マイクロ波背景放射（CMBR）

ンハッタン計画のときに得た見識を利用し、ビッグバン直後の宇宙でおそらく起こっていたことを突き止めた。彼は指導していたラルフ・アルファーとともに、次のように推測した。宇宙はやがて温度が下がって原子が形成されるまでになり、最初の原子ができると、原子以前の時代の帯電したプラズマから逃れた光子が電気的に中性の宇宙の中を自由に流れ始め、厖大なエネルギーが放出されたはずだ、と。さらに彼らは、このエネルギーのほとばしりは依然として検出可能のはずだ、ただし、膨張する宇宙全体に拡がったので、その周波数はゼロ近くまで落ちただろう、と主張した。もし科学者が十分な注意を払って調べれば、絶対零度に近い温度であらゆる方向からやって来る放射が見つかるだろう、という。多くの人には、これは馬鹿げた考えに思えた。だから、全宇宙に行き渡っているこの低温の放射を、誰も探し始めなかった。

ガモフが推測した放射のほとばしりは、一九六四年に偶然検出された。ニュージャージー州ホルムデルのベル研究所で、アーノ・ペンジアスとロバート・ウィルソンという二人の電波天文学者が、人工衛星との通信のために高感度の無線アンテナを設置していた。二人は干渉を排除するために、受信機を絶対零度の約三・五度上まで冷却したが、低温エネルギーの不可解なノイズが残った。それは、あらゆる方向からやって来るようだったので、二人にはそれが何らかの大規模な恒星の爆発に由来するものではないことがわかった。受信機の不具合を疑った彼らは、角錐のような形のアンテナに巣を作っていた二羽のハトを追い払い、糞《ふん》を取り除いたが、効果はなかった（不幸にも、ハトたちはアンテナに戻ろうとし続けたので、けっきょく撃ち殺さなければならなかった）。近くのプリンストンでガモフの背景放射を探し始めたばかりの、ロバート・ディッケ率いる天文学者のチームが、ペンジアスとウィルソンの発見について耳にした。ディッケらは即座に、先を越されたことを悟った。両チームは協働してそれぞれ論文を書き、この発見を記述することにした。彼らはおそらくそのノイズこそ、ガモフが発見を予測していた、ビッグバン直後に由来するエネルギーだろうと論じた。

ＣＭＢＲの発見によって、ビッグバンは本当に起こったのだとほとんどの天文学者が納得した。宇宙の隅々まで拡がっているこの放射を説明できる学説が他になかったからだ。ＣＭＢＲが見つかるはずだというような、奇妙ではあっても最終的には裏づけられることになる予想を立てるのは、自分の説が正しいものであると科学者に確信させる、じつに有力な方法だ。宇宙は現に膨張しており、本当にビッグバンで生み出されたように見えた。

今日、私たちの宇宙がビッグバンで始まったことを示す証拠は圧倒的だ。まだ解明しなければならない詳細はたくさんあるが、とりあえず、核となる考えは、現代版のオリジン・ストーリーの第一章としてしっかりと確立された。それこそが、冒頭で述べた「ブートストラップ」だ。そして、量子物理学では真空からものが現れるのが許されるので、何かが出現する可能性で張り詰めている一種の無の状態から、全宇宙が本当に跳び出してきたように思える(14)。

2　恒星と銀河——臨界2と臨界3

人類は星屑《ほしくず》からできている。

——ハーロウ・シャプレイ『彼方の星からの眺め（*The View from a Distant Star*）』

ビッグバンは私たちに宇宙を与えてくれたが、その後の数億年間、宇宙はこの上なく単純だった。とはいえ、表面下では、興味深い新たな可能性がいくつもうごめいており、やがて、恒星と銀河が闇を照らし始めた。恒星と銀河は、まったく新しい顔触れの登場人物や、新しい創発特性、新しい形の複雑さを加え、しだいに増す複雑さの、第二の臨界を宇宙に超えさせた。これらの新しい堂々たる物体がどのように現れたかを説明するためには、始まりまで戻る必要がある。

自由エネルギー——複雑さの原動力

ビッグバンの後の数秒間と数分間、宇宙は熱力学的な意味で自由落下状態にあった。ほんのわずかの間、目もくらむばかりの宇宙には、エネルギーがたっぷりあったので、エネルギーと物質の新しいエキゾチックな形が誕生したり、消えてなくなったりしていた。だがその後温度が急落すると、エネルギーと物質は凍りつき、いくつかの単純な構造になった。ビッグバンの窯《かま》の中で、さまざまな力と粒子は焼いた陶器のように安定した。ビッグバンの猛烈なエネルギーといくつかの単純な作動規定が相まって、陽子や電子のような構造を生み出した。そうした構造は、きわめて安定した存在となる。なぜなら、それらが誕生したときのような高温が、冷えていく宇宙で再び現れることはめったになかったからだ。

やがて、温度の急落にブレーキがかかった。宇宙が熱力学的な山からなだらかな谷へ降りていったかのようだった。傾斜が緩やかになり、温度の下降も急ではなくなり、変化のペースも落ちた。初期の宇宙の熱力学的な断崖が、水平な、ゆったりと波打つ大地に変わり、温度も下がるばかりではなく上がることもあった。今や、新しい構造を定着させるのが難しくなった。なぜなら、わずかに温度が上がっただけで、そうした構造は崩壊しうるからだ。たとえば原子は、温度が約一万度を超えると、初期の恒星の内部でばらばらになった。

以前より予想がつきにくいこうした環境では、複雑な構造が安定するためには、さらなる支えを必要とした。そしてその支えを提供してくれたのが、制御された、非ランダムなエネルギーの流れだった。恒星は、自らの核の中で生み出されるエネルギーの流れによって一体性を保っている。あなたや私も含めて、生物は細胞内の入り組んだ代謝《たいしゃ》プロセスが管理する、正確に誘導された微妙なエネルギーの流れのおかげで、一体性を保っている。ビッグバン後の宇宙では、新しい複雑な構造を作って維持するのには仕事が必要とされる。だから、形状と、複雑さと、誘導されたエネルギーの流れ、すなわち構造化されたエネルギーの流れとの間には、強い結びつきがあるのだ。

「構造化されたエネルギーの流れ」というのは、科学の専門用語ではなく、直感的な描写だ。いずれにしても、それが言わんとしているのは、熱力学理論では、完全にランダムなエネルギーの流れと、方向性や構造や一貫性があって仕事を行なえるエネルギーの流れとが区別される、ということだ。構造化されたエネルギーの流れは「自由エネルギー」として知られ、構造化されていないエネルギーの流れは「熱エネルギー」として知られている。両者の違いは絶対的なものではない。一貫性やランダム性の程度の問題なのだ。そうは言っても、自由エネルギーと熱エネルギーの区別は、私たちのオリジン・ストーリーの根本にかかわる。

熱力学の第一法則は、宇宙にあるエネルギーの総量は不変であることを教えてくれる。総量は保存される。私たちの宇宙が生まれ持っている、「物事が起こる潜在性」は一定らしい。だから熱力学の第一法則は、本当は原初の可能性の海について語っているのだ。熱力学の第二法則は、可能性の海から現れる物事は、小川のさざなみのように、程度はまちまちでも構造化されていることを教えてくれる。だが、ほとんどは構造化の程度が小さく、しかも、時とともになおさらその程度が小さくなると見込むべきだ。それはなぜかと言うと、物質とエネルギーの配置として可能なもののほとんどどには、構造がないか、あったとしてもわずかで、偶然に構造が見つかった場合にも、たちまちそれが崩れ去ると思って間違いないからだ。

恰好の例が滝だ。滝には構造がたっぷり見られるが、やがてその構造は消えてなくなる。滝口の水分子は、瓶に入った空気の分子のようにランダムに動き回ることはない。獲物を狙ってぎゅっと身を縮めた猫のように、できるだけ密集して同じ方向に動く。これは、てんでばらばらに動く気体の分子とは違い、液体の分子は電磁気力によってまとまっているからだ。だから重力は水分子を、行進中の兵士たちのように密集隊形で同一方向に動かすことができる。水が滝口の縁を越えると、位置エネルギーは運動エネルギーに変わる。これは単一の方向に向かう協調運動だ。構造化されているので、その原動力となるエネルギーを「自由エネルギー」と呼ぶことができる。そして、気体分子のランダムな熱エネルギーとは違い、自由エネルギーは仕事をすることができる。なぜなら、構造と形状を持っており、ものを四方八方ではなく単一の方向に押すことができるからだ。[1] もしあなたが望むなら、この自由エネルギーの流れを導いてタービンを通過させ、発電することができる。物事を成し遂げるのが自由エネルギーだ。それは、私たちのオリジン・ストーリーにおける、動きが速くて止めようのないエナジャイザー・バニー〔訳注　アメリカの電池メーカー、エナジャイザー社のＣＭに登場するマスコットキャラクターのウサギのおもちゃで、同じ動作をいつまでも繰り返して、電池の持続性をアピールする〕なのだ。

だが、エネルギー一般とは違い、自由エネルギーは保存されない。解けていくゼンマイと同じで、一定の状態にはとどまらない。仕事をするにつれて、構造と、さらなる仕事をする能力の両方を失う。滝の水が滝壺の岩に当たると、散乱した、一貫性のない熱エネルギーに変わる。どの分子もおおむねてんでに動き回る。エネルギーは依然としてそこに存在し、保存されている（それが熱力学の第一法則だ）。だが、分子はあまりに多くの方向に向かって押すので、もうタービンを回すことができない。自由エネルギーは熱エネルギーに変わってしまった。熱力学の第二法則は、非常に長い目で見れば、あらゆる自由エネルギーが熱エネルギーに変わることを教えてくれる。

熱エネルギーは酔っぱらった交通巡査のようなもので、エネルギーをありとあらゆる方向に誘導し、混沌を生み出す。自由エネルギーはしらふの巡査のようなもので、エネルギーを特定の道筋に誘導し、秩序を生み出す。私たちにとっては幸いにも、初期の宇宙にはいくらかの自由エネルギーがあった。それは、宇宙の基本的な作動規定のおかげだ。それらの規定はエネルギーを特定の非ランダムな道筋に向かわせ、少なくとも最低限の構造が誕生することを保証した。

臨界2——恒星と銀河

自由エネルギーが原動力となり、最初の大きな構造である恒星と銀河が出現した。私たちのオリジン・ストーリーのこの部分にとって、自由エネルギーの決定的な源泉は重力だった。重力は宇宙版の牧羊犬さながら、ものを集めてまとめるのが好きだ。そして、重力が集めてまとめたのは、ビッグバンで生み出された、単純な形態の物質だった。重力と物質が相まって、恒星と銀河の出現のためのゴルディロックス条件を提供した。

宇宙マイクロ波背景放射（ＣＭＢＲ）の研究から、初期の宇宙には大きなスケールではほとんど構造がなかったことがわかる。光の粒子である光子が充満した温かい暗黒物質の蒸気に、水素原子とヘリウム原子の、ごく稀薄な霧が浮かんでいる様子を思い浮かべてほしい。それも、すべてがおおむね同じ温度の状態を。初期の宇宙が均質だったことは知られている。ＣＭＢＲの温度差を測定すると、初期の宇宙で最も熱い部分が最も冷たい部分よりも一〇〇分の一度程度しか温かくなかったことがわかるからだ。そこには利用可能な温度勾配がなかった。新しい構造を作り出すエネルギーの滝はなかった。あなたはたった今、指で顔を擦るだけで、それよりはるかに大きい温度差を生み出せるだろう。ところがその後、将来性のなさそうなこの材料で重力がもっと面白いものを作り始めた。ビッグバンのせいで空間が押し拡げられていくなかで、重力はエネルギーと物質をせっせと寄せ集めようとしていた。

重力という考えは、ニュートンが宇宙を理解する上で中心的な役割を果たし、科学革命における統一概念の一つを提供した。ニュートンは、古今の重要な科学書のうちでも屈指の一冊と言える、一六八七年刊の『プリンシピア――自然哲学の数学的原理』の中で、重力の作用の仕方を説明した。彼は重力を、あらゆる質量の間に働く普遍的な引力と見ていた。二世紀半の後、アインシュタインは、エネルギーも重力を発しうることを示した。なぜなら、エネルギーは物質の材料だからだ。

アインシュタインは、重力について他にも重要な推測をしている。重力はエネルギーの一形態なので、電場と磁場の変化が電磁波を生み出したり、物体の振動が音波を生み出したりするのと同じで、波を生み出すはずだ、というのだ。だが、その波はあまりに小さいので、誰にもけっして検出できないのではないかと、アインシュタインは危ぶんでいた。ところが二〇一五年九月、科学が最高の形で真価を発揮し、レーザー干渉計重力波観測所（ＬＩＧＯ）が稼働させている二台の巨大な装置（一台はルイジアナ州、もう一台はワシントン州にある）によって、ついに検出された。二〇一七年、このプロジェクトに多大な貢献をした人のうちの三人がノーベル物理学賞を受賞した。ＬＩＧＯが検出した重力波は、およそ一億年前に、どこか南の空にある遠い銀河で二つのブラックホールが衝突したときに発せられた（その衝突のときには、私たちの惑星ではまだ恐竜が君臨していた）。地球上にあるＬＩＧ

〇の装置のそれぞれが光線を二つに分け、両端に鏡のついた、直角を成す長さ四キロメートルの二本のアームを通して行き来させた。三〇〇往復近くしてから戻ってきたとき、二つの光線は完全に同時には着かなかった。重力波がアームを、陽子一個の幅よりもはるかに短い距離だけ、一方向に引き延ばし、もう一方向に縮めたからだ。今や天文学者は重力波が存在していることがわかったので、それを利用して宇宙を新たな形で研究できるものと期待している。

重力の観点からは、初期の宇宙はあまりに滑らか過ぎた。凝集させる必要があった。このように、重力には宇宙の中身を配置し直す傾向があるからこそ、初期の宇宙のエントロピーは小さかったと考えられ、この一種のこぎれいさを、エントロピーが次の数十億年をかけて台無しにしていくことができたわけだ。重力はいったん仕事に取りかかると、わずか数億年で、初期の宇宙の滑らかな粒子の霧を恒星や銀河に満ちあふれた乱雑で塊だらけの空間に変えてしまった。

ニュートンが示したとおり、多くの質量がある場所やものが近接している場所では重力が強まる。だからこそ、地球はあなたよりもずっと大きな力で物体を引きつけるのだし、あなたが地球の表面から遠く離れた場所、たとえば国際宇宙ステーションにいれば、もっと優しく引っ張るのだ。さて、初期の宇宙に漂う粒子の霧を小さな立方体の領域に分割し、その一つにぐっと的を絞ってほしい。暗黒物質と原子がまったくランダムに分布していて、その立方体の一つの隅には別の隅によりもわずかに多く集中しているところを想像しよう。ニュートンの法則によって、重力はそのやや密集した隅のほうが強まり、そのため、そこの物質はより強く引きつけ合い、密集した領域と稀薄な領域との差がさらに拡がる。こうして何百万年も過ぎるうちに、重力は、宇宙のそのような立方体の領域ごとに、物質が密集する度合いの違いを大きくしていった。

重力によって無理やり引き寄せられた原子は、以前と比べて頻繁に衝突し、熱狂的に動き回った。そのせいで、より小さな空間により多くの熱が集中し、塊の多い領域の温度が高まった（どんどん空気を入れるとタイヤが温かくなるのも、同じ原理で説明できる）。宇宙の大部分が冷え続ける一方で、物質が密集した部分は再び温度が高くなり始めた。やがて、そうした部分の一部はあまりに温度が上がり、陽子は電子を引きつけていられなくなった。原子が分解し、密集した領域のそれぞれの中では、電荷を帯びた粒子が飛び回るプラズマが再び生まれた。かつて宇宙全体に行き渡っていた状態だ。

重力によって圧力が増すと、密度が高い領域はますます高密度になり、中心部の温度が上がり、重力は初期の宇宙と同じ高いエネルギーを再び生み出し始めた。温度がおよそ一〇〇〇万度に達すると陽子は十分なエネルギーを帯び、互いの正の電荷の反発力を圧倒するほど激しく衝突できるようになる。いったんこの壁を越えた陽子は、ごく近距離でだけ作用する強い核力で結合し、二個一組となり始めた。こうして陽子のペアは、かつて一度、ビッグバン直後に束の間そうしたように、ヘリウムの原子核を形成した。

陽子が融合するときに、質量の一部が純粋なエネルギーに変わった。すでに見たとおり、わずかな物質も莫大なエネルギーを持っている。その莫大なエネルギーを解き放つのが水素爆弾で、水素爆弾はあらゆる恒星と同様、核融合を原動力としている。だから、物質の濃密な雲の核が約一〇〇〇万度という決定的な臨界温度を超えると、厖大な数の陽子が融合してヘリウムの原子核を形成し始め、莫大なエネルギーを放出する炉が生まれる。この炉は、いったん火が入ると、融合が継続するのに必要なだけの陽子が残っているかぎり、燃え続ける。

核融合によって放出される莫大なエネルギーは中心部を熱するので、中心部は膨張し、重力を押し返す。今や、まったく新しい構造が、何百万年、何百億年、あるいはそれ以上にもわたって安定する。こうして恒星が誕生した。

恒星と銀河がある宇宙

だが、誕生した恒星は一つだけではなかった。物質が密集した領域のそれぞれに、何千億もの恒星があって、私たちが「銀河」と呼ぶ巨大な恒星の都市の数々が、今やきらめき始め、原始の宇宙の闇を照らし出した。

恒星と銀河があるこの宇宙は、最初の原子が存在していた宇宙とは大違いだ。今や宇宙には、小さなスケールでだけではなく大きなスケールでも構造が存在し、宇宙全体が以前より複雑になったと言うことができる。銀河どうしの間には、暗くて何もない領域が広がり、銀河の内側には明るく高密度の領域がある。銀河は物質とエネルギーに満ちているのに対して、銀河どうしの間の空間は冷たくて何もない。興味深いものは、もう霧のように一面に広がっているのではなく、クモの巣の糸に似て、銀河という巨大なシートやフィラメントに集中している。銀河はそれぞれ特有の構造を持っている。ほとんどは、私たちの故郷の銀河である天の川銀河と同じ渦巻銀河で、たいていブラックホールを一つ持つ高密度の核の周りを何千億もの恒星がゆっくりと回っている。だが、他の銀河と衝突した銀河は混乱に陥って、「不規則銀河」を形成することが多い。銀河自体は重力によっていくつも束ねられて銀河団や銀河群を成し、さらにそれらが集まって超銀河団となり、宇宙全体に延びる恒星群島の連なりを形成している。

冷たいプディングにちりばめられた熱いレーズンのように宇宙に点在する個々の恒星も、構造と新しい創発特性をたっぷり持っている。どの恒星にも熱い核があり、その中で陽子どうしが融合してエネルギーを生み出し、重力を押し返している。核の周りにある外側の複数の層が核に圧力をかけるとともに、陽子という燃料を供給する。恒星の一生は、主に誕生時の質量、すなわち初めにどれだけのものを含んでいるか、で決まる。巨大な恒星は重力による圧力を多く生み出すので、質量が小さい恒星よりも温度がはるかに高い。巨大な恒星が燃料を速く消費し、わずか数百万年で寿命が尽きてしまう理由もこれで説明できる。それほど質量がない恒星は、もっとゆっくり燃えるので、多くの小さな恒星が、宇宙が誕生してから現在までよりもはるかに長い期間、燃え続けるだろう。

この、より多様な宇宙には、より変化に富んだ環境と、より大きな創造的潜在能力と、たくさんのエネルギー勾配があった。光、温度、密度の勾配があり、それに沿って、滝を流れ落ちる水のように、自由エネルギーが流れた。それぞれの恒星が、周りの冷たい宇宙空間にエネルギーを注ぎ込んで、熱と光と化学エネルギーの流れを生み出し、それを使えば恒星に近接した領域に新しい形態の複雑さを構築することができた。それは、この地球上で生命が栄えることを可能にしている自由エネルギーの流れだ。

重力は陽子どうしを、それらが持つ正の電荷が生み出す障壁をものともせずに融合させることで、物質を恒星に変えるプロセスを始動させた。このパターンを私たちはこれから何度も目にすることになる。それは、毎朝私たちのエンジンをかけてくれるコーヒーのようなものだ。化学者は、点火薬のようなこのエネルギーを「活性化エネルギー」と呼ぶ。大火災のきっかけとなる、火のついた一本のマッチのエネルギーも活性化エネルギーだ。ある種類のエネルギーが何かを変え、そのせいで他の自由エネルギーの流れが解き放たれるのだが、その自由エネルギーは活性化エネルギーよりもはるかに大きい。恒星の形成の物語では、重力が提供した活性化エネルギーのおかげで、陽子の融合と、恒星の形成と、それに続くもののいっさいが始まった。

だが、ここには一つ謎がある。熱力学の第二法則はどうなったのだろう？　エントロピーは構造が大嫌いなのだから、どうしてより複雑なものの出現を許すのか？

もしエネルギーの流れをよく眺めれば、恒星のような複雑な構造は、その複雑さのために、高価な代償を払っていることがわかる。陽子の融合から得られる厖大なエネルギーを見てほしい。そのエネルギーが真っ先にするのは、恒星が潰れないように支えることだ。これは、エントロピーに支払う料金のようなもので、言わば「複雑税」だ。恒星は、エネルギーを生み出すのをやめると潰れてしまう。「複雑税」というものを考えれば、天体物理学者のエリック・チェイソンが指摘した、ある重要な現象が説明しやすくなる。それは、大まかに言って、複雑な現象ほど濃密なエネルギーの流れ（つまり、グラム当たり毎秒、より多くのエネルギー）を必要とする、という現象だ。たとえば、現代の人間社会を流れているエネルギーの密度は、太陽を通って流れているエネルギーの約二五万倍の密度があり、たいていの生物を通って流れているエネルギーの密度は、この両極端の間のどこかに位置すると、チェイソンは推定している。ものが複雑になろうとすれば、エントロピーがより多くのエネルギーをそれに要求するかのようで、複雑なものほど、より大きくて精妙な自由エネルギーの流れを見つけて管理しなければならないらしい。それならば、より複雑なものを作って維持するほうが難しいのも無理はないし、複雑なもののほうが単純なものよりもたいてい速く壊れるのも不思議はない。これは現代版のオリジン・ストーリーを貫く考えであり、現代の人間社会について多くを教えてくれる[2]。

エントロピーはこの取引をおおいに気に入っている。なぜなら、恒星を支えているエネルギーは滝のエネルギーと同じで、宇宙空間に放出されたときには、最終的に劣化するからだ。だから、恒星は複雑になる一方で、エントロピーが自由エネルギーを熱エネルギーへと劣化させるのを手伝っているわけだ。私たちは現代版のオリジン・ストーリーの至る所でこれを目にすることになる。複雑さの増大は、エントロピーに対する勝利ではない。矛盾するようだが、複雑なもの（あなたや私も含む）を維持するエネルギーの流れは、あらゆる形の秩序と構造をゆっくりと破壊するという冷酷な課題をエントロピーが果たすのを手伝っているのだ。

臨界3——新しい元素と増大する化学的複雑さ

ビッグバンの一〇億年後、すでに宇宙は、幼い子供のように興味深い振る舞いを見せていた。だが、化学的には退屈極まりなかった。水素とヘリウムしかなかったからだ。しだいに増す複雑さの第三の臨界を超えると、新しい形態の物質、すなわち、元素周期表に載っている他のすべての元素が生み出された。九〇以上の異なる元素がある宇宙は、水素とヘリウムしかない宇宙よりもはるかに多くのことができた。

最初に誕生した元素が水素とヘリウムだったのは、両者が最も単純だからだ。水素の原子核には陽子が一個しかないので、水素の原子番号は1となる。ヘリウムの原子核には陽子が二個あるので、原子番号は2だ。ビッグバンから約三八万年後にCMBRが放射されたときには、少量のリチウム（原子番号3）とベリリウム（原子番号4）もあった。だが、それで全部だ。ビッグバンで生み出された元素はそれしかなかった。

もっと大きな原子核を持つ元素を生み出すためのゴルディロックス条件は単純で、大量の陽子と、ビッグバンの直後以来存在していなかったような、非常な高温だ。そのような高温は、恒星が疲れ果て、ふらつき、もうエントロピーの「複雑税」を払えなくなって、ついには崩壊するという、死にゆく恒星の劇的で葛藤に満ちた世界の内部で生じることになる。

恒星が断末魔の苦しみの中でどうやって新しい元素を製造するかを理解するには、恒星がどう生き、どう老いるかを理解する必要がある。

恒星の寿命は途方もなく長いので、私たちは恒星が歳を取るところを眺めることができない。だから恒星の生と死について現代語られている物語は、マヤ族や、マンゴ湖や古代アテネの人々のような、肉眼に頼る天体観測者には、語れるはずもなかった。現代人の理解は、過去二世紀間にようやく発明された機器や蓄積されたデータを使って世界中でなされた研究に基づいている。そうした機器やデータのおかげで、現代の天文学者は、天体としての一生のうち、さまざまな段階にある何百万もの恒星についての情報を共有できる。イギリスの天文学者アーサー・エディントンが述べているように、天文学とは、若木や成木や死にかけている老木から成る森の中を歩くようなものだ。[3] ライフサイクルのさまざまな時点にある木々を研究することで、樹木がどのように育ち、成熟し、枯れるかを、やがて突き止めることができる。

天文学者には、恒星についての厖大な情報を一まとめにしてくれる基本的なマップがある。ヘルツシュプルング＝ラッセル図だ。これは、かつて学校の教室に常備されていた地球儀の天文学版であり、地球儀と同じで、多くの情報の意味を理解するのに役立つ。

一九一〇年頃にまとめられたヘルツシュプルング＝ラッセル図は、二つの基本的な属性に基づいて恒星を区別する。縦軸上に示される第一の属性は、太陽と比較したときの恒星の固有の明るさ（光度）で、これは、実際には恒星が宇宙空間に放出するエネルギーだ。第二の属性は色で、そこから表面温度がケルビンの単位でわかる。色は普通、横軸に示される。これら二つの数量は、恒星の生涯を通して変化するので、この図があれば、異なる種類の恒星の経歴が理解しやすくなる。恒星の一生における主要な違いは、主にもう一つ別の数値に左右される。すなわち、恒星が形成される元となった物質の雲の質量だ。質量の大きい恒星は、質量の小さい恒星とは違う経歴をたどる(4)。

ヘルツシュプルング＝ラッセル図では、シリウスのように多くのエネルギーを発している明るい恒星は、上のほうにくる。それらはたいてい、質量が大きい恒星だ。私たちのお隣のプロキシマ・ケンタウリのようなとても暗い恒星は、下のほうにくる。私たちの太陽（光度1）は、その間に位置する。表面温度が非常に高い恒星は左側に寄っており、表面温度が低い恒星は右側に寄っている。

この図には、興味深い主要な領域が三つある。図を二分する形で左上から右下へとうねりながら連なる幅広い帯が「主系列」だ。ほとんどの恒星が、生涯の約九割を、主系列上のどこかで過ごす。そ

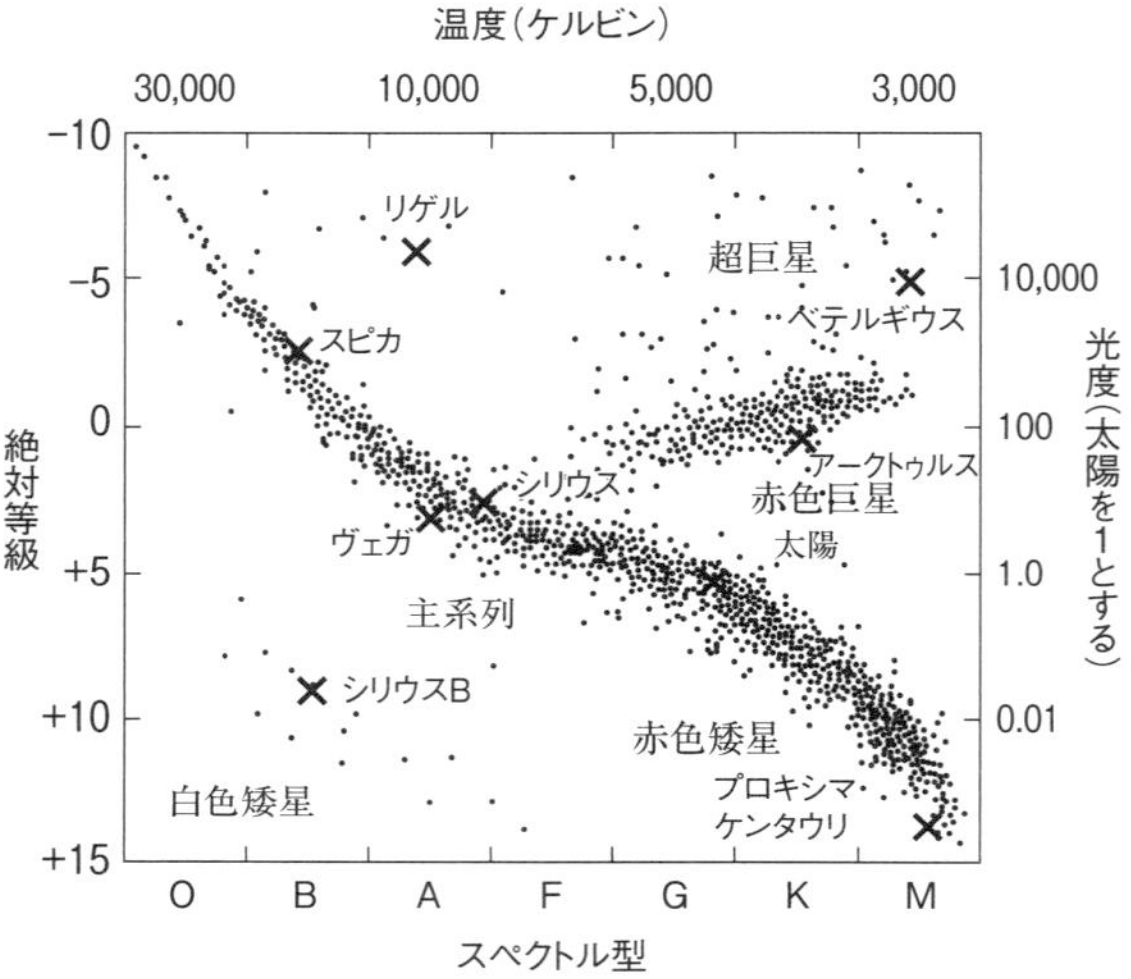

ヘルツシュプルング＝ラッセル図　異なる恒星の種類の例のおおよその位置を示した図

れがどこになるかは恒星の質量で決まるが、主系列上の恒星はすべて、陽子を融合してヘリウムの原子核にすることで、必要とするエネルギーを生み出す。そして、それは私たちの太陽がたった今行なっていることでもある。太陽は壮年で、依然として主系列上にいる。図の右上にはベテルギウス（オリオン座の一角を占める恒星）のような赤色超巨星やアークトゥルスのような赤色巨星が見える。それらは、核の中の陽子の大半を使い果たし、燃料として他のもっと大きい原子核を炉の中で燃やしている、年老いた恒星だ。表面温度は比較的低い。それは、赤色巨星が太陽の約一〇倍~数百倍に膨らんだからだ。だが、発する光の総量は膨大だ。なぜなら赤色巨星はとても大きいからで、そのため、図の上のほうに位置している。第三の重要な領域は左下の隅だ。ここには、白色矮星《わいせい》が見られる。それらはかつての赤色巨星が外層の大半を失って、高熱・高密の核だけになったものだ。

恒星はひどく年老いると、ついに自由な陽子を使い果たし、融合した陽子の灰（言い換えればヘリウムの原子核）で核がいっぱいになり始める。ヘリウムの原子核を融合させるには、単独の陽子どうしを融合させるよりもずっと高い温度を必要とするので、いずれは恒星の核にある炉が停止する。すると、重力が優勢になり、恒星は自分自身の質量を支え切れずに重力崩壊する。だが、まだそこで話が終わるわけではない。恒星は重力崩壊した後、重力のせいで圧力が増し、再び熱くなる。恒星の核からずっと離れた外層は拡張して冷め、すべての均衡が保たれる。私たちには、この比較的低温の外層は赤く見える。だから、この段階にある恒星は「赤色巨星」と呼ばれる。太陽もこの段階に達したら、現在のおよそ二〇〇倍に膨らみ、水星や金星や地球を蒸発させてしまうだろう。

もし赤色巨星が十分な質量を持っていると、重力によって著しく圧縮され、核がこれまでにないほど熱くなり、ヘリウムの原子核を融合して、炭素（陽子六個）や酸素（陽子八個）のような、もっと重い原子核を生み出し始める。こうしてその恒星は息を吹き返すが、ヘリウムの原子核を融合させるのは、陽子を融合させるよりも複雑な過程であり、生じるエネルギーが少ないので、この段階にある恒星は平均余命がずっと短い。とても大きい恒星は、しだいに激しさを増す膨張と収縮の段階をいくつか経る。炭素どうしや酸素どうしなどが融合して、マグネシウムからケイ素までさまざまな元素ができ、ついには鉄が形成される。恒星の温度が上がると、別のメカニズムも働きだし、中性子の一部を陽子に変え、新しい種類の原子核を生み出す。恒星の核は徐々に、鉄が他の元素の層で囲まれた巨大な球になっていく。

そして、それが核融合の終着点だ。なぜなら、鉄の原子核を融合させてもエネルギーは生み出せないからだ。やがて、たいていの恒星は外層を吹き飛ばし、白色矮星と化し、ヘルツシュプルング゠ラッセル図では、左下の隅に位置を占める。白色矮星は言わば恒星のゾンビで、心臓部には炉はない。極端なまでに高密度で、地球ほどの大きさのことが多いが、太陽ぐらいの質量を持っている。あなたが白色矮星の成分をティースプーン一杯分持ち上げようとしても、うまくいかないだろう。少なくとも一トンの重さがあるからだ[5]。こうした恒星の亡骸は、相変わらず熱いが、何十億年もかけて冷めていく。だがその恒星は、新しい元素で周囲を肥沃にすることで、すでに務めを果たしたのだ。白色矮星のなかには、近隣の恒星の物質を吸い取ると、巨大な超新星爆発を起こし、もっと華々しい最期を遂げるものもある。そうした爆発は非常に高温なので、元素周期表に載っている多くの元素を生み出すことができる。白色矮星の壮観な爆発死からは、「１ａ型超新星」として知られるものが生じる。１ａ型超新星はすべて同じぐらいの温度で爆発する。だから、爆発が見えたら、その見かけの明るさをもとに、その星までの本当の距離が推定できる。天文学者は１ａ型超新星のおかげで、ケフェイド変光星よりも何百倍も遠くまでの距離を推定できる。

太陽の約七倍を超える質量を持つ恒星も、「重力崩壊型超新星」という別の種類の爆発で華々しく生涯を閉じる。核が太陽よりも大きい鉄の球を形成すると、中心の炉は最後の停止を迎える。重力のせいで猛烈な力がかかり、核が一瞬のうちに崩壊し、その恒星の生涯でかつてなかったほどのエネルギーと温度が生じる。恒星は超新星爆発を起こし、束の間、銀河まる一個分と同じぐらいのエネルギーを発することもある。ほんの数分のうちに、元素周期表の残りの元素の多くを作り出し、それらを

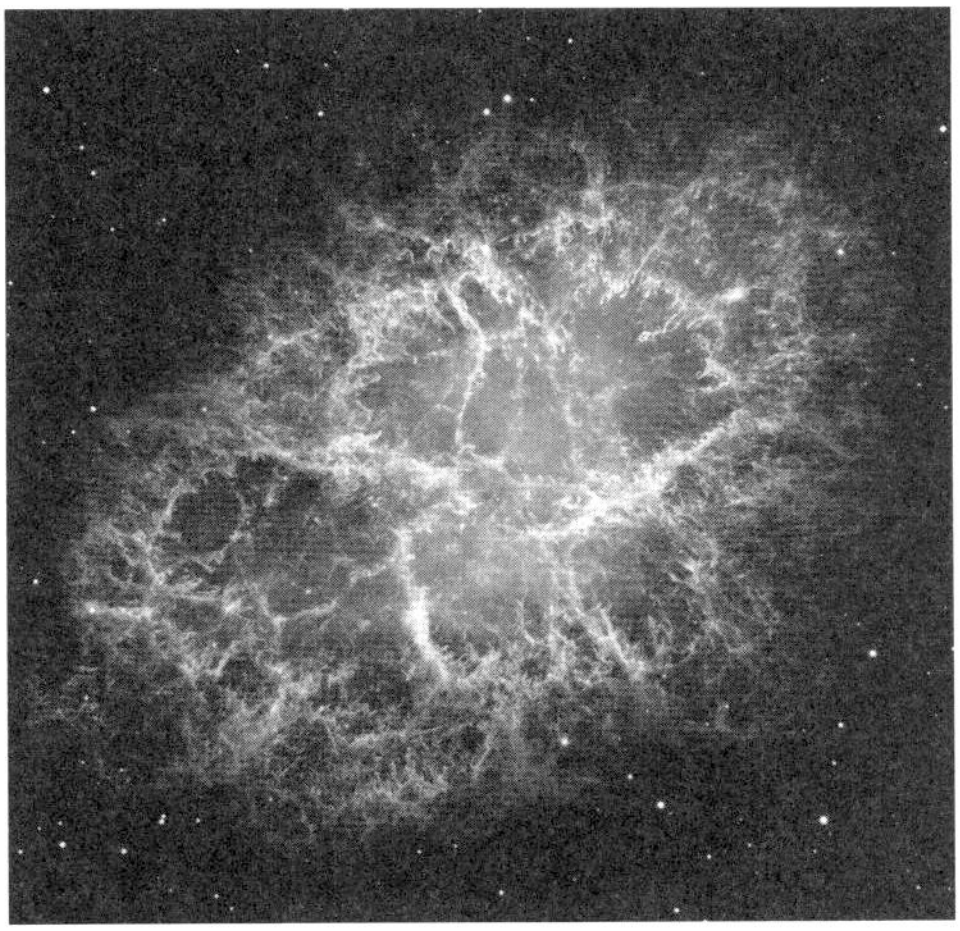

かに星雲

宇宙空間へと吹き飛ばす。重力崩壊型超新星で最も有名な例は、かに星雲の中心部に位置しているものかもしれない。ベテルギウスは今後一〇〇万年間に、いつ超新星になってもおかしくない。

　超新星爆発で外層を吹き飛ばした超巨星はたいてい激しく収縮するので、陽子と電子が押し潰され、中性子を形成する。今や巨体がまるごと押し潰され、「中性子星」となる。中性子星は、原子核の中の粒子と同じぐらいぎっしり中性子が詰め込まれてできている。ほとんどの原子は主に何もない空間から構成されていることを考えると、これは非常に珍しく、極端に高密度な物質の形態だ。直径がわずか二〇キロメートルの中性子星でも、太陽の二倍ほどの重さになり、中性子星の成分はティースプーン一杯分が一〇億トンもある。[6]元素周期表の重い元素の多くが、通常の超新星爆発ではなく中性子星どうしの激しい合体の間に形成されたかもしれないことを示す証拠がある。

中性子星は警告灯のように高速で回転する。一連のエネルギーの高速放射から、一九六七年に最初に検出された。自転している中性子星はパルサーとして知られている。最初のパルサーが発見されてから間もなく、別のパルサーがかに星雲の中心部で検出された。一〇五四年に中国の天文学者たちによって観察された超新星爆発の残骸だ。かに星雲のパルサーは、都市ほどの大きさで、毎秒三〇回自転している。

最大級の恒星は、別の、なおさら奇妙な幕切れを迎える。核が凄まじい勢いで急激に収縮するため、何一つその崩壊に逆らえず、ブラックホールとなる。ブラックホールは、既知のもののうちで最も高密度の物体だ。アインシュタインはブラックホールの存在を推測していた。ブラックホールはあまりに密度が高いので、何一つその重力を逃れられない。光でさえ脱出できないので、ブラックホールの内部についてはほとんどわかっていない。ブラックホールはなんとも奇妙な天文学上の怪物だが、実在することを示す証拠は、今では山ほどある。宇宙の最初期の恒星はおそらく巨大だったから、その多くが崩壊して大きなブラックホールになり、それが重力の核を提供し、それぞれの周りに銀河がまるごと一つ形成された可能性が高い。砂粒の周りに真珠ができるようなものだ。今日、天文学者は、私たちのものも含め、ほとんどの銀河の中心部に大きなブラックホールを検出できる。ブラックホールの巨大な重力場は、近隣の恒星を吸い込むことができる。恒星が引っ張られてブラックホールの境界（「事象の地平面」）を越えるときには、断末魔の叫びを上げるかのように、厖大な量のエネルギーを発する。この死に際の悲鳴は、「クエーサー」として知られる、並外れて明るい物体を生み出す。

ブラックホールの境界を越えると、もう二度と戻ってこられない。それは私たちの知識の限界を意味している。なぜなら、ブラックホールの手中から逃れられる情報はほとんどないからだ。ブラックホールを形成した物体の質量や、ブラックホールの自転は推定できる。だが、わかるのはその程度だ。ただし、スティーヴン・ホーキングは、微妙な量子効果のおかげでほんのわずかなエネルギーがブラックホールから漏れ出せることを示した。ひょっとすると情報も漏れ出しているのかもしれないが、たとえそうだとしても、その解読の仕方はまだわかっていない。

以上のようなさまざまな形で、死にゆく恒星は幼い宇宙を豊かで肥沃にした。元素周期表の元素は、死んでいく恒星の内部や超新星の爆発で作り出されると、恒星の間で集まって巨大な塵雲《じんうん》となった。原子どうしが結びついて単純な分子を形成し、言わば発酵作用によって新しい形の物質を醸成した。

恒星についてじつに多くが知られているのは、地球から何百万光年も離れた所にある恒星の内部で何が起こっているかを突き止める技術を天文学者たちが開発したからだ。彼らが恒星の光からどれほど多くの情報を引き出せるかは、すでに見た。だが可視光線は、恒星や銀河が発するエネルギーのほんの一部にすぎない。天文学者は現代の望遠鏡を使えば、最も波長が長くてのんびりした電波から、最も波長が短くてやたらに活発なガンマ線まで、電磁スペクトルのあらゆる周波数での放出を研究できる。また、コンピューターのおかげで、厖大な量の情報を素晴らしい精度で処理できるし、ハッブル宇宙望遠鏡のような、宇宙空間に配備された望遠鏡のおかげで、天文学者は地球の大気による歪みの影響を受けずに宇宙を観測できる。これらの現代の科学機器によって、私たちの銀河環境について、じつに多くのことがわかる。

光学望遠鏡や分光器のような旧来の機器も、これまで途方もなく重要な役割を果たしてきた。分光器によって明らかになる吸収線から、恒星の中にどんな元素がどんな割合で存在しているかがわかる。太陽にはどれだけの金があるか知りたいだろうか？　それならば、分光器を太陽に向け、金の吸収線を調べ、どれほど色が暗いか測定すればいい。すると、金の質量は太陽の質量の一兆分の一にも満たないことがわかるだろう。だが、太陽はとても大きいので、その金をすべて抽出すれば、途方もない金持ちになれる。なにしろ、地球に存在する金よりもはるかに多くが得られるだろうから。

　天文学者は、恒星が放つ光の色（あるいは周波数）から、その恒星の表面温度が割り出せるので、恒星の表面温度は、低ければ二五〇〇ケルビン、高ければ三万ケルビンに達することがわかる。そして、すでに見たとおり、見かけ上の明るさを測定し、それから近くではそれよりどれほど明るいかを計算することによって、恒星が発する光の総量（光度）を計算できる。表面温度と光度という、この二つの値から、ヘルツシュプルング＝ラッセル図に記入する基本データが得られる。最後に、恒星の光度がわかれば、その質量を推定できることが多い。同様の技術を使えば、さまざまな銀河までの距離や、銀河全体の大きさ、動き、エネルギーも推定しやすくなる。

　これらの技術のおかげで、過去半世紀の間に、恒星や銀河に関する私たちの理解は大躍進を遂げた。私たちはそうした技術の助けを借りて、恒星や銀河がどのように進化し、崩壊し、宇宙を化学的に豊かにしたかを理解することができた。宇宙が化学的に豊かになったことこそが、複雑な分子が生み出されるための決定的なゴルディロックス条件であり、そうした分子が生まれたからこそ、地球や月のような新しい種類の天体を形成することが可能になったのだ。

3　分子と衛星――臨界4

実際には、原子と虚空があるだけだ。
――デモクリトス

おまえたちは地上にいる。それはどうしようもない。
――サミュエル・ベケット『エンドゲーム』

星屑から分子へ

これまで私たちは、途方もないエネルギーを使う猛烈なプロセスが、宇宙の基本的な作動規定に導かれて、恒星や銀河や新しい元素を生み出すところを見てきた。そのやり口はチェーンソー彫刻の宇宙版とも言え、重力が腕利きのチェーンソー・アーティストというところだった。この荒削りの彫刻が恒星の周辺に提供した新しい環境の中では、打って変わって繊細な彫刻が可能になった。その新しい種類の彫刻を理解するには、極大のものから極小のものへと目を移す必要がある。原子どうしの関係に的を絞らなくてはならないのだ。

化学的な複雑さは、個々の原子や分子を配置し直すというナノレベルの仕事をこなせる、電磁エネルギーの微小な流れを頼みとしている。だが、自由エネルギーのそのような繊細な流れがよく見られるのは、そのためのゴルディロックス条件を満たす、保護された、稀にしか存在しない環境に限られている。高温では分子や原子はばらばらにされてしまうため、恒星の内部では化学的な複雑さは達成できない。だが、化学的複雑さは、ある程度のエネルギーはどうしても必要とするので、恒星から遠く離れた宇宙のデッドゾーンでも得られない。理想的な環境は、恒星の近くのようだ。だが、近過ぎては駄目で、自由エネルギーが継続的に、ただし緩やかに流れている領域らしい。

私たち人間は重力を感じるが、原子たちがうろつくナノの世界では、重力はあまり重要ではない。細菌やアメンボのような小さな生き物にとってさえ、重力はたいして問題にならない（細菌にとっては周辺の電荷、アメンボにとっては水の表面張力のほうがずっと大きな関心事だ）。分子のスケールでは、電磁気力がすべてを支配している。電磁気力が原子や分子を結びつけたり引き離したりする。原子や分子は、電磁気の釣り針や探り針、ルアー、投げ縄だらけの、拘束されやすい世界を動き回っている。

化学反応は、銀河の塵雲が新しい元素でいっぱいになっていくときに、そうした塵雲の内部で始まった。今日でさえ、星間塵雲の質量の約九八パーセントは、水素とヘリウムから成る。だが、水素原子とヘリウム原子の合間には、元素周期表に載っている他のすべての元素の原子がちらばっている。紛らわしいことに、天文学者はヘリウムよりも重い元素はすべて「金属」と呼ぶ。だから、しだいに多くの恒星が死んでいくうちに、宇宙はどんどん金属質《メタリック》になったと、彼らは言う。同様に、私たちの太陽は、以前の世代の恒星よりも金属質だと言うことができる。太陽のほうが多くの金属を含んでいるからだ。

分光器を使うと、星間塵雲にどんな元素がどれだけあるかがわかる。また、分子（電磁気力で結合している原子の群れ）も特定できる。たとえば、塵雲に水や氷の分子、あるいはケイ酸塩（主にケイ素と酸素から成り、地球の塵と岩石のほとんどを形成している）の分子が含まれているかどうかがわかる。星間塵雲の中には多くの単純な分子があり、それには、アミノ酸（タンパク質の基本構成要素）のような、地球上の生命に不可欠なものも含まれていることが、今ではわかっている。

化学とは、電磁気力がどのように分子を作り上げ、原子がどのように結合したり再結合したりして私たちの世界における物質の千変万化の多様性を生み出すかを探究する学問領域だ。

化学的な逢引――原子はどのように結合するか

原子はとても小さい。炭素原子なら一〇〇万個を、英文の終わりに来るピリオドに詰め込める。だが原子を、中身がぎっしり詰まった球状の物質と考えてはならない。原子のほとんどが、何もない空間から成る。それぞれの中央には、正の電荷を帯びた陽子と電荷を持たない中性子が強い核力で結合した微小の原子核がある。それ以外の部分には、ほとんど何もない。原子核から遠く離れた所を、原子核にある陽子の数にほぼ等しい数の電子から成る雲が取り巻いている。二〇世紀初期に、近代的な原子物理学の先駆者の一人であるアーネスト・ラザフォードは、原子核を「大聖堂の中のハエ」と表現した〔訳注　そう表現したのはラザフォードではなくアメリカの物理学者アーネスト・ローレンスとされている〕。

ラザフォードが引き合いに出した大きさの比率はほぼ正しい。だが彼は、現代の量子物理学が発展する前に書いていたので、彼の比喩が誤解を招きやすいものでもあることが、量子物理学によって明らかになった。電子は微細で、陽子の約一八三六分の一の質量しかない。量子物理学によって、電子の厳密な速さと位置を特定するのが不可能であることが立証された。電子がおそらくどこにあるかはわかるが、厳密にどこにあるかはわからない。なぜなら、場所を突き止めようとすれば、エネルギーが必要になり（懐中電灯で照らすところを想像してほしい）、電子はあまりに軽いため、検出するのに使われるエネルギーのせいで、速さと軌道が変化してしまうのだ。だから量子物理学者は、周回する電子を、原子核から特定の距離では濃くなり、別の距離では薄くなる、一種の「確率の霧」として表す。確率の霧は原子の大聖堂のほとんどに充満し、外壁の外まで漏れ出ていきうる[1]。

化学とは、この確率の霧の中における逢引と諍《いさか》いに尽きる。そして、そこではじつに多くのことが起こっている。陽子と電子の間で絆が結ばれたり断たれたりし、古いつながりが終わり、新しい関係が始まり、その結果、まったく新しい物質の形態が出現する。こうした活動のいっさいを推進しているのが、電子の帯びている負の電荷なのだから、単純な話だ。その電荷のせいで、電子どうしは反発し合うが、自分が所属する原子や近隣の原子の、正の電荷を帯びた陽子には惹きつけられる。化学者は、そうした戯れの恋や鞘当《さやあ》て、そこから生じる密通や緊張を研究する。電子はこのような過程を通して近隣の原子と結ばれ、原子がいくつか、ときには何百万どころか何十億も連なる、最も複雑な恒星よりも複雑な構造を形作る。個々の分子のパターンには固有の創発特性があり、そのため、化学的性質の持つ可能性は無限に見える。それでもなお、このような電子の求愛行動には独自の作動規定があり（人間の求愛行動の規則と同じぐらいひねくれたものもある）、電磁気力がどのように化学的な複雑さを作り上げられるかを決めている。

カギを握っているのが電子だ。恋をしている人間と同じで、電子は何をしでかすかわからず、気まぐれで、もっと良い申し出があればいつでも受け容れる気がある。陽子の周りの明確な軌道を飛び回る。それぞれの軌道は、エネルギー準位（エネルギーのレベル）が異なる。電子は、可能なときには常に、原子核に最も近い軌道に向かう。その軌道は、必要とするエネルギーが最も小さいからだ。だが、各軌道に入ることができる電子の数は限られているので、内側の軌道がいっぱいになってしまえば、その外側の軌道に落ち着かざるをえなくなる。その軌道にちょうど良い数の電子が収まっていると、誰もが満足していられる。これが、ヘリウムやアルゴンといった、いわゆる「希ガス（貴ガス）」の状態で、そうした希ガスは元素周期表の右端に並んでいる。それらは現状におおむね満足しているので、他の原子とは結合しない。

だが、原子の外側の軌道に空きがあると、居心地の悪さや問題や緊張が生まれ、位置をめぐって果てしない争いが起こる。化学作用のじつに多くがこれで説明できる。一部の電子は家出をして、近所の原子の方に向かう。すると、その電子が後にした原子は負の電荷を失うので、余分な電子を持った原子とペアになり、イオン結合を形成することがある。食塩は、このようにしてナトリウムと塩素の原子からできる。ナトリウムは、いちばん外側の電子がたいてい喜んで離脱し、塩素は外側の軌道を満たしてくれる余分な電子をしばしば探し求めているのだ。電子は二つの原子核を周回しているときに最も心地良く感じることがあるので、それらの原子核は電荷を事実上共有する。それが「共有結合」だ。水素と酸素の原子はこのようにして結合し、水の分子を形成している。だが、小さな水素原子が二個、大きな酸素原子の片側にしがみついているので、両者が形成する分子はいびつだ。このように奇妙な形をしているため、正の電荷と負の電荷が分子の表面に不均一に分布しており、そのせいで水素原子は混乱し、近隣の分子中の酸素原子に惹きつけられることがよくある。水の分子がくっついて水滴になることも、これで説明できる。惹きつけられた水素の弱い結合（水素結合）のおかげなのだ。水素結合は生命の化学作用で根本的な役割を果たす。DNAなどの遺伝にかかわる分子の振る舞いの多くの、主な原因だからだ。金属では、電子はまったく違った振る舞いを見せる。厖大な数の電子が、金属の原子核の間を動き回っており、金属がなぜ電流を伝えるのがとても得意なのかもそれで説明できる。電流とは、じつは電子の巨大な流れなのだ。

原子核に六個の陽子を持つ炭素は、こうした原子のロマンスにおけるドン・ファンだ。炭素は普通、外側の軌道（外殻）に四個の電子を持っているが、そこには電子が八個入る余裕があるので、外殻から電子を四個取り去ったり、そこに電子を四個加えたり、他の原子と電子を四個共有させたりすれば、炭素原子に喜んでもらえる。このように、炭素原子は多くの選択肢を持っているため、環状や鎖状、その他の変わった形の込み入った分子を形成することができる。こうした妙技をやってのけられるからこそ、炭素は生命の化学作用にとって、とても重要なのだ。

化学の基本法則は普遍的に見える。なぜそれがわかるかと言えば、地球上で見つかる単純な分子の多くが、星間塵雲の中にも存在していることが、分光器で確認できるからだ。だが、星間の化学作用はかなり単純に見える。これまで検出された星間分子で、原子を約一〇〇個以上持ったものは一つもない。だが、これは意外ではない。なにしろ宇宙空間では、原子どうしが遠く離れているので、結合するのが難しいからだ。それに、温度が低いので、原子を促して長期的なパートナーシップを結ばせるのに必要な活性化エネルギーがほとんどない。星間の化学作用に関して際立っているのは、惑星を形成する、水やケイ酸塩のような単純な分子だけではなく、タンパク質の構成要素であるアミノ酸のような、生命の基本分子の多くも生み出せる点だ。実際、宇宙には単純な有機分子がありふれていることが今ではわかっている。そうした有機分子の存在が、地球以外にも生命が存在する可能性を高めている。

臨界4——分子から衛星と惑星と惑星系へ

原始の恒星を周回している単純な化学分子は、しだいに増す複雑さの次の臨界にとってのゴルディロックス条件を生み出した。なぜならそれらの分子は、惑星や衛星や小惑星という、まったく新しい天体の基本構成要素を提供したからだ。惑星は恒星よりも化学物質が豊富で、ずっと温度が低いため、複雑な化学作用にとって理想的なゴルディロックス環境を与えてくれた。そして、少なくとも一つの惑星（私たちの惑星）で、そしておそらく他にも多くの惑星で、その化学作用が最終的に生命を生み出すことになる。

長い間、人はたった一つの惑星系についてしか知らなかった。だが、一九九五年、天文学者は、太陽系外惑星（私たちの銀河の他の恒星を周回する惑星）を発見した。恒星の動きがわずかに乱れたり、惑星が恒星の前を通過するときに恒星の明るさが微妙に変化したりするのを検出することで、惑星の存在が確認できたのだ。それ以来、大半の恒星には惑星があることがわかった。したがって、私たちの銀河の中だけでさえ、多くの種類の惑星系が何百億もありうるわけだ。二〇一六年半ばまでに、天文学者が確認した太陽系外惑星の数は三〇〇〇を超えた。今後一〇年から二〇年のうちに、他の惑星系の研究が進み、最も一般的な配列がわかってくるはずだ。間もなく、私たちはそれらの惑星系の大気も研究できる見込みで、そうなれば、生命の存在に適している可能性のある惑星系の数の見当がつくかもしれない。多くが地球と同じぐらいの大きさであることや、生命にとって不可欠の成分である液体の水を持つのに適した距離で恒星を周回していることが、すでに知られている。

太陽系外惑星の発見から、この宇宙が臨界4も臨界3と同様、何度も超えたことがわかる。初めてその臨界を超えたのは、宇宙の歴史のごく初期だったかもしれないが、その現象の中心となった恒星を私たちはおそらくけっして検出することはないだろう。だが、この臨界を超える過程については、今ではかなり多くのことがわかっている。

惑星系の形成は複雑で混沌とした過程であり、惑星系は、化学物質が豊富な宇宙の領域で恒星が形成されるときの副産物だ。ビッグバンから何十億年も後、星間空間は多くの異なる化学元素を含む物質の雲で満ちていた。水素とヘリウムが依然としてこれらの雲の九八パーセント近くを占めていたが、残る約二パーセントが大きな違いを生んだ。初期の宇宙でと同じで、重力はこれらの雲を密集させたがった。今私たちがいる領域では、約四五億六七〇〇万年前、近くで超新星爆発が起こり、あたりを揺るがせ、ガスと塵の巨大な雲が収縮し始め、それが重力の手助けをしたかもしれない。その超新星は固有の放射性物質という形の名刺を残し、それが私たちの太陽系内に存在する隕石の中に見られる。

この塵雲は、収縮しながら多くの原始惑星系星雲に分かれ、そのうちの一つが私たちの太陽を形成した。太陽は、自分が含まれていた塵雲内のあらゆる物質のうち、九九・九パーセントを呑み込んだ。だが、今私たちが興味を惹かれるのは、その残り物で、原始の太陽を周回していた破片の環だ。原始惑星系星雲が重力によって縮むにつれ、渦巻く大量のガスや塵や氷の粒子は、どんどん回転速度を上げ、とうとう遠心力でピザの生地のように平らになり、今日の太陽系の元となる薄い円盤ができ上がった。私たちは今、そのような原始惑星系円盤を、恒星が形成されている場所の近隣の領域で観測することができる。だから、原始惑星系円盤は、ごくありふれていることがわかる。

二つの過程が相まって、回転する物質の円盤から惑星と衛星と小惑星ができた。第一の過程は、一種の化学的仕分けだ。原始の太陽からの、電荷を帯びた粒子の猛烈な噴出(「太陽風」として知られる)が、水素やヘリウムのような軽い元素を内側の軌道から吹き飛ばし、二つの異なる領域が生まれた。原始の太陽系の外側の領域は、宇宙のほとんどと同じで、主に原初の元素である水素とヘリウムから構成されていた。だが、水星や金星、地球、火星という岩石惑星が形成されることになる内側の領域は、水素とヘリウムをあまりに多く失ったので、珍しい化学的多様性を持った。酸素、ケイ素、アルミニウム、鉄が、地球の地殻の八割を占め、カルシウムや炭素やリンといった元素が、副次的な役割を果たしている。地球では、水素はほどほどの役割しか演じておらず、ヘリウムはめったに見られない。

私たちの太陽系を形成した第二の過程は、「降着」だ。原始の太陽の周りの異なる軌道の中で、物質が少しずつ集まってきた。ガスが多い外側の領域では、これはおそらくかなり穏やかな過程だっただろう。重力に引き寄せられた物質で、木星や土星のような巨大なガス惑星ができ上がった。これらの惑星は、主に水素とヘリウムから成り、塵と氷がうっすらとまぶされていた。だが、内側の領域では、降着はもっと激しく混沌とした過程だった。なぜなら、ここでは、ずっと多くの物質が固体だったからだ。塵と氷の粒子がそれぞれくっついて小さな岩や氷の塊となり、高速で飛び回り、衝突して粉々になることもあれば、合体してさらに大きな物体となることもあった。やがて、流星や小惑星のような、なおさら大きな物体が現れ、それぞれの軌道の中でそれらが衝突したり合体したりして、じつに大きな物体が形成され、それらは自らの重力のおかげで、残っている破片のほとんどをかき集めることができた。こうした過程を経て、ついに、今日私たちが目にする惑星が生まれ、互いに間隔を置いて、太陽の周りを異なる軌道を描いて回るようになった。

このような説明からは、降着がどれほど無秩序で激しい過程かほとんど実感できない。軌道を通過し、原始の惑星や衛星にぶつかって配列を乱したり、粉々にしたりする物体もあった。木星となる原始惑星は、内側に移動し、その重力で、現在の小惑星帯の中で形成されていた未来の惑星を破壊したかもしれない。天王星が奇妙なまでに傾いて自転しているのは、おそらく、別の大きな天体との激しい衝突の結果だろう。そして、多くの小惑星がぎざぎざしているのは、私たちの太陽系の歴史の初期に起こった凄まじい衝突の傷跡だ。

衝突は、太陽系がしだいに安定していく間も、長い時間にわたって続いた。実際、私たちの月はおそらく、太陽系の誕生から約一億年後に、原始の地球と火星ほどの大きさの原始惑星（テイア）の衝突で形成されたと思われる。その衝突で、巨大な物質の雲が地球の周りの軌道に送り込まれ、おそらくそれがそこで土星の環のように回転しているうちに、降着して月を形成したのだろう（土星の環も、粉々になった衛星の破片かもしれない）。

私たちの太陽系は、五〇〇〇万年のうちに、今日のものの基本となる形状を獲得し、それ以来ずっと、非常に安定している。私たちの宇宙にある何十億もの惑星系も、おそらく同じような過程を経て形成されたのだろう。ただし、配列はじつにさまざまだ。だが、惑星はすべて恒星よりも温度が低く、化学物質が豊富かつ多様で、だからこそ、新しい形の複雑さを作り上げることを可能にするゴルディロックス条件を提供したのだ。最終的に、そうした物体の少なくとも一つが、そしておそらくもっとずっと多くが、生命を生み出した。

地球という惑星

太陽系は、私たちが「天の川銀河」と呼ぶ銀河の中にあり、「オリオン腕《わん》」という、天の川銀河が持つ渦状の腕の一本の、言わば星の郊外に位置している。天の川銀河は、なんとも無粋な「局部《ローカル》銀河群《グループ》」として知られる、約五〇の銀河の集団の一員だ。局部銀河群は、「おとめ座銀河団」という、一〇〇〇ばかりの銀河の集団の外部領域にある。おとめ座銀河団は、何百もの銀河団を含む「局部超銀河団」の一部だ。この局部超銀河団を横切るには、光速で進んでも一億年かかる。二〇一四年に、この局部超銀河団は、ひょっとすると一〇万もの銀河から成る広大な宇宙帝国の一部であり、それを横切るには光速で進んでも四億年かかるだろうことがわかった。この帝国は、「ラニアケア超銀河団」で（「ラニアケア」はハワイ語で「計り知れない天空」の意）、現在これは、宇宙で知られているうちで最大の構造体だ。ラニアケア超銀河団は、暗黒物質の足場の周りに構築されており、宇宙が膨張するなか、その足場の重力でこれらの銀河がすべて一まとまりになっていると思われる。

さて、ここでラニアケア超銀河団の郊外へ、私たち自身の局部銀河団へ、天の川銀河へ、私たち自身の太陽系や地球が見つかるオリオン腕へと戻らなくてはならない。地球は降着で形成された後、最後にもう一度、例のチェーンソー彫刻によって、固有の内部構造ができ上がった。地質学者はこの過程を「分化」と呼ぶ。

原始の地球は高温になり、溶けた。温度が上がったのは、降着による激しい衝突と、放射性元素（私たちの太陽系を形成するための物質の大半を提供してくれた超新星爆発によって生み出された）の存在と、大きさが増すにつれて高まった圧力のせいだった。やがて、原始の地球はあまりに熱くなったため、溶けてねばねばした泥のようになり、液化するうちに密度ごとに異なる層に分かれ、今日のような構造が誕生した。

主に鉄とニッケル、そして多少のケイ素といった重い元素は、熱いぬかるみの中を中心に向かって沈んでいき、地球の金属核を形成した。地球は回転していたので、この核が磁場を生み出し、それが太陽風の有害な荷電粒子から地表を守った。玄武岩《げんぶがん》のような比較的軽い岩石は、この核の外側に集まり、第二の層を形成した。三〇〇〇キロメートルほどの厚みを持った領域で、半ば溶融した岩石に気体と水が混じっており、「マントル」として知られている。火山が吐き出す溶岩は、ここから出てくる。最も軽い岩石（その多くが花崗岩《かこうがん》）は表面に浮かび上がり、そこで冷えて固体となって第三の層を形成した。卵の殻のように薄い層で、「地殻」として知られており、今日では海洋と大陸に覆われている。海洋の下では、地殻はわずか五キロメートルの厚さしかないこともあるが、大陸の下ではその厚さは、最大で五〇キロメートルに達する。地殻は化学的にとりわけ興味深い。その中には固体も液体も気体も見られ、火山や、小惑星の衝突、原始の太陽の容赦ない光、やがてでき上がった地球の最初の海洋によって、繰り返し熱せられたり冷却されたりした。地殻とマントルの内部では、熱と、元素の循環のおかげで、二五〇ほどの新しい鉱物が生み出された。[2] 二酸化炭素と水蒸気などの気体は泡となり、マントルから噴火口や地表の亀裂を通って湧き出てきて、第四の層、すなわち、地球の最初の大気を形成した。地殻と大気は、小惑星や彗星が持ち込んだ気体や水、複雑な分子、その他の物質でも豊かになった。

　溶融した熱い核のおかげで、原始の地球は動的であり続けた。中心からのエネルギーがこの惑星の中を徐々に伝わり、外側の各層を熱して攪拌《かくはん》し、マントル内部の柔らかい岩石の循環する流れと、火山が点在する地表を生み出した。核からの熱は、依然として地球の上層における変化を促している。今日私たちはＧＰＳ（全地球測位システム）を使い、地表の動きを追うことができ、地表の地殻プレートが人間の指の爪が伸びるほどの速さで動き回っていることを知っている。最も速いプレートは、毎年約二五センチメートルの割合で移動する。

　地質学者は地球の歴史を区分する。いちばん長い区分が累代《るいだい》で、最初のものが「冥王代《めいおうだい》」だ。これは、地球が形成されたときから約四〇億年前まで続き、それから太古代が始まった。冥王代に地球を訪れたら、この惑星は依然として降着の破壊合戦の影響を受けていただろう。月や他の惑星の表面の溝や亀裂を見ると、四一億年前から三八億年前にかけて、内部太陽系が小惑星やその他の迷子の天体による激しい連打に見舞われていたことがわかる。これは、「後期重爆撃期」として知られ、おそらく木星と土星の軌道が変化したために引き起こされたもので、原始の太陽系中にランダムに物体を撒き散らした。今日、小惑星の大半は火星と木星の間にある。だからそれは、木星の重力の破壊力のせいでついに誕生できなかった惑星の破片かもしれない。現在、およそ三〇万個の小惑星が知られている。ほとんどは小さいが、厖大な数の漂流物であり、地球型惑星（水星、金星、地球、火星）にたっぷり降り注ぐことができる。(3)

地球の研究——地震計と放射年代測定法

ハリウッドに騙《だま》されてはいけない。地球の内部深くまで掘削することは不可能だ。これまでの記録は深さ約一二キロメートルで、これは地球の中心までの距離のおよそ〇・二パーセントにすぎない。その掘削が行なわれたのは、ロシアの北西の果てにあるコラ半島で、地質学調査の一環だった。地球の内部のことがわかっているのは、X線の地質学版に相当する、これまた巧妙な科学的手法のおかげだ。地震が引き起こす振動は、地球の内部を伝わる。地表のさまざまな場所に設置した地震計でそうした振動を測定し、異なる地域の測定値を比較すれば、振動が地球の内部をどれほどの速さでどれほど遠くまで伝わったかが割り出せる。振動はその種類ごとに、伝わる物質次第で伝わる速さが違い、固体だけ伝わるものもあれば、液体も伝わるものもある。だから、多くの地震計でそうした振動を観測すれば、地球の内部について、多くのことがわかる。

地球の年齢や、現代版のオリジン・ストーリーの節目となるさまざまな時期を突き止めるのが可能になったのは、ようやく二〇世紀後半に入ってからで、創意に富んだ科学的手法のおかげだ。

地球の「近代史」の解明に向けた最初のステップは、一七世紀に踏み出された。当時、近代的な地質学の先駆者の一部が、地球の歴史における出来事の順序は特定できるかもしれないことに気づいた。たとえ、それらの出来事が厳密にはいつ起こったか、まったく見当がつかなくても、だ。一七世紀に、イタリア在住のデンマークの聖職者ニコラウス・ステノは、堆積岩を注意深く調べれば、異なる岩石層ができ上がった順序が特定できることを示した。堆積岩はみな、一層また一層と積み上がっていくので、最も古い層が普通はいちばん下にあることがわかっている。もしそのような層を貫いているものがあれば、それはもっと新しいに決まっていた。

一九世紀初期に、イギリスの測量技師ウィリアム・スミスが、異なる場所の岩石層にまったく同じ化石の組み合わせが現れることを示した。類似の化石はほぼ同じ時代のものに違いないという理に適った仮定に基づけば、同じ時代にでき上がった地層を世界中で確認できる。一九世紀の地質学者は、こうした原理を考え合わせ、地球の相対的な歴史年表を作成することができた。その年表は今もなお、現代の地質学的年代測定システムの背景にあり、肉眼で見える化石を含む層を持つ最初の時代区分であるカンブリア紀から始まる。

だが、カンブリア紀がいつだったのかは誰にもわからなかったし、それぞれの地層の絶対年代を突き止めるのは絶望的だと思っている地質学者も多かった。一七八八年、ジェイムズ・ハットンは次のように書いている。「始まりの痕跡も、終わりの見通しも、何一つ見つからない[4]」。二〇世紀初期になってさえ、ある出来事の絶対年代を定める唯一の方法は、その出来事が記された文書記録を見つけることだった。そしてそれは、H・G・ウェルズが第一次世界大戦の直後に現代版のオリジン・ストーリーを書こうとしたときに指摘したとおり、絶対的な歴史年表は数千年以上時代をさかのぼることができないということを意味した。

Ｈ・Ｇ・ウェルズは知らなかったが、やがて信頼のできる年代を提供することになる発見の一部は、すでになされていた。そのカギを握っていたのが放射能で、一八九六年にアンリ・ベクレルによって発見されたエネルギーの一形態だ。ウランのように、大きな核を持つ原子では、正の電荷を帯びた多くの陽子の反発力のせいで核が不安定になり、ついには自然に崩壊し、高エネルギーの電子や陽子、さらにはヘリウムの原子核さえ放出する。核の一部が放出された元素は、陽子の数が少ない別の元素に変化する。たとえば、ウランは崩壊して最終的に鉛になる。二〇世紀最初の一〇年間にアーネスト・ラザフォードは、たとえ特定の原子核がいつ分裂しそうかわからなくても、放射性崩壊は何十億もの粒子を平均したときにはじつに規則的な過程であることに気づいた。同じ元素のそれぞれの同位体（同位体は陽子の数は同じだが、中性子の数が違う）は、異なるものの一定の割合で崩壊するので、半減期（ある同位体の原子の半数が崩壊するのにどれだけの時間がかかるか）を正確に突き止めることができる。たとえば、ウラン238（陽子九二個、中性子一四六個）の半減期は四五億年、ウラン235（陽子九二個、中性子一四三個）の半減期は七億年だ。

もしサンプルがどれだけ崩壊したかを測定できれば、放射性崩壊によって一種の地質学的な時計が手に入ることにラザフォードは気づいた。一九〇四年、彼はウランのサンプルの崩壊の測定を試み、地球の年齢として、約五億年という数字に行き着いた。基本的な考え方は正しかったが、その推定年齢は物議を醸した。一億年未満という、当時受け容れられていた年齢よりもずっと古かったからだ。

やがて、しだいに多くの地質学者が、地球はかつて考えられていたよりもはるかに古いかもしれないことに同意し始めた。だが、放射性崩壊の測定にまつわる技術的問題は、侮り難かった。それが解決されたのはようやく一九四〇年代後期になってからで、最初の原子爆弾を製造したマンハッタン計画の一環として開発された方法を使ってのことだった。この爆弾を作るには、濃度の高いウラン235を得るために、二つの同位体を分離する必要があった。アメリカの物理学者ウィラード・リビーは、ウランの異なる同位体を分離したり測定したりする技術の開発に貢献し、その技術がやがて、放射性崩壊を測定する上で要となった。

一九四八年、リビーのチームは、メトロポリタン美術館が提供してくれた、古代エジプトのファラオであるジェセルの墓の出土品の、正確な年代を首尾良く割り出した。[5] 彼らは炭素14を使った。炭素14は炭素の放射性同位体で、五七三〇年の半減期を持つため、木のような有機材料を調べるときに、とても役に立つ。異なる放射性物質は、異なるスケールで、異なる物質に対して効果を発揮した。地質学者にとって、ウランから鉛への崩壊は、とりわけ価値があった。そして、ウランの異なる同位体が異なる割合で崩壊するおかげで、照合検査を行なうことができた。[6] 一九五三年、クレア・パターソンはウランから鉛への崩壊を利用して、ある鉄隕石の年代を特定した。彼は、隕石は若い太陽系の原初の物質からできており、したがって、全太陽系の年齢を示してくれるという、正しい仮定をした。彼の測定結果は、地球はラザフォードの推定よりも大幅に古い、約四五億歳であることを示していた。パターソンが導き出した数値は、今日でも依然として有効だ。

放射年代測定法の技術と並んで、照合に使える他の年代測定法の技術も登場した。過去数千年間の

ブリスルコーンパイン

年代は、数千年も生きることのあるブリスルコーンパインのような古木の年輪を数えれば突き止められることがある。天文学者は独自の技術を使って宇宙の歴史の年代を推定するし、生物学者は、DNAがほぼ一定の割合で変化することを発見したので、二つの種のゲノムの違いを測定すれば、両者が共通の祖先から分岐したおおよその時期が推定できる。放射性崩壊などの過程の入念な研究に基づくそうした技術が、そのような過程を正確に測定するための新しい機器の開発と相まって与えてくれた年表に沿って、現代版のオリジン・ストーリーは構築されている。

これまで私たちは、興味深いとはいえ生きてはいないものの中で複雑さが増すところを眺めてきた。そして今、すべての臨界のうちでもとくに根本的な臨界に差しかかった。生命の出現だ。生命が現れると、私たちはまったく新しい種類と水準の複雑さや、一連の新しい概念——情報や目的、そして最終的には意識さえ含む、新しい概念——に出合うことになる。

第Ⅱ部

生物圏

4　生命——臨界5

人生について思いに耽りながら午後を過ごした。考えてみると、人生とはなんと奇妙なものだろう！　他のいっさいとまったく違う。そうではないか？　もしわかってもらえるのなら。

——P・G・ウッドハウス『わが友、ジーヴズ（*My Man Jeeves*）』

あらゆる生物の核心にあるのは、火ではなく、暖かい息吹でもなく、「生気」でもない。それは情報であり、言葉であり、指示だ。……もし生命を理解したければ、脈打ち、鼓動するゲルや軟泥について考えるのではなく、情報テクノロジーについて考えることだ。

——リチャード・ドーキンス『盲目の時計職人——自然淘汰は偶然か？』

生命と情報——新しい種類の複雑さ

私たちが知っているような生命は、四〇億年近く前に、原始の地球の、元素が豊富な環境における斬新な化学作用から誕生した。もし地球以外にも生命が存在するなら、私たちはまったく見慣れていないために、目にしても生命だとは思わないかもしれない。だが地球上では、生命は何十億もの複雑な分子ナノマシン〔訳注　ナノマシンはナノメートルレベルの微小な機械装置。一ナノメートルは一メートルの一〇億分の一〕からできている。それらは、私たちが生命の基本構成要素と考える保護用の泡状構造（既知のあらゆる生物の、構造上・機能上・生物学上の基本的な構成単位）内部で協力して働く。これらの保護された泡は、「細胞」と呼ばれている（英語で細胞を表す「cell」という単語は、「小さな部屋」を意味するラテン語の「cella」に由来する）。細胞は生命の最小構成単位で、独力で自己複製できる。細胞は、環境からの栄養分と自由エネルギーの繊細な流れを利用して生き続ける。

生命は私たちの惑星に途方もない影響を与えてきた。生物は自らの複製を作り、それが増え、あちこちに拡がり、繁殖し、多様化できるからだ。生物の大群は、四〇億年をかけて地球の様相を変え、生物圏を生み出した。生物圏とは、生物と、生物によって形作られたり、変えられたり、後に残されたりしたもののいっさいから成る、地球の表面の薄い層だ。

生命に関しては気味の悪いことがある。それぞれの細胞の内側は、一〇〇万もの分子を巻き込んだ一種の泥レスリングのような大混乱状態にあるにもかかわらず、細胞全体は、目的を持って行動しているという印象を与えるのだ。各細胞内の何かが、その細胞を動かしているように見える。まるで、やることのリストを一生懸命実行しているかのように。そのリストは単純だ。（一）エントロピーや予測不可能の環境をものともせずに、生き続けること。そして、（二）同じことができる自分の複製を作ること。こうして細胞から細胞へ、一つの世代から次の世代へと続いていく。この、特定の結果を追い求め、特定の結果を避けるというところに、欲望や思いやり、目的、倫理、さらには愛の起源がある。ひょっとしたら、意味の始まりさえ、そこにたどれるかもしれない。もし、意味とは、異なる出来事や徴候の重要性を区別する能力を指すのであれば。たとえば、私の後ろを泳いでいるこの大きな白いサメの意味は何か？

目的意識の出現（あるいは、錯覚かもしれない）は、新しい。それは、これまで見てきた他の複雑なものの特徴ではない。恒星には目的があると言うことに、何か意味があるだろうか？　あるいは惑星や岩石には？　はたまた、宇宙にさえ？　あまり意味はないだろう。少なくとも、現代版のオリジン・ストーリーの約束事の中では。だが、生物は違う。生物はエントロピーの規則をおとなしく受け容れたりはしない。そうする代わりに、強情な子供のように反発し、交渉しようとする。生物は、陽子や電子のようにただ構造を定着させるだけではない。恒星のように、エネルギーの蓄えに頼って生きたりはしない。恒星は、誕生したときに食糧貯蔵室にたっぷり蓄えられていた陽子を貪り続け、貯蔵室が空になると崩壊する。生物は、複雑ではあるが変わりやすい状態に自らを保つために、環境からの新しいエネルギーの流れを絶えず追い求める。岩石はそのような振る舞いは見せない。それは、飛んでいるときの鳥の振る舞いだ。生物は、自由エネルギーを取り込むことによって飛び続ける（「飛ぶ」と言っても、熱力学的な意味で）。そのエネルギーで精妙な化学作用を推進し、生き続けるために必要なパターンに原子や分子を配置し直すのだ。エントロピーの「エネルギー税」をもう払えなくなったとき、生物は墜落する。

エネルギーと生命！　私はオーストラリアで、自分の子供たちがベジマイト〔訳注　パンに塗るペースト状の発酵食品）を塗ったサンドイッチを猛烈な運動のエネルギーに変え、やかましく庭を駆け回るところを眺めていたことを覚えている。自由エネルギー（たとえば、ベジマイト・サンドイッチから得たもの）は、話すエネルギーや走るエネルギー、そして最終的には熱エネルギーへと、それぞれの段階でエントロピーを増やしながら変わっていくが、私たちはそのときにそのエネルギーが流れる割合を測定することさえできる。平均的な人間は、毎日約二五〇〇キロカロリーを摂取する。これは一〇五〇万ジュールに相当する（ジュールは仕事量や熱量の単位で、一キロカロリーは約四一八四ジュール）。これを一日の秒数である八万六四〇〇で割ると、人は毎秒約一二〇ジュール使っている計算になる。つまり一二〇ワットだ。これが人間の「定格電力」であり、多くの旧来の白熱電球の定格電力をわずかに上回っている。[1]

　エントロピーに逆らおうと果てしなく試みる生命は、新しい種類と水準の複雑さを象徴している。複雑性の理論家は、この水準のものを「複雑適応系」と呼ぶことがある。これまで見てきた複雑物理系は、構成要素が宇宙の基本的な作動規定からたいてい予測できる形で振る舞うが、それとは違い、複雑適応系の構成要素は、独自の意志を持っているように見える。それらは、検出するのがもっと難しい、さらなる法則の数々に従っているらしい。実際、細菌やあなたの飼い犬や多国籍企業のような複雑適応系は、その構成要素の一つひとつが独自の意志を持った行動主体《エージェント》であるかのように振る舞う。だから、個々の構成要素は、他の多くの構成要素の振る舞いに絶えず合わせている。そして、それが極端に複雑で予測し難い行動を生み出す。[2]

　私は「行動主体」という言葉を使うにあたって、これからしだいに重要性を増す新しい概念をこっそれは、情報という概念だ。もし行動主体が他の行動主体に反応するのなら、それらは、他の行動主体がしていることについての情報を含め、自分の周りで起こっていることについての情報に反応していることになる。情報は、私たちの現代版のオリジン・ストーリーの登場人物だとしたら、秘密裏に、あるいは変装して活動し、さまざまな出来事を操作しつつ、スポットライトは避ける人物と考えるべきだ。エネルギーは変化を引き起こすので、作用しているのがたいていわかるが、情報は変化を導く。それも、しばしば暗がりから。機械工学者のセス・ロイドが言うように、「何をするのにもエネルギーが必要とされる。何がなされたかを特定するには情報が求められる」のだ[3]。

情報は、その最も一般的な形では、可能性を制限することによって結果に影響を与える規則から成る。「情報」の非常に有名な定義の一つに、「違いを生む違い」というものがある[4]。規則は、考えうるあらゆる選択肢のうち、特定の時点に特定の場所でどの変化が実際に可能かを決め、それが違いを生む。情報は、私たちの宇宙の基本的な作動規定である物理の法則から始まる。物理の法則は、変化を特定の道筋に向かわせる。たとえば、重力が最初の恒星を生み出した道筋がそうだ。この、とても一般的な意味での情報は、何が可能かを制限し、それによってランダム性を減らす。だから、情報が多いほどエントロピーが少なく、エントロピーが大好きな無秩序の可能性も減るように見える。これは普遍的な情報で、その規則はどんな微量の物質やエネルギーにもみな、組み込まれている。誰も重力に何をするべきかを指示する必要はなかった。重力は、言われなくてもさっさと仕事に取りかかったのだ。

とはいえ日常会話で「情報」という言葉が使われたときには、規則以上のものを意味する。それは、誰か、あるいは何らかの行動主体、あるいはもの——実際、何らかの複雑適応系——によって読まれた規則という意味になる。この種の情報が生じるのは、多くの重要な規則が普遍的ではないからだ。人間社会の法と同じで、そうした規則は場所や時点によって変わる。宇宙が進化するにつれ、深遠な宇宙空間や銀河の塵雲や岩石惑星の表面のような新しい環境が現れた。これらの環境には独自の局地的な規則があり、それは普遍的ではなかった。局地的な規則は読み取ったり、解読したり、調べたりしなければならない。モンゴルを訪れるとしたら、地元の人が道路のどちら側を自動車で走るかを前もって知っておきたいのとちょうど同じだ（ちなみに、右側を走る）。

　複雑適応系は、非常に特殊な環境でしか生き延びられない。だから、普遍的な法則だけでなく、局地的な情報も読み取ったり解読したりできる必要がある。そして、それこそが新しいことだった。あらゆる形態の生命は、適切に対応するために、局地的な情報（たとえば、異なる化学物質の存在や、そのあたりの温度や酸性度）を認識するメカニズムを必要とする（これを抱き締めるべきか、食べるべきか、逃げ出すべきか？）。哲学者のダニエル・デネットは、次のように書いている。「動物はたんなる草食動物や肉食動物ではない。彼らは……「情報食者」である」[5]。実際、あらゆる生き物は情報食者だ。彼らはみな、情報を平らげる。生物の複雑さの大半は、目や触手であろうと、筋肉や脳であろうと、局地的な情報を読み取ってそれに対応するために使うメカニズムに由来する。

　局地的な環境は変わりやすいので、生物は絶えず内部環境と外部環境を監視し、重大な変化を感知しなくてはならない。そして、生物は複雑さを増すにつれ、いっそう多くの情報を必要とする。複雑な構造ほど、可動部分や、部分どうしのつながりも多いからだ。あなたがこれを読んでいる間にも、おそらく腸の中で繁殖しているだろう大腸菌は、分子の資源のうち約五パーセントを動きと知覚に割り振るが、あなたの体の中で、脳から目や神経組織、筋肉まで、ほとんどの臓器や組織は知覚あるいは動きに、直接的あるいは間接的に、振り向けられている。(6) 現代科学は、最初期の単細胞生物の単純な感覚器官から始まった、情報収集・分析システムの広大なスペクトルの最果てに位置している。

エントロピーはもちろん、このいっさいを、らんらんと輝く目で見守っている。もし、複雑さが増すほど情報も増すのなら、複雑さと情報を増やせば、エントロピーとそれに伴う不確かさや無秩序を減らしていいることになる。そして、エントロピーはそれに気づく。複雑さと情報が増えていくので、エントロピーは徴収できる「エネルギー税」や「手数料」を考えて嬉しそうに揉み手をしている。(7) それどころか、エントロピーはじつは生命という概念を好んでいる（そして、宇宙の多くの部分で生命が現れるのを助長しているかもしれない）と主張する人もこれまでにいた。生命は非生命よりも、はるかに効率的に自由エネルギーを劣化させるからだ。

地球上の生命の起源を説明し、何かそれに似たものが私たちの宇宙のどこか他の場所で出現したかどうかを突き止めることは、現代科学が直面している大きな難題の一つだ。現時点では、生命を宿している惑星は地球しか知られていない。宇宙生物学者は、一九六〇年に始まった地球外知的生命体探査（SETI）プログラムでどこか他に生命が存在しないか探しているが、これまでまだ一つも見つかっていない。今のところ、地球上で生命の起源を調べるしかない。それですら、はなはだ難しい。地球が今とはまったく違った状態だった四〇億年近く前に、そこで何が起こっていたかをはっきりさせなくてはならないからだ。

生命を定義する

サンプルが一つしかないため、生命とは何かを知ることさえ難しい。生命を非生命と区別するものは何か？　生命は、複雑さや情報と同じぐらい定義するのが難しく、生命と非生命との間には、曖昧な境界領域があるように見える。

地球上の生命の現代的な定義のほとんどは、次の五つの特徴を含んでいる。

1　生物は、半透性の膜で取り囲まれた細胞から成る。

2　生物は、代謝を行なっている。代謝とは、環境からの自由エネルギーの流れを利用するメカニズムで、それによって原子や分子を配置し直し、生き延びるために必要な複雑で動的な構造にすることができる。

3　生物は、内部環境と外部環境に関する情報と、反応を可能にするメカニズムを使い、変化する環境に恒常性《ホメオスタシス》によって順応することができる。

4　生物は、遺伝情報を使って自分とほぼそっくりの複製を作ることで子孫を残せる。

5　だが、その複製は親とは微妙に違っているので、何世代も経るうちに、生物の特徴は、生物が進化し、変わりゆく環境に適応するにつれ、徐々に変化する。

これらの特徴を順番に見ていこう。

地球上のすべての生物は細胞から成る。それぞれの細胞には何百万もの複雑な分子が含まれており、それらが、「細胞質」と呼ばれるねばねばした領域内の、タンパク質で満たされた、水分と塩分の多い化学的ヘドロのようなものの中を押し進みながら、毎秒何度も互いに反応している。細胞質は「細胞膜」という一種の化学的フェンスに囲まれており、その膜が物質の出入りを制御している。細胞膜は、中世の都市の城壁のように、門があり、門番がいて、どの分子の旅行者が、いつ入れるかを決めている。細胞は本当に都市に似ている。細胞についての著書で、ピーター・ホフマンは次のように書いている。

そこには図書館（遺伝物質が含まれている細胞核）や発電所（ミトコンドリア）、幹線道路（微小管やアクチンフィラメント）、トラック（キネシンとダイニン）、生ゴミ処理機（リソソーム）、周囲を取り巻く壁（細胞膜）、郵便局（ゴルジ装置）をはじめ、生体機能を果たしているその他多くの構造がある。これらの機能はすべて、分子マシンによって遂行される。(8)

あらゆる生物は、慎重に管理された自由エネルギーの流れに依存している。その流れが止まれば、生物は死ぬ。包囲された都市が、食糧が尽きて降伏するようなものだ。だが、自由エネルギーの流れがあまりに激しいと、生物はやはり死ぬ。空爆を受けている都市のようなものだ。だから、エネルギーの流れは、細心の注意を払って管理しなければならない。細胞はたいてい、電子あるいは陽子を一個ずつという具合に、エネルギーを少しずつ取り込んで使う。そのような流れは小さいので害を及ぼさないが、多くの興味深い化学作用を推進するのに必要な活性化エネルギーを提供する程度の規模はある。代謝を意味する英語の「metabolism」は、もともと「変化」を意味する単語に由来する。細胞はけっして静止していないことを思い出させてくれる言葉だ。飛んでいる鳥のように、細胞はエネルギーの流れを利用して、刻々と変化する環境に順応し続ける。

生物は、環境の変化を絶えず監視し、それに順応しなければならない。この絶え間ない順応は、ホメオスタシスの維持として知られている。変化する環境で、ある種の平衡を維持するには、細胞は継続的に自分の内的環境と外的環境についての情報にアクセスし、それをダウンロードし、解読し、最善の対応を決め、そのうえでそれを実行しなければならない。ホメオスタシスという言葉は、「じっと立っている」ことを意味する。それは「変化」とは正反対だ。だが、細胞の環境という分子の果てしない嵐の中で、じっと立っているところを想像すれば、うなずける。

こうした能力はたいしたものだが、生物が海の波のしぶきのように、現れたと思ったら消えてしまうのなら、少しも興味深くはないだろう。実際、一部の恒星を回る惑星では、そして、ひょっとしたら地球の歴史の早い段階にさえ、生物はそのように現れては消え去ったのかもしれない。だが今日の地球では、生物は変化とエントロピーの嵐の中にただ立ち尽くしてはいない。生物は自分の複製も作る。だから、倒れる細胞があっても（いずれは、どんな細胞もみな倒れる）、他の細胞がそれに取って代わられる。繁殖とは、細胞が生存可能な複製を作ることを意味する。繁殖とは、個体が死んだ後にさえ、生物を作るためのテンプレート（現代の専門用語を使うなら、「ゲノム」）が生き延びられることを意味する。ゲノムは取扱説明書のようなもので、そこには、親の複製を作るのに必要なタンパク質についての情報と、組み立てのための基本ルールが記されている。今日、この情報のほとんどは、DNA（デオキシリボ核酸）の分子に収められている。だが、地球上の生命史の初期には、おそらくRNA（リボ核酸）に収められていた。RNAは分子の世界におけるDNAのいとこに当たり、今でも細胞内で多くの重労働をこなしている。

このテンプレートはおおむね不滅だとはいえ、複製のプロセスは完璧ではない。これは良いことだ。なぜならそれは、小さな複製エラーが積み重なってテンプレートがゆっくりと変化できることを意味し、それが適応と進化のカギになっているからだ。遺伝子の小さな変化は、驚くべきレジリエンスを生命に与える。そうした変化のおかげで、どの種もわずかに異なるテンプレートをランダムに生み出して、環境に適応できるのだ。環境が変化するのにつれて、どのテンプレートが生き延び、どのテンプレートが死に絶えるかを決める規則も変化する。

これが、チャールズ・ダーウィンが「自然選択」と呼んだメカニズムだ。自然選択が近代以降の生物学における根本的な概念なのは、それがしだいに増す複雑さの並外れて強力な推進役だからだ。自然選択は、遺伝的な可能性の一部を排除し、局地的な規則に適合したものだけを容認する。だから、自然選択は物理の基本法則と同じで、歯止め装置の働きをする。非ランダムなパターンを定着させるからだ。だが、生物学の領域では、何が生き延びるかを決めるのは、普遍的な物理法則ではなく、特定の環境の局地的な規則だ。そして、生物学的な規則は、細かい点にはるかにうるさい。キリンが水中で生き延びることは期待しないほうがいい。

宇宙の最初の構造を生み出したメカニズムに似て、自然選択は必然性と偶然性を結びつける。変化は多種多様な可能性を提供する。自然選択は局地的な規則を使って、局地的な条件の下でうまくいくものを選ぶ。ダーウィンは『種の起源』でそれを次のように述べている。

生命の壮大で複雑な戦いにおいて、それぞれの生き物にとって何らかの形で有用な変異が、幾千世代のうちに起こることは……考えられないだろうか？　仮にそのような変異が起こったとしたら、（生き延びられるものよりもずっと多くの個体が生まれることを思い起こせば）どれほどわずかであっても他者に対して何らかの優位性を持った個体が生存して自らに類する子孫を残す上で最善の機会を持つことを疑いようがあるだろうか？　その一方で、ごくわずかであっても有害な変異はどんなものであれ、厳しく消し去られることも、確かだと思ってよかろう。こうした、有益な変異の保存と有害な変異の排除を、私は「自然選択」と呼ぶ。[9]

ダーウィンの考え方を、遺伝学と遺伝形質に関して現代に理解されている事柄と結びつければ、生命の創造性――多くの世代を経るうちに、可能性を探り、新しいエネルギーの流れを利用し、新しい種類の構造を築き上げる能力――が説明できる。生物学の領域で、信じ難いほど複雑な構造が現れることも説明できる。そうした構造は、一歩ずつ、世代から世代へと、何百万年も何十億年もかけて、アルゴリズムの過程の繰り返しを通して、無数の変異から選り抜かれてくるのだ。

自然選択という概念に、ダーウィンの同時代人は衝撃を受けた。それは創造主たる神の必要性を排除するように思えたからだ。[10]そして、創造主たる神の必要性という概念は、ヴィクトリア朝のイギリスでほとんどの人が受け容れていたキリスト教のオリジン・ストーリーの根本を成すものだった。ダーウィンさえもが気を揉んでおり、妻のエマは、死後の世界で自分と夫が別々の場所に行き着いてしまわないかと恐れた。だが、ダーウィンが説明したメカニズムは、生命の歴史にとって、本当に根本的なものに見える。彼が若い頃に訪れたガラパゴス諸島のどこかの島で、フィンチを繁殖させてみるといい。もしその島の木々が硬い殻の実をつけるなら、やがて、そのような殻を最も効率的に割れる嘴《くちばし》を持ったフィンチのほうがそうでないフィンチよりもよく生き延び、多くの子孫を残すだろう。数世代のうちに、その島のフィンチはみな、この種の嘴を持つようになる。時間がたつにつれて、「自然」(実際には、そこの局地的な環境の規則)によって一部の個体が選択され、いずれ新しい種が出現する。ダーウィンが示したとおり、ここに生物学的進化の基本的なメカニズムがある。これがダーウィンの複雑化装置であり、生命はこうして、一歩一歩、しだいに複雑なものを作り上げていくのだ。

生命のためのゴルディロックス条件

原始の地球の豊かで変化に富むゴルディロックス環境で、生命は最初にどのようにして始動したのか?(11)

ダーウィンは知らなかったが、ランダムな変化が局地的な規則によって選り抜かれるという、自然選択に似たメカニズムは、生命のない世界でもおおざっぱな形では機能しうる。化学物質の複雑な混合物と大量の自由エネルギーがある場所では、分子が生じて他の分子の形成を促進し、最終的にはその反応が始まったときの分子を生み出す。これは自己触媒的なサイクルで、構成要素が、もともとの構成要素も含めて、サイクルの他の構成要素の産出を可能にする（触媒として機能して生み出す）反応であり、そのためサイクルは何度も繰り返すことができる。この手のサイクルを始動させると、しだいに多くの食物エネルギーを引き出し、ますます多くの構成要素を産出し、ついには他のあまりうまくいかない反応を衰弱させ始める。このサイクルは、もし新しい種類の食物が現れたら、自らをわずかに変化させるかもしれない。これは、最もうまくいく化学反応の生存の様相を呈し始めている。だからここには、何か少しばかり生命のようなもの、すなわち、環境からのエネルギーを利用して存続したり繁殖したりできるものが、すでに存在しているわけだ。ダニエル・デネットは次のように書いている。「構成要素を複製する能力を持ったものが登場する前に、構成要素を存続させる能力を持ったもの、すなわち、さまざまな修正を自分のものにするほど長く存在し続けるだけの安定性を持った構造が必要だ」[12]。この化学進化の考え方のおかげで、少なくとも一般的な意味では、原始の地球で生命の前提条件がどのように整ったかが説明しやすくなる。

化学進化が起こりうるのは、化学実験をたっぷりできるような環境に限られる。そして、そのような環境ははなはだ稀だ。では、化学実験のためのゴルディロックス条件とは何か？　そして、なぜ原始の地球には、その条件の多くが整っていたのか？

第一に、太陽系は天の川銀河の中のちょうど良い場所に位置する。この銀河の言わば郊外にあたる辺縁部の恒星は、化学的に乏しい化学物質の薄い雲しか使えない。逆に、中心部の「ビジネス街」に近過ぎる恒星は、天の川銀河の核にあるブラックホールからの激しいエネルギー放出に強打される。太陽系はちょうど良い場所にある。太陽系は、天の川銀河の中心から外縁までの約三分の二の所を周回している。それはこの銀河の「生命居住可能領域《ハビタブルゾーン》」の中ほどになる。

第二に、化学作用は、低い温度でだけうまく行なわれる。初期の宇宙はあまりに高温だったため、原子が結合して分子になることができなかった。恒星の内部も同じだ。化学作用が盛んになりうるのは、かなり低い温度の狭い範囲に限られており、それは恒星に近いものの、あまり近過ぎないハビタブルゾーンで見つかる。地球の軌道は、太陽系のハビタブルゾーンのほぼ中央を通っている。金星と火星はそれぞれ、そのハビタブルゾーンの内縁と外縁を周回している。だが、土星の衛星のエンケラドスのように、太陽からもっと遠い衛星のうちにも、生命の存在に適した「内炉」と化学的性質を持ったものがあるかもしれないことがわかってきている。科学者たちは二〇一七年に、エンケラドスの海が水素を生み出すことを発見した。地球の最初期の生物の一部に食物を提供したのが、この水素ガスだ⑬。

豊富な化学作用のための第三のゴルディロックス条件は、液体が存在することだ。気体の中では原子は落ち着きのない子供のように高速で飛び回るので、じっとさせておいて他の原子と結合させるのが難しい。固体の場合には、それとは正反対の問題が起こる。原子は固定されているのだ。だが、液体はダンスホールのようなもので、水素結合がささやき合いながら踊り回る液体の水は、最高の舞台となる。原子は歩き回り、ワルツやタンゴを踊ることができ、電子はもっと魅力的なものが目に入れば、相手を替えるのはさほど難しくない。水の存在は、化学作用と温度と圧力にかかっている。水はごく狭い範囲の温度でだけ液体の形で存在しうる（宇宙の水のほとんどは氷の形で存在している）。だが、その温度の範囲では、気体も固体も見つかるので、興味深い化学的可能性が生まれる。だから、水の氷点である〇度と沸点である一〇〇度の間にほぼ収まる平均表面温度を持つ惑星上では、とても興味深い化学作用が起こると思っていい。そういう惑星は稀だが、たまたま地球は太陽から、液体の水を持つのにちょうど良い距離にある。

豊富な化学作用のための第四のゴルディロックス条件は、化学物質の多様性だ。いくら温度が適切でも、水素とヘリウムしかなければ意味がない。そして今日、銀河の中でも化学物質が豊富な領域でさえ、存在するあらゆる原子のうち、依然として九八パーセントを水素とヘリウムが占めている。化学作用に必要なのは、元素周期表の他の元素がもっとありふれている、珍しい環境だ。太陽系では、そのような多様性は太陽に近い岩石惑星でしか見つからない。なぜなら、原始の太陽が太陽系の中心に近い軌道から、水素とヘリウムの大半を蒸発させてしまい、周期表のすべての元素の凝縮物が残ったからだ。

原始の地球が固まるとすぐに、多様な化学物質の混合液から岩の塊が生まれた。これは、多くの異なる単純な分子がごた混ぜになった固体だ。地球の最初の鉱物も、おそらく黒鉛やダイヤモンドのような単純な結晶の形で現れた(14)。

このように化学物質が豊富な環境では、生命の構成材料となる単純な分子の多くは、おおむね自然発生的に形成されうる。ここで言っているのは、一〇〇個未満の原子から成る小さな分子で、あらゆるタンパク質の材料であるアミノ酸や、あらゆる遺伝物質の材料であるヌクレオチド、エネルギーを蓄える電池のように使われることの多い炭水化物や糖、細胞膜の材料であるリン脂質などがそれに含まれる。今日、そのような分子は自然には生じない。大気中の酸素に分解されてしまうだろうからだ。

マーチソン隕石

だが、初期の地球の大気には、ほとんど遊離酸素（気体の酸素）はなかったので、そうした単純な分子は、活性化エネルギーで少しばかり衝撃を与えれば、形成することができた。

　それを実証するために、一九五二年にシカゴ大学の若い化学専攻の大学院生スタンリー・ミラーは、フラスコと管から成る閉鎖系に水とアンモニア、メタン、水素を封じ込め、初期の地球の大気の実験室モデルを構築した。彼はこの混合物を熱して、活性化エネルギーを加えるために、それに放電した（火山と雷雨の実験室版だ）。すると数日のうちに、アミノ酸のピンク色がかった泥のようなものができた。今では、リン脂質を含む、他の単純な有機分子も、そのような環境で形成されうることがわかっている。今日もなお、ミラーの実験の基本的な結果は有効だが、初期の大気はメタンと水素ではなく、水蒸気と二酸化炭素と窒素が主成分だったことが知られている。

　ミラーの実験以後、これらの分子の多くは、化学作用にはあまり適していない星間空間の環境でさえも、形成されうることがわかった。だから、多くの単純な有機分子が、彗星や小惑星の内部に含まれて、出来合いの形で地球に到達したかもしれない。たとえば、一九六九年にオーストラリアのマーチソンの近くに落下したマーチソン隕石には、アミノ酸と、ＤＮＡの中に見られる化学塩基のいくつかが含まれていた。そのような隕石は、地球の歴史の初期には今日よりもはるかに多かったから、初期の地球は生命の原料の多くがすでに散布されており、さらに多くを作ることが十分可能だったと思われる。

　だが、タンパク質や核酸など、細胞内部の分子の大半は、そうした分子よりもはるかに複雑だ。それらは、ポリマー（分子が長く連なる精巧な鎖）から成る。そして、ポリマーを形成するのは簡単ではない。まさに適量の活性化エネルギーと、分子がまとまるようにまさに最適の形で促す環境が必要とされる。ポリマーを連ねるのに適切な条件を提供したかもしれない、初期の地球上の環境の一つは、海底熱水噴出孔で見つかる。そこでは、地球の内部からの熱い物質が、海底を抜けて流れ出てくる。その環境は、太陽放射や地表に激しく降ってくる彗星などから守られていた。そのうえ、さまざまな化学元素や大量の水があり、熱くて化学物質が豊富なマグマが冷たい海水の中に流れ出ていたために、熱と酸性度の勾配も見られた。ごく最近の二〇〇〇年に発見されたアルカリ熱水噴出孔は、とりわけ有望な環境を与えてくれるし、これらの噴出孔で形成される多孔性の岩石は、ミラーのフラスコと管のような、化学実験のための保護された小さい安全な場所を提供してくれる。そこには、整然とした分子構造を持つ、粘土のような表面さえ見つかる。そうした表面では、物理的あるいは電気的テンプレートを生み出し、原子を規則正しいパターンにうまく並ばせ、ポリマー状の鎖を形成するまで落ち着かせておける。

豊かな化学的環境から生命へ――全生物最終共通祖先（LUCA）

生命は地球の歴史の初期に現れた。つまり、適切なゴルディロックス条件が整っていれば、生命の単純な形態を生み出すのはあまり難しくはないということかもしれない。だが、厳密にはいつ生命が出現したかを特定するのは、一筋縄では行かない。最初の生物が生きていたのは、三〇億年以上前で、それらは微小で、埋もれた岩石は浸蝕されてしまったからだ。現時点で地球における最初期の生命の存在を示す最高の直接の証拠は、西オーストラリアの辺鄙《へんぴ》なピルバラ地方で二〇一一年に発見された極小の化石だ。それらは約三四億年前に生きていた細菌のものらしい[15]。二〇一六年九月、「ネイチャー」誌に掲載された論文には、グリーンランドで見つかった、サンゴ状のストロマトライトのように見えるものの、三七億年前にさかのぼる化石が取り上げられた[16]。もしそれらの化石が、多くの人の考えているとおりのものであれば、生命はこれまで思われていたよりも何百万年も早く現れ始め、約三八億年前の、後期重爆撃期の直後に出現したに違いないことになる。そして二〇一七年初期には、カナダのケベック州北部で発見された化石層に基づいて、科学者は生命が早くも四二億年前に現れたかもしれないと主張した。それが通用するかどうかは、予断を許さない[17]。

生物学者はまだ、最初の生物がどのように誕生したかを、完全には説明できない。だが、その誕生過程の多くのステップを理解している。

最初の生物がどのような姿をしていたかは、はっきりはわからないが、生物学者はその生物を「全生物最終共通祖先（「last universal common ancestor」略して「LUCA」）」と呼ぶ。LUCAはこれまでに発見された最古の生命体よりも確実に早く生きていたし、「原核生物」として知られる現生の生き物（遺伝物質が核の中で守られていない単細胞生物）と多くの特徴を共有していた。今日、原核生物は、生物の三つの大きな「ドメイン」〔訳注　「ドメイン」は、生物の分類における最も上の階級〕の二つである「細菌」と「古細菌」で見つかる（残る第三のドメインは、私たちの種が属するもので、「真核生物」だ）。

LUCAの化石はけっして見つからないだろう。じつはLUCAは仮想の生き物であり、最初の生物の言わばモンタージュ写真で、警察が描いた逃走中の犯罪者の似顔絵のようなものだからだ。それでも、そのような似顔絵は、生命がどのように始まったかを理解する役に立つかもしれない。

LUCAは、多少は生きてはいても完全には生きてはいないという、生命と非生命の間のゾンビゾーンのどこかにいたかもしれない。これは見かけほど捉え難い考え方ではない。たとえば、ウイルスは完全には生きてはいない。私たちが想定する生命の定義を満たし切れていないからだ。ウイルスはまったく代謝を行なわず、外皮は極端に壊れやすいので、細胞と呼べるかどうかさえ定かではない。ウイルスは、自分よりも複雑な生物に取りつく遺伝物質の塊にすぎない。細胞に入り込み、その細胞の代謝メカニズムを乗っ取り、それを利用して自分の複製を作る。人がインフルエンザにかかると、ウイルスはその人の代謝のパイプラインからエネルギーを横取りする。だが、乗っ取る細胞を見つけられないと、活動を停止して、一種の仮死状態で潜伏する。岩石の奥深くで暮らし、極端にゆっくりと代謝をする細胞もある。それらは、微量の水と栄養分で生き延びる。長期にわたって完全に活動停止状態でいられる。ダグラス・アダムズの小説『宇宙の果てのレストラン』の登場人物で、節税のために一年間死んだ状態で過ごすロック・アーティストのホットブラック・デジアートのように。これらの生物が避ける税は、もちろん、エントロピーの「複雑税」だ。ＬＵＣＡもデジアートに似たどっちつかずの境界領域で生きていたかもしれない。

ＬＵＣＡのモンタージュ写真は、現生のほとんどの原核生物に見られる遺伝子のうち、おそらく極端に古い数百を特定することで、作り上げられた。その写真からは、ＬＵＣＡが現れ出てきた種類の環境が窺われる。なぜなら、ＬＵＣＡが生き延びるためにどんな種類のタンパク質を製造していたかが、そこからわかるからだ[18]。

合成ＬＵＣＡ（あるいは、ＬＵＣＡの一族。本当は何十億というＬＵＣＡについて語っているので）は、環境の変化に順応できた。ＬＵＣＡはゲノムを持っていたので、繁殖できた。そして、進化した。ＬＵＣＡは独自の細胞膜も持っていなければ、独自の代謝もしていなかったかもしれない。細胞壁はおそらく、多孔性の火山岩でできており、その代謝はエネルギーの地球化学的流れに依存しており、その流れは自分ではほとんど制御できなかった。ＬＵＣＡが作ったタンパク質から推測すると、ＬＵＣＡは海洋底のアルカリ熱水噴出孔の縁で、おそらく溶岩のような岩石の微小な孔の中で生きており、近くの温度、酸性度、陽子や電子の流れの勾配からエネルギーを得ていたと思われる。ＬＵＣＡの化学物質から成る「内臓」は、地球内部からの温かい液体でおそらく揺り動かされていただろう。そうした液体はアルカリ性で、それはつまり、電子があり余っていたということだ。ＬＵＣＡが棲《す》み処《か》にしていた火山岩の微小な孔のすぐ外には、孔の中よりも温度の低い海水があり、その海水のほうが酸性度が高かった。それはつまり、陽子があり余っていたということだ。充電された電池と同じで、Ｌ

UCAの内部と外の世界との間の微小な電気的勾配は、代謝を推進したり、外から栄養分を引き入れたり、老廃物を放出したりするのに必要な自由エネルギーを提供した。
初期生命研究の先駆者の一人であるニック・レーンは、次のようにLUCAを説明している。

それ［LUCA］は自由生活性の細胞ではなく、岩石の迷宮を思わせる鉱物の細胞であり、鉄と硫黄とニッケルから成る壁が触媒として働き、天然の陽子《プロトン》勾配からエネルギーを得ていた。最初の生命は複雑な分子とエネルギーを生み出す多孔性の岩石であり、その状態が、タンパク質とDNAそのものの形成までずっと続いたのだ[19]。

現生の生物と比べれば、LUCAは単純だったが、それでもすでに洒落た生化学的装置をいくつも持っており、そのなかには、現生の細胞が備えている代謝と繁殖の仕組みのためのレシピの多くも含まれていた。LUCAはおそらく、RNAに基づくゲノムを持っており、そのため、ただの化学物質よりもはるかに正確かつ精密に繁殖できただろう。したがって、急速に進化していたかもしれないことが窺われる。また、引き込んだエネルギーの流れを使ってATP（アデノシン三リン酸）を作っていた。ATPは、現生の細胞内でもエネルギーを運搬している分子だ。

LUCAから原核生物へ

LUCAとその同類は、最初の真の生物を進化させるのに必要な重労働を、すでにたっぷりやっていた。だがLUCAには、どこへ行くにも持ち運べる皮膜はなかったし、熱水噴出孔近くのエネルギーの流れに代謝を依存していた。また、LUCAは現生のほとんどの生物に見られる、RNAに非常に近いDNAの二重螺旋《らせん》に基づいた、より高度な繁殖メカニズムも持っていなかったようだ。現時点では、何が進化しなければならなかったかはわかっているが、それらが進化した厳密な道筋は理解できていない。

個体専用の保護膜の進化を説明するのは、それほど難しくはない。細胞膜はリン脂質の長い連鎖からできている。そして適切な条件下では、リン脂質を促して層状に結合させ、半透性の泡のような構造を形成させるのは難しくない。人類学者で神経学者のテレンス・ディーコンが主張しているように、自己触媒反応が進化して、リン脂質の分子を一個、また一個と生み出し、幾重にも層にしていったのかもしれない。もしそうなら、LUCAのいずれかのバージョンが自分用の被膜を編み上げるところを想像しても、ひどく非現実的ではないかもしれない[20]。

エネルギーを獲得したり、繁殖したりするための、より優れた方法を細胞がどのように進化させたかを説明するのは、もっと厄介だが、そこにかかわるメカニズムはとても基本的で、じつに見事なので、どのような仕組みになっているのかを理解しようとするだけの価値はある。

細胞が熱水噴出孔から離れられるように、エネルギーの流れを利用する新しい方法を進化させるというのは、分子が仕事に取り組むときに接続できる、電力供給網の細胞版を創り出すことを意味した。ここで決定的な役割を果たしたのが酵素だ。酵素は触媒の務めを果たせる専門の分子で、細胞の反応を速めたり、細胞を始動させるのに必要な活性化エネルギーを減らしたりする。今日、酵素はあらゆる細胞で根本的な役割を果たしている。ほとんどの酵素はタンパク質で、アミノ酸の長い連鎖からできている。ここではアミノ酸の正確な配列が重要になる。その配列でタンパク質の折り畳まれ方が決まるからで、タンパク質はそれぞれ特定の形で折り畳まれていないと、自分の任務を果たせない。酵素は分子のぬかるみの中を動き回り、標的となる分子を探し、レンチが特定のナットやボルトにはまるように、その標的に取りつく。それからその酵素は、微細なエネルギーの一撃を加えて、その分子を叩いたり、曲げたり、割ったり、引き裂いたり、他の分子と結合させたりする。あなたの体内で起こる反応の大半は、酵素がなければ起こらない。あるいは、起こるとしてもあまりに大きな活性化エネルギーを必要とするので、細胞が傷ついてしまう。

酵素は標的の分子を思いどおりの形に仕上げると、その分子から離れて、好きなように曲げることのできる他の分子を探しにいく。他の分子が酵素に結合して、形をわずかに変えることで、酵素のスイッチをオンにしたりオフにしたりすることができる。こうして酵素は、コンピューター内部の厖大な数の半導体のように、細胞内で起こる途方もなく複雑な反応を制御している。

酵素は任務を果たすために必要なエネルギーを、電力供給網の分子版から得ている。このシステムは、生命の歴史のごく初期に現れたに違いない。エネルギーはATP（アデノシン三リン酸）の分子によって、酵素や細胞のその他の部分へと運ばれる。ATPはおそらく、LUCAの内部ですでにせっせと仕事をしていただろう。酵素や他の分子は、ATPから原子の小集団を切り離してその集団をATPに結合させていたエネルギーを解き放つことで、ATPのエネルギーを利用する。エネルギーが枯渇した分子（今や「アデノシン二リン酸」、略して「ADP」と呼ばれる）は、今度は特別な発電分子の所に行き、失った原子を補充してもらって、再充電する。発電分子の動力源は、「化学浸透」と呼ばれる驚くべき過程で、一九六〇年代にようやく発見されたが、LUCAの時代からずっと稼働してきたらしい。どの細胞の中でも、食物分子が分解されて、持っていたエネルギーを奪われ、そのエネルギーの一部が個々のプロトンを細胞内(プロトン濃度が低い)から細胞外(プロトン濃度が高い)へと汲み出すのに使われる。これは、電池を充電するのに似ている。これによって細胞の内と外の間に電気的勾配ができ、LUCAがアルカリ熱水噴出孔で使っていたかもしれないものに近い電圧が生じる。細胞膜に埋め込まれた特別な発電分子(専門用語では「ATP合成酵素」)は、膜の外から戻ってくるプロトンによって生み出された電圧を利用して、微小なローターを回転させる。交代制の組み立てラインよろしく、ローターはもともとのATPが失った分子の集団を補充することでADP分子を充電し、充電が済んで再びATPとなった分子が細胞内に戻り、それに他の分子が接続して、働き続けるために必要なエネルギーを得る。

この見事な分子の電力供給網は、今日、すべての細胞に見られる。この電力供給網のおかげで、細胞は熱水噴出孔周辺のエネルギーの流れから解き放たれ、最初期の原核生物は、食物分子からエネルギーをせしめたり、それらを使ってATP分子を作って細胞の内部構造の原動力として必要なエネルギーを供給させたりしながら、地球の海洋を動き回れるようになった。

こうしたエネルギーの繊細な流れのおかげで、細胞の複雑な内部構造が維持された。核融合のおかげで、恒星の構造が維持されているのとちょうど同じだ。核融合の場合に似て、エネルギーの流れは、エントロピーが要求する「複雑税」を最初の生細胞が支払うことを可能にした。恒星の中でと同様、細胞の中でも、複雑な構造を機能させ続けるために、大量のエネルギーが投入されるからだ。だが、やはり恒星の中でと同様、多くのエネルギーが無駄になる。どんな反応も一〇〇パーセント効率的ではないし、当然ながら、エントロピーは浪費されるエネルギーが大好きだからだ。細胞と恒星のどちらの中でも、エントロピーの税を支払い、あらゆるものが劣化する普遍的な傾向を克服するために、エネルギーの濃密な流れが必要とされる。

生物の中では、エネルギーは恒星の中では見られない新しい機能を持っている。それは、細胞の複製を生み出すことだ。複製を残せば、細胞は死んだ後まで自分の複雑な構造を維持し、エントロピーに対抗することができる。LUCAの子孫は、繁殖のための精巧で効率的な方法を進化させ、それが今日でもなお、あらゆる生物に使われている。そうした方法は、DNAという重要な分子の上に成り立っている。DNAの構造は、ロザリンド・フランクリンによる先行の研究に基づいて、フランシス・クリックとジェイムズ・ワトソンによって、一九五三年に初めて記述された。進化のじつに多くが、DNAの働きにかかっているので、この驚くべき分子は、念入りに眺める価値がある。

DNA(デオキシリボ核酸)は、RNA(リボ核酸)と密接な関係にある。両者はともにポリマーで、同じような分子でできた長い連鎖だ。だが、タンパク質がアミノ酸の連なりからできており、細胞膜がリン脂質からできているのに対して、DNAとRNAはヌクレオチドの長い連なりからできている。両者は糖分子に「塩基」として知られる分子の小集団がいくつも付属したものだ。塩基には、アデニン(A)、シトシン(C)、グアニン(G)、チミン(T)の四種類がある(RNAでは、チミンの代わりにウラシル(U)がある)。そして、これが肝心なのだが、クリックとワトソンが示したように、この四つの塩基は、アルファベットの文字のように使って、厖大な量の情報を伝えることができる。DNAやRNAの分子が結合して巨大な鎖を形成すると、塩基が脇に突き出て、A、C、G、T（RNAの場合にはU）の並ぶ長い列を作る。三文字が一組となり、それぞれ特定のアミノ酸をコードしたり、「もう読むのをやめるように」といった指令を含んでいたりする。たとえば、TTAという配列であれば、「アミノ酸のロイシンの分子を一個加える」という意味だったり、TAGならば、「よろしい、もう複製するのをやめていい」という意味の、一種の句読点だったりする。

DNAとRNAの分子の情報は、読んで複製することができる。なぜなら、塩基は水素結合で結びつきたがるからだ（水素結合はいとも簡単に作ったり壊したりできる）。だが、塩基はごく限られた形でしか結合しない。Aはいつも T（あるいはU）と、Cは必ずGとしか組み合わさらない。特別な酵素が、特定の遺伝子に相当するDNAの部分や特定のタンパク質をコードするDNAの部分を露出させ、それぞれの塩基が対になる塩基を惹きつけ、元の連鎖と補完し合う、ヌクレオチドの短いRNA連鎖を新たに生み出す。新しくできた部分は、その後、「リボソーム」として知られる大きな分子の所まで運ばれる。リボソームは一種のタンパク質工場だ。リボソームは、三個一組の文字列を読み、それに相当するアミノ酸を一つずつ、正確な順序で作り出し、特定のタンパク質を完成させ、それが細胞の中に入っていって仕事をする。リボソームはこのようにして、細胞が必要とする何千ものタンパク質をすべて製造できる。

この魔法のような過程の最後のピースは、DNAとRNAの分子が、この複製メカニズムを使って自分自身と自分が持っているあらゆる情報の複製を作れることだ。糖とリン酸から成る連鎖から横向きに突き出た塩基は、細胞のぬかるみの中に手を伸ばして、自分と対を成す塩基に取りつく。たとえば、CはいつもGを捕まえ、Aは必ずT（あるいはU）にしがみつく。新たに付着した塩基は、新しい糖分子を惹き寄せ、それらが結合する。こうして、最初の連鎖と完全に対を成す新しい連鎖が形成される。DNAの中では、対になるこれら二本の連鎖は、普通は一体になっている。だからDNAはたいてい、二つ一組の螺旋階段のように、二重の鎖（二重螺旋）の形で存在している。DNAはきつく巻き上げられるので、それぞれの細胞の中にきちんと収まる。そして、読んだり自分の複製を作ったりするときにだけ、ほどける。それに対してRNAは、通常は単独の連鎖として存在しており、そのため、タンパク質と同じでやはり特定の形に折り畳むことができ、酵素のように機能できる。

DNAとRNAの間のこの小さな違いは、途方もなく重要だ。なぜなら、DNAは通常、遺伝情報の保管所としてだけ機能するのに対して、RNAは情報を保管することも、化学的な仕事をすることもできるからだ。RNAはハードウェア兼ソフトウェアであり、だからこそほとんどの研究者は、ひょっとしたらLUCAがまだ存在していた頃だろうか、ある時点では遺伝情報の大半をRNAが持っていたと考えている。LUCAはおそらく、そのようなRNAワールドに生きていたのだろう。だが、RNAはDNAほどしっかりと情報を保持できない。なぜなら、RNAの情報が、細胞内部の荒々しい世界で絶えず打ちのめされているのに対して、DNAの二重鎖は、大切な情報を嵐のような外の世界から守るからだ。RNAワールドでは、遺伝情報は簡単に失われたり歪められたりすることがありえた。進化が本格的に始まったのは、LUCAの子孫である正真正銘の原核生物がDNAワールドを発達させてからで、原核生物は今日、微生物の世界を支配している。

最初の原核生物は、自前の細胞膜を備え、独立して代謝を行ない、より正確で安定した遺伝の仕組みを持っていたので、自らが誕生した熱水噴出孔を離れ、初期の地球の海を動き回ることができた。彼らはおそらく、すでに三八億年前にはそうしていただろう。

それぞれの原核生物が、信じられないほど複雑な一大王国だった。化学物質に満ちた濃厚などろどろの液体の中を、何十億もの分子が、他の分子に毎秒何千回も押されたり引かれたりしながら、泳ぎ回っている。商人や客引きやすりがひしめく、込み合った市場を見物する観光客のようなものだ。もしあなたがそんな分子の一つに放り込まれたら、なんと恐ろしい世界だと思うことだろう。酵素があなたに取りついて、あなたを変えようとしたり、ひょっとすると、他の分子と結びつけて、新たな機会を求めて市場を巡ることのできる新しいチームを編成しようとしたりするかもしれない。どの細胞の中でも何百万というこうした相互作用が毎秒行なわれているところを想像すれば、初期の生物圏で最も単純な細胞さえも、どれほど熱狂的な活動が作動させていたか、少しはわかってくるだろう。

これは新しい世界であり、新しい種類の複雑さだ。混沌とした変化の時期に形成された恒星や惑星と同じで、細胞も自分の環境における微小な変動を管理したり、それに抵抗したりし始めると、やがて一種の安定状態に落ち着いた。細胞は一時的な均衡を達成し、種や系統や種の集団全体も、同様の均衡を達成することになる。だが、それはけっして静的な均衡ではなかった。いつも動的で、生物と変化する環境との間の絶え間ない交渉によって常に維持され、突然の崩壊の危険に絶えずさらされていたのだ。

5 小さな生命と生物圏

エスタとラヘルに歴史を展望する感覚を持ってもらえるように
……チャコは……地球《アースウーマン》という女について二人に語って聞かせた。
彼は四六億歳の地球を、四六歳の女性として二人に想像させた。
……地球が今の状態になるまでには、アースウーマンの全生涯
が必要だった。海が分かれ、山がそびえるには。最初の単細胞
生物が登場したとき、アースウーマンは一一歳だった、とチャ
コは言った。

——アルンダティ・ロイ『小さきものたちの神』

地球と生命が一つになって生物圏を形作っている。[1]「生物圏《バイオスフィア》」という言葉は、オーストリアの地質学者エドアルト・ジュース（一八三一～一九一四）の造語だ。ジュースは地球を、大気圏（大気の領域）、水圏（水の領域）、岩石圏（地殻とマントルの上層を含む、地球の硬い上層）を含めた、一連の重複する、そしてときおり互いに浸透し合う領域として捉えた。だが、生命の領域が、生命を持たない他の領域と同じぐらい強力に地球の歴史を形成してきたことを最初に示したのは、ロシアの地質学者ウラジーミル・ヴェルナツキー（一八六三～一九四五）だった。生物圏は、深海から地表、さらには大

気圏の下部に至る、生体組織（と生体組織の残骸と痕跡）の薄いラッピングと見ることができる。一九七〇年代には、ジェイムズ・ラヴロックとリン・マーギュリスが、生物圏は、大きな衝撃が加わらないかぎり自らを安定させておく多くのフィードバックメカニズムを備えたシステムと考えられることを示した。ラヴロックはこの巨大な自己制御システムを、ギリシアの大地の女神にちなんで、「ガイア」と呼んだ。

地質学的作用——地球はどのような仕組みになっているか

生命が軌道に乗るまでには時間がかかったので、まず地球を、役者たちが登場する前の舞台装置に似た、純粋に地質学的なシステムと考えるところから始めよう。そうすれば、後に生物によって演じられる複雑なドラマが理解しやすくなるはずだ。

降着や分化の猛烈な過程で誕生した原始の地球は、明確な層に分かれた、化学物質が豊富な球体だった。主に鉄とニッケルでできた、高熱で半ば溶融した核があり、それが地球を守ってくれる磁場を周囲に生み出した。その核を、ガスと水と半ば溶融した岩石から成る、厚さ三〇〇〇キロメートルの層が取り巻いていた。「マントル」だ。最も軽い岩石が表面に浮かび上がり、地殻を形成した。ガスと水蒸気はブクブクと噴火口を抜け出て地球の最初の大気と海洋を創り上げた。流星や小惑星が、岩石や鉱物、水、ガス、有機分子の新たな積み荷を運んできた。

宇宙からの爆撃が和らいだ約三八億年前、地質学的な変化の原動力は、地球の核に埋もれた熱だった。その熱がマントルを伝って地殻へ、大気圏へと上がってきて、それぞれの層の中の物質をかき混ぜて化学的に変化させるとともに、莫大な量の物質と気体を動かして、低速の巨大な対流サイクルを生み出した。恒星の進化と同じで、地球の地質学的進化も主に、最初の再生不可能なエネルギーの蓄えを糧とする単純な過程によって推進された。地球は核からの熱を、マントルと地殻を経て宇宙空間へと発散させながら、変化した。

核からの熱は依然として多くの地質学的作用を推進しており、今後も何十億年にもわたってそうし続けるだろう。だが、この巨大な地質学的装置がどのような仕組みになっているかを、地質学者がようやく突き止めたのは、一九六〇年代に入ってからだった。彼らは、近代以降の科学でも屈指の重要性を持つパラダイムであるプレートテクトニクスに基づいて、その仕組みを理解することができた。人間が地表の形状を思い描けるようになったのは、過去五〇〇年ほどのことにすぎない。この間、初めて地球を船で一周することが可能になったからだ。だがほとんどの人は、大きなスケールでは世界の地形はおおむね不変だと思い込んでいた。火山が噴火したり、川が流路を変えたりすることはあっても、大陸や海洋、山や川や砂漠、氷冠や峡谷の配置はきっと変わらないはずだ、と。とはいえ、それに疑いを抱く人も出てきた。そして、長い月日がたつうちに、生命がはなはだしく変化したことをダーウィンが示したのとちょうど同じように、地球もはなはだしい変化の履歴を持っていることを示す証拠が積み重なり始めた。

一八八五年、エドアルト・ジュースは、約二億年前にはあらゆる大陸がつながって超大陸を形成していたと主張した。今では、彼が完全に正しかったことがわかっている。その三〇年後、グリーンランドで研究を行なったこともあるドイツの気象学者アルフレート・ヴェーゲナーが、ジュースの考えを裏づける証拠をたくさん集めた。ヴェーゲナーはその証拠を、第一次世界大戦さなかの一九一五年に、『大陸と海洋の起源』というタイトルの本（ダーウィンの『種の起源』が念頭にあったのかもしれない）の中で発表した。生物が進化してきたという説をダーウィンが提唱したのとちょうど同じように、大陸と海洋が進化してきたという説をヴェーゲナーは提唱し、そのメカニズムを「大陸移動」と呼んだ。諸大陸は、かつては一つながりの「パンゲア」あるいは「パン＝ガイア」（「すべての大地」を意味するギリシア語の単語）という超大陸だったが、徐々に分かれ、現在の位置まで移動したというのだ。

ヴェーゲナーはたっぷり証拠を挙げた。世界地図では、以前はぴったりつながっていたかのように見える場所がたくさんあり、一六世紀に世界地図が作られるようになって以来、人々はそれに気づいていた。一六〇〇年の直前、オランダの地図製作者アブラハム・オルテリウスは、アメリカ大陸は何らかの激変によってヨーロッパから引き裂かれたように見えると述べている。[2] 現代の世界地図を眺めるとわかるが、大西洋に突出したブラジルの「肩」の部分が、アフリカ西部と中部の間の「脇の下」にうまく収まり、西アフリカはカリブ海の描く円弧にぴったりはまるように見える。一九六〇年代には、大陸棚の縁に注目すれば、なおさらきっちり合わさることに地質学者は気づいた。

ヴェーゲナーは、南アメリカと、アフリカ中部と南アフリカには、ほぼそっくりの太古の爬虫類《はちゅうるい》の化石が見られることを示した。一九世紀前期のドイツの科学者で、科学に基づく近代的オリジン・ストーリーを書いた最初期の学者の一人であるアレクサンダー・フォン・フンボルトは、南アメリカとアフリカの沿岸植物が類似していることにも気づいた。[3] さらに、西アフリカから始まって、まったく途切れることなくブラジル東部で続くように見える岩石層もあった。ヴェーゲナーは気象学者だったので、気象にまつわる証拠にとりわけ関心が高かった。熱帯アフリカでは、移動する氷河が残したことが一目瞭然の爪痕や溝を見つけることができた。熱帯アフリカが、かつて南極を漂っていたなどということがありうるだろうか？　ヴェーゲナーは、グリーンランドで熱帯植物の化石を見つけていた。遠い過去に、何かがきっと、長い距離を移動したに違いない。

　だが、優れた科学的仮説を立てるには、示唆に富む証拠以上のものが求められる。第一次世界大戦の最中に発表するというのも、ヴェーゲナーにとってはタイミングが悪かった。それに、ヴェーゲナーはドイツ人で、地質学者でもなかったため、英語圏の地質学者で彼の考えを真剣に受け止める人がほとんどいなかったのは、必然の成り行きだった。いくつもの大陸全体が海をかきわけて進んでいくなどということが、本当に可能だろうか？　どんな力が大陸をあちらへ、こちらへと押し動かせるのか、ヴェーゲナーには見当もつかなかった。そして、ほとんどの専門の地質学者にしてみれば、証拠がない以上、ヴェーゲナーの仮説は抹殺して当然だった。一九二六年一一月、彼の大陸移動説は、大きな影響力を持つ米国石油地質家協会によってきっぱりと退けられた。そして、それで幕となるかに見えた。

　ところが、ヴェーゲナーの説に魅了された地質学者も、少数ながらいた。イギリスの地質学者アーサー・ホームズは一九二八年、地球の内部は温度が高く、ゆっくりと動く液体のように、すなわち、溶岩のように振る舞うかもしれないと主張した。もしそうならば、地球内部の物質の動きが、大陸をまるごと載せて地球のあちこちへ動かせるかもしれない。だが、ヴェーゲナーやホームズをはじめ、大陸移動という考え方の支持者が、地質学的に正しい方向に進んでいたことを示す新たな証拠が出てきたのは、ようやく一九五〇年代になってからだった。

ここでソナー（水中音波探知機）の出番となる。ソナーは、信号音を発し、水中の物体から跳ね返ってくる音を分析して、その物体を探知し、位置を突き止める。イルカやコウモリなど、多くの動物がソナーを使っている。人間のソナー技術は、放射年代測定法と同様、戦時の科学の産物で、こちらの場合は、敵の潜水艦を探知するために開発された。プリンストン大学の地質学教授ハリー・ヘスは、第二次世界大戦中、海軍の将校として任務に就き、ドイツの潜水艦を追跡するためにソナーを使った。戦後、彼はソナーを使って海底のマッピングを行なった。当時、海底は依然として海洋地質学者にとって未知の領域だった。ほとんどの海洋地質学者は、海底は大陸から洗い流された平らな軟泥から成るものと思っていた。ところがヘスは、太平洋の海底に火山が連なっていることを発見した。そんなものを想定していた地質学者は、一人としていなかった。ヘスは一九五〇年代前期に大西洋の中央にも同じように火山が連なっているのを発見した後、このような大洋中央海嶺の存在を説明する理論の考案に取りかかった。その助けとなったのが古地磁気学、すなわち、海底の磁気の研究だ。地球の南北の磁極が最長数十万年の間隔で何度も逆転してきたことは、すでに知られていた。海底を抜け出てきた溶岩が固まるときに、その時点での磁気の方向の影響を受けるので、このような逆転の痕跡が残る。火山性海嶺の両側で岩石の帯磁方向を測定すると、海嶺から遠ざかるにしたがって、一連の南北逆転が見られた。ヘスは首を捻《ひね》った。

やがてヘスは、海底山脈は海洋地殻の亀裂を通して押し出されてくるマグマによって作られているのだと悟った。これは理に適っていた。海洋地殻は大陸地殻よりも薄いので、熱いマグマが簡単に貫通できるからだ。マグマは海底の地殻の亀裂を抜けて昇ってくるときに、地殻を押し分けて新しい海底を生み出し、その形成時期の帯磁方向が新しい海底に刻みつけられた。海底の岩石の帯磁方向がどう変化するかを測定すれば、これらの海底山脈が形成された時期を割り出せた。

こうした発見の中に、ヴェーゲナーが空しく探し求めていた大陸移動の原動力が潜んでいた。地球のマントルから昇ってきて、海底の地殻の亀裂から押し出された大量の熱いマグマによって、山脈も大陸も海底も創り出され、動かされたのだ。マグマは放射性元素と地球の核からの熱によって高温になった。地球の核は、降着と地球形成の猛烈な過程の間に蓄えられたエネルギーの大半を保持していた。そして、地球の核の中に、それまで見つからなかった原動力が存在していた。恒星の中心部での核融合と同じように、地球の中心部から漏れてくる熱は、表面における最も重要な地質学的過程の数々を推進する。

今では豊富な証拠に裏づけられているとおり、地球の海洋地殻と大陸地殻の両方が異なるプレートに分割されていて、それらが半ば溶融したマグマに載ってあちらへ、こちらへと引き回されながら、場所をめぐって押し合いへし合いしている。地球の奥深くから昇ってくる熱いマグマは、深い鍋の中で沸騰する水のように、地殻の下で循環する。半液体の岩石と溶岩から成るこうした対流が、その上に浮かんでいる構造プレートを動かしている。地球科学者は古地磁気が残した縞模様を詳しく調べた結果、何億年にも及ぶプレートの動きをたどることができ、過去一〇億年ほどの間に地球の地形がどう変化したかが、しだいに正確にわかってきた。こうした動きがパンゲアのような超大陸を生み出しては引き裂くという周期的な過程を何度か繰り返してきたことが、今やわかっている。その過程が始まったのはおそらく約二五億年前の原生代初期で、それ以前には、たぶん、大きな大陸はなかっただろう。だが、プレートテクトニクスの仕組みが動きだしたのは、それよりもずっと前だったかもしれないと主張する地質学者もいる。冥王代の証拠からは、地球が異なる層に分化して間もない四四億年前には、何らかの形のプレートテクトニクスがすでに始動していたことが窺える。(4)

プレートテクトニクスはビッグバン宇宙論と同じで、強力な統一概念だった。プレートテクトニクスのおかげで、地震から造山運動や大陸の移動まで、じつにさまざまなプロセスの間のつながりが明らかになり、説明もついた。プレートテクトニクスは、構造プレートが出合ってすれ違ったり、一方がもう一方の上に乗り上げたり、下に潜り込んだりする場所で、これほど多くの激しい地質学的出来事が起こる理由を説明できる。また、地表がなぜこれほど動的なのかも説明できる。地表はマントルから新しい物質が届いて絶えず作り直される一方、地表の物質は地球の奥深くへと引きずり込まれているからだ。

プレートテクトニクスの仕組みを詳細まで理解するには、構造プレートの境界に的を絞るといいだろう。ハリー・ヘスが記述したもののような「発散境界」では、マントルから物質が昇ってきて、プレートどうしを押し分けている。その一方で、「収束境界」では、プレートどうしが衝突している。もし両方のプレートがほぼ同じ密度なら(たとえば、両方とも花崗岩の大陸プレートなら)、メスをめぐって争う二頭のオスのセイウチのように、ともに頭をもたげる。ヒマラヤ山脈はこうして形成された。過去五〇〇〇万年間に、高速で動くインド・プレートが南極から北上し、ユーラシア・プレートに突っ込んだのだ。だが、収束する二つのプレートの密度が違うと（たとえば、一方が重い玄武岩の海洋地殻、もう一方が軽い花崗岩の大陸地殻でできていたら）、異なる展開になる。「沈み込み帯」で重い海洋プレートが軽い大陸プレートの下に潜り込む。海洋プレートは、止まらなくなったエレベーターがコンクリートの床を突き破るように、下向きに進み、地殻物質をマントルに戻し、溶融させる。下降するプレートがマントルの中に押し入っていくときには、はなはだしい摩擦と熱が生じるので、その上の地殻が溶け、砕けて、新たに一連の火山が盛り上がることがある。太平洋プレートが南アメリカの西海岸を載せているプレートの下に潜り込んだときに、こうしてアンデス山脈が形成された。

最後に、「トランスフォーム境界」がある。そこでは、二枚の紙やすりを押しつけて互いに逆方向に引っ張るように、プレートが擦れ違う。摩擦のせいでプレートの動きが止まるが、やがて圧力がたまって、突然、激しい揺れが起こる。これが、北アメリカ西海岸のサンアンドレアス断層に沿ってたまっている圧力の源泉だ（私はしばらくサンディエゴに住んでいたので、ときどき揺れを感じた。そして、多くのカリフォルニア住人と同様、地震保険に加入しなければならなかった）。

大気圏と地表とマントルの間での物質の循環は、地球の上層の化学作用に重大な影響を与えた。この循環で、新しい種類の岩石と鉱物ができ上がった。陸上で生命が繁殖し始めた頃までには、マントル内部の化学プロセスからすでに一五〇〇もの異なる種類の鉱物が誕生していた。(5) プレートテクトニクスは、地球に並外れた化学的・地質学的ダイナミズムを与えている。

プレートテクトニクスは、原始の地球の表面温度にも影響を及ぼした。そして、すでに見たとおり、適切な温度は、地球上の生命史にとってきわめて重要だった。地球の表面の平均温度は、二つの主要な要因で決まる。内部からの熱と太陽からの熱だ。それらは概算できる。だが大気圏の組成は、どれだけの熱が地球の表面にとどまり、どれだけの熱が宇宙空間に漏れ出ていくかを左右する。とくに重要なのが、温室効果ガスの割合だ。温室効果ガスというのは、二酸化炭素やメタンのように、太陽光のエネルギーを宇宙空間に反射しないで取り込む気体だ。温室効果ガスが大量にあれば、それはたいてい地球の温暖化を意味する。では、何が温室効果ガスの濃度を制御しているのか？

現代版のオリジン・ストーリーの偉大な先駆者の一人である天文学者のカール・セーガンは、この疑問に答えるのが不可欠であることを指摘した。なぜなら、それに答えれば、別の謎が解けるかもしれないからだ。太陽のような恒星は、歳を取るにつれて、ますます多くのエネルギーを放出する。だから、地球に届く熱は、少しずつ増えてきた。地球が誕生して間もない頃の太陽が放出するエネルギーは、今日より三割少なかった。それならば、なぜ原始の地球は今日の火星のように、生命が形成されるにはあまりに冷た過ぎる、氷の球にならなかったのか？　カール・セーガンは、この問題を「暗い太陽のパラドックス」と呼んだ。

答えは、初期の大気中に含まれていた温室効果ガスの量であることが判明した。ガスの濃度が十分高かったので、原始の地球が温まり、生命が誕生できた。地球の最初の大気には、遊離酸素（気体の酸素）がほとんどなかったが、噴火口から吐き出されたり小惑星が運んできたりした温室効果ガス、とくに水蒸気とメタンと二酸化炭素はたくさんあった。温室効果ガスから成る大気圏もまた、原始の地球で生命が誕生するための重要なゴルディロックス条件だったのだ。

だが、温室効果ガスから成るこの初期の大気圏は、どれほど安定していたのか？　あるいは、もっと一般的に言えば、太陽がより多くのエネルギーを放出し始めたときに、地球の表面が摂氏〇度から一〇〇度の間の魔法の温度域にとどまることを保証したのは何だったのか？　一九七〇年代に、ジェイムズ・ラヴロックとリン・マーギュリスは、地球の表面をゴルディロックス条件を満たす範囲に維持する強力な自己制御メカニズムが存在しているようだと主張した。すでに見たとおり、彼らはそれを「ガイア」と呼んだ。ガイアは、地球を生命の存在に適した状態に保っていた、地質学的作用と生物の間の関係全体から成り立っていた。多くの科学者は、ガイア仮説に相変わらず懐疑的だ。だが、生物圏の内部には現にいくつもフィードバックメカニズムがあり、その多くがサーモスタットのように働いて、地球の表面の温度をある程度まで調節していることは明らかだ。そのなかには地質学的なメカニズムもあるが、生物を通して機能するメカニズムもある。

こうしたサーモスタットのうちでもとくに重要なものの一つは純粋に地質学的で、そのためそれは、地球に生命が誕生する以前から、すでに機能し始めていただろう。そのサーモスタットは、地殻変動と、これまた地球の変化の原動力である浸蝕作用を結びつける。地殻変動が山を盛り上げるのに対して、浸蝕作用は山を擦り減らす。風と水とさまざまな種類の化学物質の流れは、山の岩石を破壊し、重力勾配に沿って、海へと運ぶ。山々がなぜ現状よりあまり高くないかは、浸蝕作用で説明でき、山々がなぜすべて姿を消して単一の広大な地球規模の平原にならなかったのかは、地殻変動で説明できる。もちろん、浸蝕作用自体も地殻変動の副産物だ。なぜなら風と雨は、元をたどれば両方とも、地球の内部から吐き出されたものだからだ。そして、造山運動は浸蝕作用を加速させうる。高い山を流れる川は重力によって、大きな破壊力を持つ激流に変わり、大地を削って、土壌を素早く海へと運んでいくからだ。

地質学的なサーモスタットは、以下のような仕組みになっている。温室効果ガスのうちでもとくに強力なガスである二酸化炭素は雨に溶け、炭酸の形で地表に落ちてくる。そして、岩石中の物質を溶かし、この反応の副産物（大量の炭素を含んでいる）が海に流れ込む。そこで炭素の一部が炭酸塩岩の中に取り込まれる。構造プレートが沈み込み帯で潜ってマントルの中に戻っていく場所では、この炭素の一部（その多くが石灰岩に含まれている）が、何百万年も、あるいは何十億年にわたってさえも、マントルの中に埋もれ続けうる。こうして地殻変動のベルトコンベヤーが炭素を大気圏から取り除くので、やがて二酸化炭素濃度が下がり、気候が寒冷化する。地球の表面や大気中に存在する炭素よりもはるかに多くの炭素がマントル内部に埋もれていることが、今日わかっている。

もちろん、このような形であまりにも多くの二酸化炭素が埋もれたら、地球は凍ってしまう。それを（たいていの場合）防いだのが、地質学的なサーモスタットの第二の特徴だった。二酸化炭素は、プレートテクトニクス（氷の多い火星では、おそらく機能していないメカニズム）に促進されて、発散境界で大気中に戻ることができる。発散境界では、埋もれていた二酸化炭素も含めて、マントルからの物質が火山を通って地表まで昇ってくる。[6] このメカニズムの両面の間には均衡がある。なぜなら、温度が上昇すれば雨が増え、それが浸蝕を加速し、より多くの炭素をマントルの中に戻すからだ。だが、地球が冷え過ぎると降雨が少なくなり、埋もれる二酸化炭素が減り、火山を通して昇ってくる二酸化炭素のせいで濃度が上がり、そのおかげでまた地球は温かくなる。地質学的なサーモスタットは、四〇億年にわたって、太陽から届く熱量の増加に順応してきた。[7]

太陽系の他の惑星でこれに類する現象はいっさい確認されていない。金星は、もし大気中にあまりに多くの二酸化炭素が残っていたら地球がどうなりえたかを示唆している。今日、金星の大気は厖大な量の二酸化炭素を含んでおり、金星は温室効果が止めどもなく進んでしまったようだ。表面は水が蒸発し、鉛が溶けるほど熱い。火星は逆方向に進み過ぎた。あまりに小さくて重力が弱く、温室効果ガスを引き止めておけずに、宇宙空間に逃してしまった。だから火星は温度が下がり、水のほとんどが氷の形で存在している。NASAが送り込んだ無人探査車のキュリオシティは火星の表面を動き回りながら、何十億年も前にはそこに水が流れており、単純な生命体が繁殖していたかもしれないことを示した。だが、それははるか昔のことだ。いずれにしても、火星と金星はどちらもプレートテクトニクスとは無縁に見える。だから、私たちの惑星のサーモスタットにとってカギとなる構成要素を、火星と金星は欠いているのだ。火星はあまりに小さ過ぎて、地殻変動を推進するのに必要な内部熱を保持できないし、金星は水のほとんどを蒸発させてしまったために、プレートどうしが擦れ違ったり、相手に乗り上げたり、相手の下に潜り込んだりするのを助ける、水気の多い潤滑剤を奪われてしまったかもしれない(8)。

地質学的なサーモスタットは完璧には程遠かったし、壊れかけたこともあった。もし壊れていたら、生物圏にとって悲惨な結果になっていただろう。だがやがて、予備のサーモスタットが他に現れた。生物の活動によって生み出されたものだ。だから今度は、生物圏における生命の役割に戻らなければならない。生物が地球の地質学の舞台に登場し、多くの異なる生態的場所を探検し始め、やがては変えるようになったときに果たした役割に。

生命の統一性

ティラノサウルスと大腸菌の間には途方もない違いがあるとはいえ、重要な意味で、生命は驚くほど統一されている。今日生きている生物はみな、遺伝的に関連している。そして、多くの遺伝的な装置、とくにコンピューターソフトウェアのサブルーチンのように、基本的な日常業務を扱う装置を共有している。細胞内では、こうした業務には、エネルギーや化学的構成要素を得るために食物分子を分解したり、エネルギーや原子をあちこちに動かしたりすることなどがある。そのため、細胞のレベルまでズームインすると、人間とアメーバを区別するのは難しい。

今日、生物学者はDNA中のAとCとGとTの長大な連なりを比較して、あらゆる生物の間の遺伝的な関係をたどることができる。二つのゲノム間の相違が大きいほど、それら二つの種の共通祖先が存在していたときから長い時間が過ぎているというのが基本原則だ。そして、ゲノムが多様化するおよその速さはわかっている。だから、人間とチンパンジーには七〇〇万年あるいは八〇〇万年前に共通の祖先がいたのに対して、人間とバナナは約八億年にわたって遺伝的に別の道を歩んできたと、ある程度の自信を持って言うことができる。生存しているさまざまな種のDNAを比べれば、化石記録だけに基づくよりも、はるかに詳細で、おそらくもっと正確な系統樹が構築できる。

今日、生物学者はあらゆる生物を三つの大きなドメインに分類する。単細胞の原核生物だけから成る古細菌と細菌、そしてもっと複雑な単細胞生物と私たちのような多細胞生物から成る真核生物だ。現代の分類体系は、一八世紀のスウェーデンの生物学者カール・リンネによる分類学的研究から進化した。リンネはあらゆる生物を入れ子状の階級にまとめた。最も低い分類レベルである「種」には、一種類の生物しか含まれない。次のレベルは「属」で、近縁の種の集団だ。たとえば人間は「ホモ（ヒト）」という属と「ホモ・サピエンス」という種に属している。ホモ属には、もう絶滅した祖先であるホモ・ハビリスやホモ・エレクトス（ホモ・エルガステルとしても知られる）が含まれる。分類レベルはそこからしだいに幅広いものになっていく。下から順番に「科」「目《もく》」「綱《こう》」「門《もん》」「界」「ドメイン」だ。たとえば人間はサピエンス種、ホモ属、ヒト科、サル目、哺乳綱、脊索動物門、動物界、真核生物ドメインに属すると言うことができる。

　最初の生物は、新しい進化の領域に入ると、間違いなく急速に多様化した。そのなかには多くのゾンビも生き延びていたかもしれない。地球上の生命の比較的新しい歴史における、初期生命の奇妙な世界の、次のような説明もある。

> 生きているもの、生命に近いもの、生命に向かって進化しつつあるものから成る巨大な動物園を思い描くことができる。その動物園には、何が収容されているだろう？　核酸を持つ、多くの種類のものがたくさんいただろう。彼らはもう存在していないので、名前もついていないが。化学物質の複雑な融合物も想像できる。そしてこの、生きているものや生命に近いものの多様な大集団がみな、繁栄と混沌を極める、競争の激しい一つの生態系の中で存在していたことだろう。それは地球上で生命が最大の多様性を誇った時代だったのだ。[9]

四〇億年前に始まる太古代初期のある時点で、生殖のメカニズムがより正確になり、遺伝子がより安定し、生きているものと生命に近いものとの境界がより明確になった。それが、ダーウィンの言う意味での自然選択が本格的に始まった時点だ。いったん生命が始まったからといって、それが生き延びられる保証はなかった。火星と金星には、かつて単純な生命体が存在したかもしれない。だが、仮に存在したとしても、どちらの惑星でもほどなく絶滅してしまった。地球上でさえ、薄い生命の層が四〇億年近くも生き延びられたのは、多くのことがうまくいったからにすぎない。

原核生物——単細胞生物の世界

最初の生物はおそらく、古細菌ドメインに属していただろう。第二のドメインである細菌も、初期に現れたが。これら二つのドメインはともに、すべて原核生物から成る。原核生物は微小な単細胞生物で、明確な細胞核も、その他の専門化した細胞小器官も持たない。原核生物は約六億年前まで、生物圏の歴史の八分の七以上にわたってこの圏域を支配することになる。もし私たちの銀河の別の場所で生物に出会ったら、おそらく彼らと握手することはない。顕微鏡を通してじっと見つめることになるだろう。

原核生物はとても小さいから、英文の終わりに来るピリオド一つの中で一〇万もの原核生物がパーティを開けるだろう。原核生物の遺伝子は細胞質の塩辛い分子のぬかるみの中を、輪や糸のような形で自由に漂っているので、ＤＮＡは細胞質の中の他のものと同様、絶えず打ちのめされており、簡単に損なわれたり変えられたりしうる。遺伝物質の破片が漂っているうちに細胞膜を通り抜けて、他の細胞に移動することさえありうる。原核生物の世界では、多くの遺伝的な「アイデア」が、親から子孫へと縦に広まるだけでなく、関連のない個体の間で横にも広まる。原核生物は、私たちが株や債券を売買するように、遺伝子を交換する。だから、明確な種という概念は、原核生物の世界では私たちの世界でよりも定義するのが難しい。

原核生物は今日も生物圏で依然として圧倒的な数を誇っている。おそらくあなたの体の表面と内部には、あなた自身のDNAを持った細胞よりも多くの原核生物の細胞があるだろう。だが、私たちは原核生物を無視する（腹痛を起こしたり風邪になったりするまでは）。私たち自身の細胞よりもはるかに小さいからだ。私たちが原核生物と共有するこの広大な闇の世界は、「マイクロバイオーム（微生物叢《そう》）」として知られている。

最近まで、単細胞生物の歴史は退屈だと、つい思いがちだったので、私たちは生物圏の歴史の最初の三〇億年は平気で素通りできた。だが今日では、小さな生命のずっと長い時代を理解しなければ、生物圏の最近の歴史は理解できないことがわかってきた。原核生物は、進化しながら新しい技巧をたくさん開発し、そのおかげでさまざまな環境を利用できるようになった。そして、私たちも彼らが先鞭をつけた生化学的な技術のいくつかを、相変わらず使っている。

すべての原核生物が情報を処理できる。ある意味で、学習さえできる。彼らの細胞膜には何千もの分子センサーが埋め込まれており、光と酸性度の勾配を検出したり、近くに食べ物あるいは毒になりそうなものがあればそれを感知したり、何か硬いものにぶつかったらそうとわかったりする。これらのセンサーはタンパク質からできており、そのタンパク質はあらゆる酵素と同じで、細胞外の特定の分子に取りつくための結合用の部位を持っており、また、光や酸性度や温度の変化に反応する。これらのタンパク質は、いったん何かを検出すると、わずかに形を変え、それによって細胞内部に信号を送る。たとえば、よく研究されている大腸菌は、細胞膜に四種類の異なるセンサー分子が埋め込まれており、それらがいっしょになって、周辺にある約五〇種類の良いものや悪いものを検出できる。[10] センサーが何かを検出すると、細胞は選択を行なうことができる。たとえば、特定の分子が食べ物のように見えれば、細胞膜を通り抜けさせたり、毒のように見えれば、中に入れないようにしたりする決定を下せる。意思決定はごく単純でありうる。わずかな数の入力に基づき、イエスかノーの答えしか必要としないかもしれない。「この分子を中に入れるべきか、入れてはいけないか?」とか、「こちら側が熱くなり過ぎている。うわぁー! 動くべきか?」といった具合だ。だが、この上なく単純なセンサーでさえ、事実上は、細胞の環境についての基本的なスケッチを生み出している。いったん、動くという決定に行き着くと、何であれ、動きを制御するために細胞が持っている装置が起動する。多くの細菌にとって、その装置は一種の回転式の触手、すなわち鞭毛《べんもう》で、それがプロペラのように機能できる。大腸菌では、そうした鞭《むち》のような付属器が六つ、細胞膜に埋め込まれている。そのそれぞれが二〇の異なる構成要素から成り、細胞膜の両側のプロトン勾配からのエネルギーを原動力にして、毎秒数百回転できる。鞭毛は必要に応じていっしょに回転し、より方向性の高い動きを生み出す。[11] 細胞膜のセンサーと鞭毛の間にこのようなつながりがあるのだから、大腸菌は事実上、短期記憶を持っていることになる。それはほんの数秒しか持続しないかもしれないが、「大丈夫、何もしなくてもよし!」、あるいは「これはまずい。鞭毛たち、動きだせ!」と命じるだけの力はある。この短期記憶は、センサーの小さな変化とセンサーが放出する化学物質に基づいている。

これは単純な情報処理装置だが、そこにはすでに、あらゆる生物学的情報処理の三つの主要な構成要素が揃っている。すなわち、入力と処理と出力だ。

原核生物は、情報が管理できたので、局地的なエネルギーの流れの制御能力が増した。やがて原核生物は、地球の海に見られる多様な環境の多くで、エネルギーを獲得し、制御し、管理するように進化した。最初の原核生物は、おそらく化学合成生物だった。つまり、硫化水素やメタンといった単純な物質を放出する、水と岩石の間の地球化学的反応からエネルギーを得ていたということだ。原核生物は、それらの化学エネルギーを利用することができた[12]。だが、言わばエネルギーの点滴注射を提供してくれる、消化しやすい化学物質は、最初期の海では供給量が限られていた。それが簡単に手に入るのは、海底の熱水噴出孔のような稀な環境だけだった。このような制約のせいで、地球上の生命の持つ可能性は狭められたことだろう。かなり早い時点で、原核生物の一部は、他の原核生物を食べることを学んだ。それが生物圏で最初の従属栄養生物であり、ティラノサウルスのような肉食動物の原核生物版だ。あなたも私も従属栄養生物であり、私たちは化学物質を食べるのではなく、他の生物を平らげることで食物エネルギーを得ている。だが、生物圏全体が海の中につなぎとめられたエネルギー連鎖に頼っていたら、他の生物を食べたとしても、自ずと限界がある。

光合成――エネルギーの大鉱脈の発見と革命

約三五億年前、光合成という新しい進化上のイノベーションのおかげで、一部の生物は太陽からのエネルギーの流れを利用できるようになっていた。これは生命にとって最初の、エネルギーの大鉱脈の発見であり、人間が金を掘り当てたような影響を原核生物にもたらした。

太陽からの光線の中の光子は、宇宙マイクロ波背景放射（ＣＭＢＲ）のくたびれ果てた古い光子の何千倍ものエネルギーを持っている。その途方もないエネルギーの流れをうまく活用したことで、大変革が起こった。生命は使った物質をすべて再利用し続けることになる（だから科学者は炭素や窒素やリンの流れに関心がある）とはいえ、このとき以来、エネルギーはおおむね無尽蔵に見えるようになった。[13] 今や生細胞は、まったく新しい規模で自らと環境を再組織するエネルギーを手に入れた。細胞はより広範に拡がり、生命の数は、間違いなく数桁増えた。

生物は太陽光をどのように使ったのか？　太陽光を生物学的エネルギーに変換する光合成反応にはいくつか種類があり、それぞれ効率も違えば、放出する副産物も違う。どれも、太陽から届いたばかりの、エネルギーがみなぎる光子を使い、葉緑素のような感光性の分子の中で電子に刺激を与える。その刺激に驚いて電子は自分が属する原子から跳び出し、それからタンパク質に誘拐されながらも、絶えずうごめき続ける。タンパク質は高エネルギーの電子を、一種のバケツリレーで運び、細胞膜を通過させる。すると、細胞膜の内外で電気的勾配が生じ、それを使ってＡＴＰのようなエネルギー運搬分子を充電できる。これも化学浸透だが、今回は、ＡＴＰの分子を充電するエネルギーは、食物分子からではなく、太陽という天空の巨大な発電機に由来する。

これが、あらゆる形態の光合成の第一段階だ。第二段階では、捕まえたエネルギーが一連の複雑な化学反応で使われ、細胞内の仕事をしたり、将来に使うためにエネルギーを蓄えておける炭水化物の

ストロマトライト（オーストラリア、シャーク湾）

ような分子を形成したりするが、その効率には大きなばらつきがある。最初期の形態の光合成では、副産物として酸素が生み出されることはなかった。そして、遊離酸素のない世界でうまく機能した。そうした光合成は、太陽光から獲得したエネルギーを使い、硫化水素（腐った卵のような臭いのする気体）や初期の海に溶けていた鉄の原子から電子を盗み取ったかもしれない。

初期の最も単純な形態の光合成でさえ、新しい画期的なエネルギー供給を行ない、初期の海中に存在する生命の数は、今日の水準の一割にまで増えた可能性がある。[14] 光合成で暮らしを立てていた原核生物は、海面の近くか海岸にいなければならなかった。多くは、「ストロマトライト」として知られる、サンゴのような構造を形成した。ストロマトライトは、死んだ祖先の、厚みを増していく層の上に何十億という生物が積み重なり、大陸の縁で礁へと成長していった。ストロマトライトは、西オーストラリア州の沖のような、いくつかの特別な環境には、依然として存在している。今日では稀だが、三五億年以上前に初めて出現してから約五億年前まで（これは地球の歴史の半分を大きく上回る）は、おそらく地球上で最も目につく生命の形だっただろう。もしエイリアンが生命を探して地球に来ていたら、ストロマトライトを見つけたはずだ。そしてひょっとしたら、他の恒星系の岩石惑星で私たちが初めて生命を発見したら、それはストロマトライトかもしれない。

最終的に、新しい形態の光合成が、「シアノバクテリア（藍色《らんしょく》細菌）」として知られる一群の生物で進化した。この形態の光合成は、水と二酸化炭素を主な原料として使って、より多くのエネルギーを引き出すことができた。水の分子から電子を無理やり引き離すのは、硫化水素や鉄から電子を獲得するよりも難しかった。だが、もし引き離せれば、より多くのエネルギーが得られた。そして、水の中で暮らしていれば当然、はるかに豊富なエネルギー源が周り中にあった。高度な光合成を行なうこれらの生物は、太陽光から獲得したエネルギーを使って水分子に衝撃を与え、分子内の水素原子から電子を剝ぎ取った。それから獲得した電子を二酸化炭素分子に加えて、炭水化物分子を形成し、それが巨大なエネルギー倉庫として機能した。破壊された水分子の酸素は、廃棄物として放出された。酸素を生じるこの光合成の形態を表す一般的公式は、以下のようになる。H_2O＋CO_2＋太陽光からのエネルギー→CH_2O（エネルギーの保管所として機能する炭水化物）＋O_2（大気中に放出される酸素の分子）。酸素発生型光合成は以前の形態よりもはるかに効率的だったが、それでもなお、太陽光の中のエネルギーの約五パーセントしか引き出せない。これは最も効率的な現代のソーラーパネルに劣る。光合成は、細胞内で浪費されるエネルギーという形と、酸素によって運び去られるエネルギーと物質という形で、かなりの「廃物税」をエントロピーに支払う。

酸素を生み出す光合成（現生のあらゆるシアノバクテリアが行なう種類の光合成）は、早くも三〇億年前に進化していたかもしれない。二五億年前に太古代が終わるよりもさらに前に、酸素濃度が束の間上昇したことを示す証拠から、それが窺われる。だが最初は、放出された酸素は鉄か硫化水素か遊離水素原子にたちまち吸収されたことだろう。なぜなら、酸素は電子泥棒であり、余分な電子を持っている元素ならどれとでも熱心に結合するからだ。だから、電子を奪われた原子は、「酸化」されたと言われるのだ（余分な電子を得た原子は「還元」されたと言われ、酸化と還元の両方の過程を含む多くの化学反応は、「酸化還元反応」として知られている）。最初のシアノバクテリアが進化したことを示す強力な証拠は、三〇億年前以降、黄鉄鉱を豊富に含む堆積岩が見られなくなったことだ。黄鉄鉱は、鉄と同じで遊離酸素があると錆びる。だが、錆びる過程で吸収できる酸素の量には限界があり、約二四億年前からは、今日の濃度の〇・〇〇一パーセント未満だった大気中の酸素濃度が、ひょっとすると一パーセント以上へと、急速に上昇し始めた。

約二五億年前から酸素が豊富な大気が現れると（「大酸化イベント」）、生物圏が一変した。酸素濃度の上昇で、生物圏の化学的性質や、地殻の上層の化学的性質までもが変化した。遊離酸素の並外れた化学エネルギーを原動力とする新しい化学反応が起こり、今日地球上に存在する鉱物の多くが生まれた。[15] 大気圏の上部では、酸素原子が結合して、三つの酸素原子から成るオゾン分子（O_3）を形成し、それが地球の表面を太陽の危険な紫外線放射から守り始め、それ以来ずっと、そうし続けてくれている。藻類のなかには、オゾン層に守られて、初めて陸上に進出し始めるものも出てきたかもしれない。それまで地球の大陸は、太陽放射を浴びていたので、大胆にも陸上に出ようとするバクテリアがいれば、すべてずたずたにされていただろうから、おおむね不毛だった。

生物にとって酸素の蓄積は強烈な打撃だった。ほとんどの生物には、酸素は有害だったからだ。だから、酸素濃度が上がると大惨事になった。それを生物学者のリン・マーギュリスは「酸素大虐殺《ホロコースト》」と呼んでいる。多くの原核生物が死滅し、死ななかったものは海中のより深い、酸素が少ない層に撤退したり、岩石の内部にまで身を引いたりした。

酸素濃度の上昇は、地球のサーモスタットを狂わせた。過剰な酸素を吸収できるメカニズムがまだなかったため、酸素の蓄積が手に負えなくなりかねなかったからだ。遊離酸素が、強力な温室効果ガスの一つである大気中のメタンを分解する一方、光合成をするシアノバクテリアがもう一つのきわめて重要な温室効果ガスである二酸化炭素を大量に消費した。原生代の初期に酸素濃度が上がり、温室効果ガスの濃度が下がると、最初の全球凍結が起こり、地球が凍りついた。氷河が両極から赤道まで拡がり、地球は真っ白になり、白い地球がより多くの太陽光を反射して、さらに温度を下げるという、恐ろしい正のフィードバックループに陥った。けっきょく地球の海洋と大陸のほとんどが氷で覆われた。このマクガニン氷期は、二三億五〇〇〇万年前頃から二二億二〇〇〇万年前頃まで、一億年以上続いた。

これは生命にとって危機一髪だった。酸素が有害だった生物は、死滅したか、海の深くに隠れるかした。だが、酸素に対処できる生物でさえも、氷河が陸も海も覆い、光合成に必要な太陽光を遮断する世界では、無事ではいられなかった。生命は絶滅の瀬戸際に立たされ、ほとんどの生命体は氷の下に逃げ込み、海底火山の温かい火の周りで身を寄せ合った。

だが地球は、火星と同じ道をたどることはなく、生命にとって冷たくなり過ぎはしなかった。これは、光合成を行なう生物の活動に依存する新しい生物学的技術によって今や刷新され、補足された、プレートテクトニクスが駆動する地質学的なサーモスタットのおかげだ。氷河が光合成を遮断し、それが酸素の生産を大幅に削減した。一方、氷河の下では海底火山が二酸化炭素などの温室効果ガスを海の中へと送り返し続けた。温室効果ガスは氷の下にたまり、ついには氷河を突き抜け、地球の表面が再び温まった。酸素濃度は大気の一パーセントか二パーセントぐらいまで急落し、その後、一〇億年近くもの長い間にわたってその低い濃度が続き、気候は温暖な状態を保った。地球の太古のサーモスタットがリセットされ、シアノバクテリアが生み出した酸素が大気中にかなりの濃度で存在する状態に対処できるようになったようだった。

真核生物の救いの手

これは長期的な解決策だったのか？　こうしたメカニズムでは、生物圏はどうしても極端な暑さと極端な寒さの間を行き来するという、危うい目に遭うことになるのではないか？　もしそうなら、なぜ約二〇億年前から約一〇億年前にかけての一〇億年間、気候は比較的安定していたのか？　今度は生物学的作用が救いの手を差し伸べ、空気から酸素を吸い取ることで地球のサーモスタットを補足できる新しい種類の生物を進化させた。これらの生物（最初の真核生物の細胞）は、地球の温度を安定させるのを手助けしただけではなかった。最終的にはあなたや私のような大きな生物の出現を可能にする、生物学的革命の発端ともなった。

それまでは、あらゆる生物は古細菌か細菌かのどちらかのドメインに入る単細胞の原核生物だった。真核生物という第三の生命体のドメインの出現は、私たちにとって重要だ。なぜなら、私たち自身を含め、大きな生物はすべて真核細胞からできているからだ。それらは、酸素を体系的に利用できる最初の細胞で、酸素の猛烈な化学エネルギーを「呼吸」として知られるプロセスに利用する。それは私たちが息をするときにやることだ。呼吸は光合成の逆で、じつは、光合成を通して獲得して細胞内に蓄えた太陽エネルギーを放出する方法だ。光合成が太陽光のエネルギーを使って二酸化炭素と水を炭水化物に変えてエネルギーを蓄え、酸素を廃棄物として出すのに対して、呼吸は、酸素の化学エネルギーを使って炭水化物の中に蓄えられていたエネルギーをくすね、二酸化炭素と水を廃棄物として出す。呼吸の一般的公式は、以下のようになる。CH_2O（炭水化物）$+O_2 \rightarrow CO_2+H_2O+$エネルギー

光合成の場合と同じで、真核生物による呼吸の進化は、エネルギーの大鉱脈の発見と見なせる。なぜならそのおかげで、真核生物という新しい生物が、酸素の莫大な化学エネルギーへのアクセス、それも、木っ端微塵にされることのないほど少しずつ優しい形でのアクセスを獲得したからだ。呼吸は、破壊性を伴わない形で火のエネルギーを与えてくれる。呼吸は酸素を賢く使い、以前、酸素を使わずに食物分子を分解していたときの少なくとも一〇倍のエネルギーを有機分子から引き出すことができる。[16] 代謝を進めるためにより多くのエネルギーが使えるようになったおかげで、一次生産速度（生物の生産の速度）は一〇〜一〇〇〇倍に増えたかもしれない。[17]

遺伝子の証拠を見ると、最初の真核生物は約一八億年前に誕生したらしい。[18] 真核生物はしだいに多

くの酸素を取り込みながら繁栄し、廃棄物として二酸化炭素を大気中に送り返した。こうして生物によって制御された新しい地球規模のサーモスタットが登場してきたのだ。真核生物はシアノバクテリアによって生み出された大気中の酸素の多くを取り除き始めた。原生代の大半を通じて気候が比較的安定していた理由も、これで説明しやすくなる。実際、気候は本当に安定していたので、古生物学者のなかには、約二〇億年前から一〇億年前にかけてのこの時代を、「退屈な一〇億年」と呼ぶ者もいるほどだ。

現代の生物学者は、真核生物と原核生物の細胞の間の違いを、生物学における根本的な境界線の一つと考えている。真核生物の細胞は、ほとんどの原核生物の細胞よりもずっと大きい。一〇倍から一〇〇倍の幅を持つこともあるので、体積は何千倍にもなりうる。真核生物では、細胞の周囲だけではなく内部にも皮膜が形成され、家の中に部屋があるように、独立した区画（コンパートメント）が仕切られており、その中では異なる活動が行なえる。このおかげで、原核生物では不可能だった専門化、つまり細胞内での分業が可能になる。そのような区画の一つである細胞核は、あらゆる真核生物の遺伝物質を保護している。実際、「eukaryote（真核生物）」という単語は、「殻」や「核」を表すギリシア語に由来する。真核生物のＤＮＡは、細胞核という保護容器に収まっているので、原核生物のＤＮＡよりも概して安定していられた。また、細胞核はＤＮＡをより多く保管し、より簡単に複製できたので、真核生物はたいてい、より多くの遺伝的要素であれこれ試すことが可能だった。最終的には真核生物が原核生物に輪をかけて盛んに進化した理由も、これで説明できる。真核生物は、動物の心臓や肝臓や脳の縮小版のような、内部の細胞小器官を多く含んでもいる。そのうちで最も重要なのは、一部の真核生物が酸素の豊かなエネルギーを利用するのに使うミトコンドリアと、別の一群の真核生物が光合成を通して太陽光のエネルギーを利用するのに使う葉緑体だ。

真核生物は、情報処理と身体制御の新しい能力も持っていた。つまり、環境の変化に、より複雑な形で対応できたということだ。[19] 単細胞の真核生物であるゾウリムシは、障害物に対処する巧みな手段を持っている。障害物に突き当たると、後退して角度を少し変え、再び前進する。下手なドライバーが縦列駐車をしようとするように、この前進と後退を繰り返しているうちに、やがて何にもぶつからなくなる。ゾウリムシは事実上、環境をマッピングし、次に何をするべきかを学習しているわけだ。こうしてゾウリムシは、環境についての情報を使い、世界の中で自分の位置を確認し、危険を避け、エネルギーと食物を見つける。

最初の真核生物の細胞はどのようにして現れたのか？　生物学者のリン・マーギュリスは、競争ではなくむしろ既存の原核生物の二つの種による合体のようなものを通して進化したことを示した。異なる種が、「共生」として知られるものを通して協働することはよくある。今日、人間は小麦や稲、牛やヒツジをはじめ多くの種と必要不可欠な共生関係にある。だがマーギュリスが言っているのは、それよりもはるかに過激な種類の共生であり、その共生では、現生のミトコンドリアの祖先を含む、かつて独立していた細菌が、古細菌の細胞の中で暮らすことになった。マーギュリスはこのメカニズムを、「細胞内共生」と呼んだ。最初、彼女の発想は非常識に思えた。自然選択による進化についての根本概念のいくつかに反していたからだ。だが、今ではほとんどの生物学者が彼女の主張を受け容れている。

細胞内共生を支持する最も重要な証拠は、真核生物内の細胞小器官の一部が独自のＤＮＡを含んでおり、そのＤＮＡは細胞核内の遺伝物質とまったく違うという奇妙な事実だ。動物の体内でエネルギーを管理しているミトコンドリアや、真核植物内部で光合成を管理している葉緑体のような細胞小器官は、かつて独立した原核細胞だったかのように見えることにマーギュリスは気づいた。それらがどうやって他の細胞の内部に落ち着いたのかは相変わらず不明で、そのような合体はきわめて稀に違いないと主張する人もこれまでにいた。もしそれほど稀なら、たとえ細菌のような生物が宇宙にはありふれていたとしても、私たちのような大きな生き物はきわめて稀であることを、それは意味するだろう。なぜなら、少なくとも地球上では、大きな生物を作れるのは真核生物だけだからだ。

マーギュリスによる細胞内共生の発見から、生命の歴史についてさらにわかることがある。進化はただの競争だけではないのだ。そして、絶えず分岐が起こって新しい種が登場するだけでもないのだ。協働や共生、さらには「収束」さえもが見られる。つまり、「生命の木」という従来の比喩は考え直さなければならないことになる。なぜなら、依然として生命の三つのドメインを考えていたとしても、第三のドメインである真核生物は、しだいに分岐することではなく古細菌と細菌が「収束」することによって進化したかのように見えるからだ。太古の木の二本の枝が再び結びついたかのように。

これだけでも奇妙なのに、真核生物はもう一つ巧みな手段を用意していた。生殖だ。原核生物はあらゆる種と同じで、自らの遺伝子を子孫に伝える。ほとんどは、たんに二つに分裂し、無性生殖で遺伝子を伝える。ただし、すでに見たとおり、原核生物の遺伝子は、ＤＮＡやＲＮＡの断片が故郷を捨てて旅に出て、他の細胞の中に新たな棲み処を見つけるという、水平の移動もできる。原核細胞は人間が図書館の本を共有するのと同じやり方で遺伝子を共有する。だが、真核生物は、それとは違う、もっと複雑なやり方で自分の遺伝子を伝える。そしてその相手は子孫に限られ、見知らぬ相手にはけっして伝えない。

真核生物では、遺伝物質は細胞核の保護された金庫にしまい込まれている。その物質が解放されるのは、恐ろしく厳しい条件の下でだけであって、そのときには原核生物のものよりも相手を選ぶ、整然とした規則が適用される。そしてそうした規則が真核細胞の進化の仕方を左右する。真核生物が生殖細胞（卵と精子、すなわち、それから子孫が形成される細胞）を作るときには、自分のＤＮＡをただ複製するわけではない。まず、ＤＮＡを掻き混ぜる。自分の遺伝物質の一部を同じ種の別の個体と交換するので、これら二つの親を持つ子孫は、ランダムに選ばれた遺伝子を、半分は一方の親から、残る半分はもう一方の親から獲得する。この精妙なダンスにかかわる遺伝的メカニズムと物理的メカニズムは、両方とも見事なまでに複雑だ。だがその結果は、進化に新たな捻《ひね》りを加えることになった。世代ごとに、わずかではあるがランダムな遺伝的変異が保証された。なぜなら、たとえほとんどの遺伝子が同じでも（なにしろ、両親はともに同じ種に属している）、一握りの遺伝子は必ずわずかに違うからだ。選べる幅が拡がり、進化は選択肢が増えた。だから進化は過去一〇億年間に速度を上げたように見える。こうして原生代の退屈な一〇億年は、はるかに刺激的な時代、すなわち大きな生命の時代である顕生代《けんせいだい》のお膳立てをしたのだった。

6　大きな生命と生物圏

動物は進化の糖衣《アイシング》かもしれないが、細菌はケーキだ。
——アンドルー・ノール『生命　最初の30億年——地球に刻まれた進化の足跡』

大きな生命

小さな生命は生物圏を三五億年にわたって支配し、現在でも依然としてその多くを支配している。全生物最終共通祖先（ＬＵＣＡ）から最初の大きな生命、すなわち最初の多細胞動物に至るまでには三〇億年かかった。そこからは、多細胞生物を誕生させるのは、原核生物を誕生させるよりもはるかに厄介であることがわかる。そして、宇宙に多くの生命が存在するとしても、多細胞生物は稀に違いないことが、そこから窺える。多細胞生物は、生物における新しい水準と種類の複雑さを象徴しているのだ。

多くの分子メカニズムができ上がっていないかぎり、多細胞生物の形成は考えられない。何百万もの細胞を結合して厳密な構造にする、確実な方法が必要だった。細胞間の新しいコミュニケーション・チャネルや、細胞を特定の役割のために訓練する新しい方法、何十億もの細胞の間で情報とエネルギーを管理したり共有したりする新しい方法が必要だった。さらに、翼や目、鉤爪《かぎづめ》、心臓、触手、ひれ足、殻、骨格、そして（大きな生物ははるかに多くの情報を取り込み、処理し、それに対応したので）脳を作り上げられる仕組みが必要だった。これはまた、厖大な量の新しいインフラだ。

この仕組みが発達するには時間がかかった。だから、多細胞生物を作り上げるには、地球はもう一つゴルディロックス条件を必要とした。それは安定だ。生命の存在に適した条件だけでは不十分だった。生命が進化と実験を続けられるように、それらの条件が長期にわたって持続する必要もあった。それには安定した恒星が助けになる。そして、太陽はこの条件を申し分なく満たした。恒星の基準に照らせば、太陽は頼りになる市民で、あまり気まぐれなことは何一つしそうもない。軌道が一定しないと、気候が激しく変動するので、惑星の軌道が安定しているとありがたい。地球はこの条件も満たす。衛星としては格別大きい月が、地球の軌道と傾きを安定させるのを助けた。そして、すでに見たとおり、プレートテクトニクスと浸蝕作用と、やがては生命そのものも、サーモスタットの働きをし、地表で温度があまりに大きく変動するのをやめさせた。

不都合なことは、いくらでも起こりえた。近くの恒星系で超新星が爆発していてもおかしくなかった。あるいは、別の惑星と致命的な形で衝突することも考えられた。だが三〇億年以上にわたり、地球はどうにかしてこうした危険を避け、生命の存在に適した状態であり続けた。これだけあれば、大きな生命も進化できた。そして、大きな生命というのは本当に大きい。細菌にとって私たちの大きさは、ドアマンの足元を這い回るアリから見た、高さ八三〇メートルのドバイの高層建築ブルジュ・ハリファに匹敵する。

大きな生命はいったん出現すると、小さな生命と同じぐらい生物圏を変えることになるが、そのやり方は新しいものだった。多細胞生物は大陸に進出し、それを一変させた。大きな植物は岩石を粉砕して土にし、風化作用を加速し、ストロマトライトに縁取られた海岸線を持つ、初期の地球の埃っぽい岩だらけの地表を、過去五億年間に見られる、草木の生い茂った魅惑的な庭園や森林やサバンナに変えた。陸上の緑色植物は大気中に酸素を送り込み、大気圏を変えた。約四億年前から、地球は高い酸素濃度(それまでの五パーセント未満という標準に対して、大気の一五パーセント超)と、低い二酸化炭素濃度(それまでの数千ppmに対して、数百ppm)が標準的な新しい大気に慣れていった。動物は大きな植物が生み出した新しいニッチ(生態的地位)を動き回り、真菌と細菌が死骸を片づけ、分解し、リサイクルした。多細胞生物は海も変え、小エビからタツノオトシゴ、タコからシロナガスクジラまで、新しい奇妙な生き物で満たした。

大きな生命を可能にした分子装置

過去一〇億年間における最も重要な細胞のイノベーションは、細胞の内部ではなく(そこでの仕事の大半は原核生物がすでにやり遂げていた)、細胞と細胞の間の、変化を続ける構造的関係でなされた。最初期の多細胞生物はストロマトライトの何十億もの細胞のように、緩やかに結びついた細胞からできていた。それらは本当は、一つの生物というよりは生物の群れだった。事実、多くの細菌は群れのような行動を見せる。つまり、何らかの原始的なコミュニケーション・システムが存在しているということだ。これは実際には、個々の細胞内の計算ネットワークが接続して、多くの異なる細胞から成る計算システムになっていることを意味する。

初期の多細胞生物の一部は、現生の粘菌のように、パートタイムの多細胞生物だったかもしれない。キイロタマホコリカビはアメーバだ。大半の時間は、その細胞はそれぞれ独立した暮らしを送る。だが、食物が乏しいときには、何千もの細胞が集まってナメクジ状の移動体(スラッグ)になり、大きな生き物として動き、食物を探すことができる。そしてスラッグは、熱や光に向かって長距離を移動することなど、個々の細胞にはできないことができる。スラッグが移動するときには、個々の細胞は変化し、胞子になったり、茎状の部位や足になったりするなど、異なる役割を担う場合がある。キイロタマホコリカビからは、重要なことがいくつかわかる。第一に、多細胞性はこれまで何度も出現しており、今日もいくつかの生物集団で依然として進化している。第二に、多細胞性には生命の場合と同様、分類するのが難しい、生物の曖昧な境界領域が伴っている(1)。第三に、多細胞性は個々の細胞の計算能力を増し、環境についての情報を管理する能力を高める。

完全に多細胞の生物では、個々の細胞はあまりに専門化して、互いに頼り合っているため、単独では生き延びられない。正真正銘の多細胞性は、本当は共生の極端な形なのだ。だが、多細胞生物のほとんどの細胞は遺伝的にまったく同じであるおかげで、協働がより簡単になる。彼らは家族のようなものだ。だから、細胞のそれぞれが、生物全体を維持するために働き、自分以外の細胞のために自らの命を犠牲にすることもある。それどころか、もううまく機能できなくなったり、必要とされなくなったりしたら、しばしば自己破壊する。生物学者はこのプロセスを「アポトーシス」と呼ぶ。今日一日で、あなたの体の中で五〇〇億もの細胞がアポトーシスによって自ら命を終える。

情報の交換は現代社会にとって不可欠だが、それは多細胞生物にとっても同じだ。細胞間のコミュニケーションの多くは、郵便事業の細胞版によって行なわれる。配達担当の分子が個々の細胞の皮膜をなんとか通り抜け、細胞の間を回って栄養や警告、情報、指令などを運ぶ。多細胞生物のゲノムのどれだけ多くが協働に専念しているかは、一九九八年にそのゲノム配列が初めて決定されたときに明らかになった。対象となったのは線虫のシノラブディス・エレガンスで、ちょうど三〇二のニューロン（神経細胞）から成る神経系を持っている生物だ。シノラブディス・エレガンスの遺伝子一万八八九一個のうち約九割は、単細胞の原核生物には見られないことがわかった。それらの遺伝子の仕事は、細胞がいっしょに働くのを助けることだからだ[2]。

大きな生物の細胞がうまく協働できるのは、同じ遺伝子を共有しているからだが、細胞ごとに違う遺伝子が活性化されるから、それぞれが異なる役割を演じる。受精卵の単一の細胞が分裂して増えていくと、新しい細胞は、発達していく胚の中のどこに位置しているか次第で、共通する遺伝子の異なる部分を活性化させる。それらの細胞がどんな構造を持ち、その生物の中でどんな役割を果たすかを、さまざまな遺伝子が決定する。この驚くべき発育の過程を管理しているのが、二〇〇ばかりのホメオボックス遺伝子などの、「ツールキット遺伝子」として知られている一群の遺伝子だ[3]。ツールキット遺伝子は建築現場監督のようなものだ。普通の遺伝子が、このタンパク質を作ったり、あの酵素を活性化させたりと、通常の建築工事の仕事に当たるのに対して、ツールキット遺伝子は、細胞のDNAに保管されている建築設計図を使って、特定の分子労働者がいつどこに行くかを決める。彼らは、「いいか、そこの作業員、脚を生えさせ始めるんだ」とか、「いや、君は骨の細胞だ。ニューロンじゃない」とか言ったりする。こうして筋肉の細胞や、神経細胞、皮膚や骨の細胞をはじめ、人間の体を形作る二〇〇ほどの異なる細胞が生み出される。

ツールキット遺伝子は、生物の種が異なっても驚くほどよく似ている。そこからは、ツールキット遺伝子は大きな生命が最初期から備えている装置の一つであることが窺える。ゴキブリとオウムの違いを生み出すのはツールキット遺伝子そのものではなく、それらが遺伝子を活性化する仕事にどう取り組むかの違いなのだ。取り組み方の違いのせいで、ある種では脚になる部分が別の種では翼になり、オタマジャクシのように見え始めたものがシロナガスクジラになったりする。もしツールキット遺伝子が遺伝子を活性化する順番を間違えると、額から脚が生えたショウジョウバエのような怪物ができてしまう。ツールキット遺伝子が異なる建築設計図を使うと考えれば、今日の多細胞生物が著しい多様性を見せる理由が説明しやすくなる。

大きな生命が軌道に乗る――エディアカラ紀とカンブリア紀

多細胞生物は約一〇億年前までは繁栄しなかった。最初の多細胞生物はおそらく、光合成を行なう、海藻のような構造の藻類だっただろう。だが、約六億年前、原生代の終わりに何百万もの多細胞生物の種が、多細胞性のおかげで拓けた多くの新しいニッチと生活様式を探り始めると、大きな生命は軌道に乗った。

大きな生命の台頭は、原生代後期の極端な気候変動によって促進された。酸素濃度の上昇がもたらした全球凍結が、おそらくさらに二度起こった。約七億年前に始まった寒冷期はあまりに重要なので、地質学者は一九九〇年に地質年代表に「クライオジェニアン紀」という新しい時代区分を加えた。これは七億二〇〇〇万年前に始まり、八五〇〇万年続いた。何キロメートルもの厚さを持つ氷河が陸地と海洋に拡がり、地表の温度は零下五〇度まで下がったかもしれず、光合成はほとんど停止しただろう。またしても、あらゆる生物が絶滅の瀬戸際まで行った。

なぜ地球は凍りついたのか？　陸上に拡がった藻類が二酸化炭素を大量に減らしたかもしれないが、(4)大陸の配置の変化も一役買った可能性がある。原生代初期から、構造プレートはときおり集まって巨大な超大陸を形成してきた。超大陸コロンビアは、約一八億年前に最大となった。(5)一〇億年前にはまた、ほとんどの大陸が集まって、今日では「ロディニア」として知られている別の超大陸を形成した。ロディニアが分裂すると、より複雑な世界的地形が生まれ、風化作用が加速した。そのせいで、はるかに多くの二酸化炭素が大気中から取り除かれただろう。それに輪をかけて激しいプロセスがいくつか進行していたかもしれない。一つの可能性は、地球の自転軸の急な変化で、もしそれが起こっていれば、両極に対するすべての大陸の相対的な位置が変わっただろう。そうした出来事は「真の極移動イベント」として知られており、過去三〇億年間に少なくとも三〇回起こっている。この規模の地質学的な「しゃっくり」は、地球内部で溶融したマグマの巨大な塊が突然動いたり、ひょっとしたら小惑星が衝突したりして引き起こされたかもしれない。(6)

原因が何かはともかく、こうした激しい変化は、生命の進化のペースを速めただろう。生き延びていた生物は氷の下で、熱いマグマが漏れ出てくる地殻の亀裂の周りに再び群れ集まった。こうした生物学的な「難民キャンプ」で、進化は変則的な道筋を探ることができた。小さな孤立した個体群の中では、新しい遺伝子は急速に広まることができるからだ。実際、こうした奇妙な世界では、多細胞性の最初期の実験が見られたかもしれない。

極端な寒冷期は約六億三五〇〇万年前に終わった。それも、突然。火山からの温室効果ガスが氷の下にたまり、それから大気中に爆発的に放出された。二酸化炭素濃度が急上昇する一方で、酸素濃度は今日の水準未満に急落した。温度が上がり、氷が解け、生物圏は一変した。多くがクライオジェニアン紀の寒く暗い世界で生み出され、多細胞の生命を可能にした生物学的な新種たちが、今や、温まりつつある世界へ解き放たれた。

多細胞生物が多数存在したことを示す最初の有力な証拠が得られるのが、エディアカラ紀（六億三五〇〇万年前頃から五億四〇〇〇万年前頃まで）の初期だ。私たちはここで初めて、大きな生物のお馴染みの三つの分類群を目にすることになる。光合成に頼っているので、たいていじっとしていて太陽光を吸い上げる植物、腐敗する有機物質を漁《あさ》る真菌、そして、他の生物を追い詰めて食べることで生き延びるために、油断なく気を配り、機動性を持たなくてはならない動物だ。他の生物を平らげてエネルギーを獲得する生物が大量に出現すると、太陽光のエネルギーが、植物から動物や真菌へと、異なる栄養段階を経て伝わることになり、生物圏はより複雑で、より多様で、より階層的になった。私たち人間のような動物は、エネルギーを間接的に得る。私たちは、最初に植物が獲得したエネルギーを使う。そして、私たちに届くまでには、そのエネルギーの多くが漏出してしまっている。生態学者は食物連鎖について語る。植物を先頭とし、次が草食動物（植物を食べる生き物）で、それに草食動物を食べられる肉食動物が続き、死骸をご馳走とする真菌が殿《しんがり》を務める。この過程全体がエントロピーを喜ばせる。それぞれの段階で「廃物税」を徴収できるからだ。光合成で獲得されたエネルギーのおよそ九割が各栄養段階で失われるので、食物連鎖の後ろへ行くほど、得られるエネルギーが減る。だから、地球上には植物より動物のほうが少なく、草食動物よりも肉食動物のほうが少ない。だが、真菌はどちらが少なくてもかまわない。死骸をリサイクルしているからだ。

最初の多細胞生物は、おそらく植物だった。葉緑体を細胞内に持っていたので、光合成ができたからだ。多細胞の動物はその後に進化した。食物連鎖の後のほうに位置するからで、そこではエネルギーがもっと乏しく、食物を追いかけて手に入れるので、より多くのエネルギーを必要としていたためだ。多細胞動物の存在を示す最初期の証拠は、エディアカラ紀の海で見つかっている。

エディアカラ紀というのは、南オーストラリア州のエディアカラ丘陵にちなんだ命名だ。そこで一九四〇年代にこの時代の最初の化石が発見された。古生物学者は少なくとも一〇〇の異なるエディアカラ紀の属を発見している。最初に発見されたときは、意外だった。一世紀以上にわたって、生物学者は最初の大きな生物はカンブリア紀（五億四〇〇〇万～四億九〇〇〇万年前）に登場したと思い込んでいたからだ。生物学者がエディアカラ紀の動物を見落としていたのは、ほとんどが現在の海綿動物やクラゲやイソギンチャクのような軟体動物で、うまく化石にならなかったからだ。今日、それらの動物の存在は主に、エディアカラ紀の海の泥の中をゆっくりと動いた痕跡や掘り進んだトンネルを通して知られている。最初の刺《し》胞《ほう》動物と有櫛《ゆうしつ》動物（クラゲの類を考えるといい。これらの分類群が含む動物はそれだけではないが）はおそらく、エディアカラ紀の海を泳ぎ回っていただろう。彼らは私たちにとって重要だ。神経細胞を持った最初の大きな生物だからだ。ただしそれらの細胞は、まだ単一の神

三葉虫の化石

経系あるいは脳に集中してはおらず、現生の無脊椎動物の神経系のように、体中に分散していた。

生物学者は多くの新しい種が突然出現することを「適応放散」と呼ぶ。これは重要な概念だ。多細胞性という新しい生物学的装置が見つかり、今やその可能性が多くの異なる進化系統によって探られていた。プロトタイプはそういうものなのだが（内燃機関を搭載し、馬を使用しない、最初期の乗り物を考えてほしい）、ほとんどの新型モデルは生き延びなかった。エディアカラ紀の種で、今日明らかな子孫がいるものはほとんどなく、大半は五億五〇〇〇万年前頃に消えてしまった。これを進化のしくじりの表れであるかのように見たくなる人がいたら、私たち人間はまだわずか二〇万年しか存在していないことを思い出すといい。

エディアカラ紀は多細胞性にとって一種の試運転期間だった。それに続くカンブリア紀は、生物学者が「顕生代」と呼ぶ、大きな生命の時代の始まりに当たる。顕生代はそこから今日まで続いている。カンブリア紀には、多細胞生物の二度目の適応放散が起こった。

カンブリア紀の化石は、イングランドの科学者アダム・セジウィックによって一九世紀半ばに初めて発見された。当時、カンブリア紀の地層は生命の存在を示す証拠を示すもののうちで最も古かった。その地層には大きな化石が多くあり、三葉虫の化石が主だった。三葉虫は節足動物で、現生の昆虫や甲殻類のように、外骨格を持つ「モジュール式生物」だ。カンブリア紀の化石は保存状態が良かった。とても多くが骨格や殻を持っていたからだ。一九世紀の古生物学者には、生命は完全に形成されて突然出現したように見えた。造物主たる神を信じている人々は大喜びだった。今では周知のとおり、生命はその時点ですでに三五億年存在していた。証拠を目にするのが難しかったにすぎない。カンブリア紀は、生命の始まりではなく、多細胞の生命体の大いなる適応放散を示しているのだ。

カンブリア紀のデザインは、エディアカラ紀のデザインよりもうまくいくことになる。まるで、大きな欠陥が解消されたかのようだった。この時代にとくに成功を収めたデザインの技巧の一つが、モジュラー性だ。よく似た身体的モジュールをつなぎ合わせて、たとえばイモムシのような生き物を形作る。それからツールキット遺伝子がそれぞれのモジュールの修正に取りかかる。すると、脚や翼が生えてくるモジュールもあれば、口や触角、あるいは脳さえ備わった頭に変わるモジュールもある。あなたや私たちさえもがモジュール式だ。ただし、今や私たちのモジュールは、それぞれがあまりに専門化しているので、類似性を見て取るのが難しい。

カンブリア紀のデザインは大成功だったから、現存している大きな生物の主要な分類群（「門《もん》」）はみな、カンブリア紀に最初に出現した。そのほとんどは、五億三〇〇〇万年前からの一〇〇〇万年間に現れた。この驚異的な期間（古生物学者にとっては、ほんの一瞬）、いわゆる「カンブリア爆発」には、ことによると過去六億年間のうちで生物学的イノベーションが最も急速に起こった時期が集約されていた[7]。

カンブリア紀の種には、最初の脊索《せきさく》動物（脊椎動物）が含まれていた。これは私たちも属する、動物の大きな門だ。脊椎動物は管のようなもので、それぞれが脊髄《せきずい》を持ち、前（口がついている）と後ろ（肛門がついている）がある。原始的な神経系も備えている。最初期の脊椎動物は、私たちが脳と呼ぶニューロンが密集した球体をまだ持っていなかったが、何百あるいは何千ものネットワーク化された神経細胞から成る神経系は持っており、それを使って、感覚細胞から送り込まれた大量の情報を処理し、下した決定を他の器官に伝え、適切な行動を取らせることができた。単純な神経系を持っているだけの多細胞生物でも、単細胞生物よりはるかに多くの情報を読み取り、それに対応することができた。だからカンブリア紀は、情報処理がより精妙に、より重要になる時代の始まりでもあった。ナメクジウオと呼ばれる現生の海洋脊椎動物は、神経系は持っているものの、正真正銘の脳は持っていない。この動物は、最初期の脊椎動物の祖先に、多少似ている可能性がある。

カンブリア紀の進化の驚くべきペースは、不安定な気候で説明がつくかもしれない。酸素濃度が再び上がり始め、多細胞生物を形成するのに必要なエネルギーの一部が供給された。だが、二酸化炭素濃度がそれよりもずっと速く上昇し、今日よりも格段に高い水準に達した。それは、温暖で湿潤な温室世界だった。厳密にはどのような変化があったかはわからないが、激しい気候変動と地質学的変動のせいで進化のペースが速まり、多くの種が絶滅に追い込まれるとともに、多くの新しい種類の大きな生命の進化が推し進められたことだろう。

進化上の浮き沈み――大量絶滅と進化のジェットコースター

山という障壁を乗り越えて新しい土地に入っていく探検家と同じで、多細胞性の発明は、生命にとって新しい可能性を開いた。多細胞生物は、複数回の適応放散でそうした可能性を探った。新しい生命体は、炭酸カルシウムからできたその骨格や殻が積み重なって分厚い白亜層（ドーバー海峡沿岸の白亜層を思い浮かべてほしい）を形成したので、地殻を一変させた。大きな動植物が陸上に進出し、風化作用や浸蝕作用や岩石の粉砕を加速し、地球初の本物の土壌を生み出した。やがて、植物の細胞内の葉緑素が、大地の多くを緑に変えた。

こうした変化は、ダーウィンやその同世代人が進化に見込んでいたような滑らかで堂々たる形は取らなかった。大きな生命の歴史はむしろ、ジェットコースターに乗るように、予測不可能で危険なものだった。小惑星の衝突、地球内部の突然の転移、大気の変化、大規模な火山噴火などのせいで、進化は思いもよらない新しい道を疾走する羽目になった。ナイルズ・エルドリッジとスティーヴン・ジェイ・グールドが一九七二年に発表した有名な論文で主張したように、進化は「区切られて」いた。[8]兵士の人生についての決まり文句にも似て、顕生代の進化は、長い退屈な期間が恐怖と生命を脅かす猛威の瞬間で何度も区切られていた。その猛威が際立っているのが、大量絶滅の期間だった。

私たちはまたしても、偶然性と必然性が働いているところを目の当たりにする。どの時点でも、理論上はじつにさまざまな種の組み合わせが可能だ。偶然の出来事がそうした種のうちのどれが実際に存在することになるかを決めた。大量絶滅の間は、いくつもの種が突然、見たところランダムにそっくり姿を消した。人間の戦争と同じで、大量絶滅はぞっとするような被害を与えた。特殊化した種には、とりわけ手厳しかった。現生のコアラのような極端な専門家は、急速な変化の時期には、うまく立ち回る余地がほとんどないからだ。大量絶滅は、とりわけ大きな生物にとっても苛酷だった。大きな生物は多くの食物を必要とし、繁殖に時間がかかり過ぎて、急速な変化についていかれないからだ。大量絶滅イベントは、遺伝のトランプのカードをシャッフルし直し、生存者に新たな進化上のスペースを生み出し、新しい進化の実験のお膳立てをした。大量絶滅の後にはきまって適応放散が起こり、その間に急速な実験が次々に行なわれ、変化を続ける生物圏の大量消費市場で新しい生物学的「製品」が発売された。とくに風変わりな実験の産物の多くがたちまち消え去り、大成功を収めた「製品」だけが残された。

最初の大量絶滅は太古代に起こった。二五億年前の大酸化イベントで、多くの細菌性生物が葬り去られたことは間違いない。それらにとって、酸素は毒だったからだ。実際、これは史上最大の大量絶滅だったかもしれない。原生代後期の全球凍結の間にも、多くの種が死滅したし、エディアカラ紀の末期にも多くが消えたことがわかっている。それ以来、存在していたあらゆる種類の種の半数以上が姿を消した大量絶滅イベントが少なくとも五回あったことが知られている。

カンブリア爆発は、約四億八五〇〇万年前から始まった一連の絶滅イベントで終わった。三葉虫の多くの種が絶滅に追い込まれた。カナダのバージェス頁岩や中国の澄江《チエンジャン》で化石が見つかっている、もっと奇妙なカンブリア紀の種の多くも、同じ運命をたどった。(9) オルドビス紀も、四億五〇〇〇万年前の大量絶滅イベントで終わり、このときにはあらゆる属のうち、六割がいなくなったかもしれない。

大量絶滅のなかで最大と思われるものは、ペルム紀の終わりの二億四八〇〇万年前に訪れた。このときは最後の三葉虫も含め、あらゆる属のうち、八割以上が消え去った。正確には何がこの絶滅を引き起こしたかは、相変わらずはっきりしない。マグマが上昇し、地殻を突き抜けて大規模な火山噴火を起こし、大量の火山灰を大気中に送り込み、光合成を妨げたのかもしれない。現代では、「シベリア・トラップ」として知られるシベリアの広大な火山地帯に、その証拠が見つかる。この噴火で、厖大な量の二酸化炭素が大気中に放出され、噴火が収まった後、二酸化炭素濃度が急上昇し、酸素濃度が下がり、海が温まった。地球がげっぷを吐くと、生物圏が身震いした。海水の温度は三八度にもなり、そのせいで海洋生物の大半が死に、海での光合成がほぼ完全に止まったという推定もある。温かい海は、取り込んでおける酸素の量も、維持できる生命の量も少なく、海面のはるか下では、「包接化合物《クラスレート》」として知られる凍ったメタンの球が解け、メタンの巨大な泡を放出したかもしれない。これは「温室効果大量絶滅」[10]で、凍える代わりに熱せられることで生物が死に絶えた。極端な温室世界では、大きな生物は広大なパンゲア超大陸の北端と南端の低温の極地環境でだけ生き延びた。

陸地には緑、大気には酸素

顕生代初期の激しい変化の下で、新しい生物圏ができ上がりつつあった。植物や真菌や動物が陸地へと拡がり、地表を一変させた。とくに重要だったのは、光合成を行なう植物が陸地に拡がったことで、それは、それらの植物が厖大な量の二酸化炭素を消費し、厖大な量の酸素を放出したからだ。それで生物圏のサーモスタットがリセットされ、かつてないほど酸素濃度が高く、二酸化炭素濃度が低い、新たな気候の型が生まれた。その型は、本質的な特徴を維持したまま、今日まで続いている。

陸上に進出するのはきわめて難しく、新しい惑星に植民するようなものと言える。生命は三〇億年にわたって水の中で進化し、繁栄してきた。どの細胞も塩水の中で進化した。生物は水に浮かび、必要とする気体や化学物質を水中から取り出し、水中で食物を探した。だから、水から離れたら、宇宙服に劣らぬほど手の込んだサポートシステムが必要になった。水分を逃さず、体が干上がるのを防げる丈夫な外皮を必要とした。だが、そうした外皮には、二酸化炭素あるいは酸素を取り込めるだけの透過性もなければならない。絶妙のバランスが欠かせなかった。植物の葉は、二酸化炭素が入り、水蒸気が漏れ出すのを許す、「気孔」という小さな孔によって、この相反する要求に対応する。気孔の大きさと数は、周囲の温度や湿度や二酸化炭素濃度次第で変化する。

生物は水の外ではどうやって繁殖できたのか？　乾燥という恐ろしい運命から卵や幼児をどうやって守ることができたのか？　水は浮力も提供してくれたが、陸上には浮力はほとんどない。ノミのような微小な昆虫にとっては、これは問題にならなかった。あまりに軽いので、重力のことは心配しなくてよかった。だからノミは喜んで崖から飛び降りられる。だが、大きな生物にとって重力は大問題だった。立ち上がろうとするなら、骨や木部という柱の支えが必要だった。立ち上がった後は、重力に逆らって液体を体内のあらゆる細胞に行き渡らせることができる、入念な配管が必要になった。植物は、水が毛細管現象によって細い管をよじ登る能力を利用し、根と内部の水路を通して液体を移動させた。動物は特別なポンプ（別名「心臓」）を開発し、液体と栄養分を循環させ、毒素を取り除いた。

多細胞生物による陸上への本格的な進出がようやく始まったのは、四億五〇〇〇万年前の、オルドビス紀後期の絶滅の後だった。そのときになって初めて、植物と動物の勇猛果敢な分類群がいくつか、海から用心深く陸へと上がっていった。大気中の酸素濃度が上昇しつつあったおかげでエネルギーが増加していたので、それに勇気づけられてのことかもしれない。

液体と栄養分を行き渡らせることができる組織を備えた最初の維管束《いかんそく》植物は、約四億三〇〇〇万年前に陸上に登場した。真菌と動物も、そのすぐ後に続いた。単純なサソリのような節足動物が、最初の維管束植物と同じぐらい早い時期に陸上で繁栄したかもしれない。初期の両生類は四億年前までには確実に陸上を歩いていた。アイルランドとポーランドで、その頃の足跡の化石が見つかっている。両生類は、現生の肺魚のような、水の外でも呼吸ができて干上がりかけた湖や川の浅瀬を歩ける魚から進化した。だが両生類はみな、水の近くにとどまらなければならない。水の中に卵を産むからだ。最初の両生類は、陸上を本拠とする初の大きな脊椎動物だった。なかには、あなたや私ほどの大きさのものもいた。

陸生の植物は、とりわけ大きな影響を大気に与えた。二酸化炭素を吸い込み、酸素を吐き出したからだ。大気中の酸素濃度は、オルドビス紀の後、五～一〇パーセントから、今日よりもずっと高い水準、ことによると三五パーセントにまで急上昇し、それから安定した。約三億七〇〇〇万年前以降は、酸素濃度はおおむね大気の一七パーセントと三〇パーセントの間にとどまっている。[11] なぜわかるかと言えば、この間ずっと自然発火の証拠が見て取れるからだ。自然発火は酸素濃度が一七パーセントをあまり下回ると起こりえない。酸素濃度はおそらく、ペルム紀（三億～二億五〇〇〇万年前）に頂点に達したらしい。

酸素濃度の上昇を示すものの一つに、サンゴ礁の出現がある。サンゴ礁は厖大な量の酸素を必要とするからだ。最初の大きなサンゴ礁はオルドビス紀に現れた。じつはサンゴは、遺伝的にまったく同じ微小な無脊椎動物の巨大な共生コロニーだ。少し苦しいかもしれないが、この共生コロニーは、硬いけれどあまりはっきりした形のない骨格を備え、無秩序に拡がる巨大な動物と見なせなくもない。それぞれのサンゴは、光合成を行なう単細胞生物のコロニーを宿し、エネルギーを供給してもらっている。サンゴ礁は、三葉虫や海綿動物や軟体動物など、多くの大きな生物に、居心地の良い棲み処を提供した。

酸素濃度の上昇は、約三億七〇〇〇万年前に始まったデボン紀に、多細胞の陸上進出者の第二の波を煽った。重力に逆らって立つことができるような木部の骨格を持つ最初の植物は、約三億七五〇〇万年前に現れ、ほどなくして森林がそれに続いた。それらの植物は光合成を通じて莫大な量の炭素を固定したので、地球が緑になるにつれて二酸化炭素濃度が下がり、以前の一〇分の一ほどの水準に落ちた。[12] 最初の森林の影響はとりわけ重大だった。木部の中のリグニンというポリマーを分解できる生物はまだ存在しなかったからだ。だから石炭紀（三億六〇〇〇万〜三億年前）の森林は主に、大気から吸い取った炭素とともに、地面の下に埋もれた。時を経るうちに、それが化石化して石炭層を形成し、それが後に産業革命の原動力となった。今日の石炭鉱床の約九割は、三億三〇〇〇万年前頃から二億六〇〇〇万年前頃にかけての、酸素濃度が高かった時期に地中に埋没した。酸素がたっぷりあったので、落雷によって簡単に森林火災が起こった。だから石炭紀とペルム紀初期の世界は、冷え冷えとしていたとはいえ、おそらく森林火災の鼻を刺すような臭いが漂っていた。その臭いは太陽系の他の惑星では誰も感知できないだろう。他の惑星は高い濃度の酸素と、火が燃え拡がるのに必要な燃料源の樹木を欠いているからだ。

石炭紀の森林では、光合成のペースが倍になったかもしれない。そしてそれが生物圏の予算総額を事実上倍増させ、はるかに多くの生物の誕生を可能にした[13]。植物は地球の地質学的なサーモスタットを微調整した。岩石を粉砕し、分解して土に変えることによって風化作用を加速し、埋もれた炭素がそのおかげでより簡単に海へと運ばれるようになったからだ。そしてそこから、炭素の一部はマントルの奥深くへと引きずり込まれた。埋もれた炭素はもう酸素と反応して二酸化炭素になれなかったので、酸素濃度が上がった。そういうわけで、遊離酸素の量は、マントルの中へ沈み込む炭素の量におおむね左右され、大気中の酸素と二酸化炭素の濃度は、逆方向に変化する傾向にある。酸素濃度が上がったおかげで、地殻の中で新しい化学反応も可能になり、今日地球で見つかる四〇〇〇種類の鉱物の多くが生み出された[14]。

オルドビス紀の終わりからペルム紀の始まりにかけての、四億五〇〇〇万～三億年前の間に、森林と陸棲の多細胞生物は、地表を一変させ、大陸を緑にし、生物圏のサーモスタットをリセットして、酸素濃度が高くて二酸化炭素濃度が低い、顕生代後期の大気の型を生み出した。

長期的傾向――より大きな体とより大きな脳

複雑さの歴史全般と同じで、大きな生物の歴史も、偶然性と必然性によって形作られた。大量絶滅は、偶然性が演じる劇的な役割を浮き彫りにしてくれる。大量絶滅がなければ、今日の生物圏はずいぶんと違って見えたことだろう。だが進化は、けっして偶然性だけの産物ではない。変化のうちには起こりやすいものとそうでないものがある。だから、思わぬ巡り合わせが大きな生命の歴史を特徴づけたとはいえ、小惑星の衝突や火山噴火や大量絶滅が引き起こした混乱があったにもかかわらず、持続した大きな傾向もあった。私たちにとって、長期的な傾向は、突然の大変動に劣らず重要だ。

長期的な傾向の一つは、大きさの増大へ向かうものだった。そもそも多細胞生物を誕生させたのがその傾向だ。その傾向は、ますます大きな多細胞生物の出現を促した。巨大であることは、進化上、道理に適っていることが多かったからだ。なにしろ、大きな生物ほど捕食者が少ない。シロナガスクジラに噛みついてみるといい！　また、大きな生物のほうが、体重の単位当たりに必要とする食物も少ないし、乾燥という大惨事を避けるのも、たいてい易しい[15]。そのうえ、顕生代初期に現れた酸素濃度の高い大気の型は、大型多細胞生物を駆動するのに必要なより大きなエネルギーを提供してくれた。実際、とても大きな生物は、酸素濃度が最も高いとき、すなわち、たいていは二酸化炭素濃度が低くて寒冷な気候のときに、最も繁栄した可能性が高いように見える。これは陸上だけではなく海中にも当てはまった。冷たい水のほうが温かい水よりも多くの酸素を含んでいられるからだ。

酸素濃度が上がると、多くの異なる進化上の系統がより大きな体を試してみた。石炭紀とペルム紀には、巨大な昆虫や脊椎動物が見られるようになる。翼幅が五〇センチメートルもあるトンボや、全長九〇センチメートル、体重二〇キログラムのサソリのような生き物が見られたかもしれないのがこの時期だ。最初の爬虫類は、約三億六〇〇〇万年前に始まった石炭紀に登場した。爬虫類は、羊膜《ようまく》類という新しい動物の分類群の一部だった。この分類群には、爬虫類と鳥類と哺乳類が含まれる。羊膜類は両生類とは違い、水から離れた所で繁殖できた。保護された環境を提供する卵や袋や子宮の中で子供が発育したからだ。やがて爬虫類は、これまで陸上を歩き回ったり、よたよた歩いたり、ぶらついたり、駆け巡ったりした動物のうちでも最大級のもののいくつかを進化させることになる。

ペルム紀末期の大量絶滅の後には、三畳紀（二億五〇〇〇万～二億年前）の新しい適応放散が続いた。最初の大型恐竜が見られるのがこの時代だ（すべての恐竜が大きいわけではない！）。とはいえ、三畳紀後期には酸素濃度が再び落ち始め、世界の温暖化が始まり、大柄な多細胞生物にとっては生きていくのが厳しくなった。三畳紀の世界は、二億年前にまたしても温室効果大量絶滅イベントが起こって唐突に終わりを迎えた。生き延びた恐竜のさまざまな科は、酸素が乏しい世界で呼吸するための、きわめて効率的なメカニズムを進化させた。そうしたメカニズムは、二足歩行を促進したかもしれない（ティラノサウルスや現生の鳥類を考えてほしい）。なぜなら二足歩行の爬虫類では、胸部がより開放的で、四足歩行の爬虫類のよたよたした歩き方の場合のように、動きによって呼吸が制約されないからだ。ジュラ紀（二億～一億五〇〇〇万年前）の間に、酸素濃度はまた上昇し、今日の世界の水準に近づいた。そして、恐竜たちは再び大きさを増した。最大の恐竜は、一億六〇〇〇万年前から六五〇〇万年前のジュラ紀後期と白亜紀に、足を踏み鳴らして地球上を歩き回った。三畳紀の祖先よりも効率的な肺を備えたこれらの恐竜は、酸素が豊富な大気中で得られる大量のエネルギーを使い、巨体を駆動した。

最初の正真正銘の鳥類は、ジュラ紀後期に現れた。彼らも大気中の高濃度の酸素に依存していた。なぜなら、どんなパイロットも知っているように、飛行には多くのエネルギーが求められるからだ。

始祖鳥の化石

鳥に似た最初期の生き物の一つである始祖鳥が残した化石は、ダーウィンの『種の起源』が刊行されてからわずか二年後の一八六一年にドイツで発見された。始祖鳥は今から一億五〇〇〇万年前頃に生きており、カラスほどの大きさだった。ダーウィンにとって、始祖鳥の化石の発見は、自然選択による進化という彼の理論に強力な証拠を提供してくれた。爬虫類と鳥類の中間に位置する過渡的な種が存在していたことを示していたからだ。始祖鳥は、鳥のような特徴をたくさん持っていたが、鉤爪や骨のある尾や歯といった、爬虫類の特徴も依然として備えていた。最近の発見から、歯の生えた鳥類の多くの種が白亜紀に出現し、空飛ぶ恐竜と共存していたことが立証されている。

哺乳類も他の羊膜類（爬虫類と鳥類）と同じで、ペルム紀の大量絶滅の後に出現した。哺乳類もやがて巨大な動物を生み出すが、それは二億年近く後のことだ。それまでは主に、恐竜が支配する世界の暗がりに身を潜めて、ひっそりと暮らしていた。三畳紀とジュラ紀と白亜紀を通して（二億五〇〇〇万〜六五〇〇〇万年前）、ほとんどの哺乳類は現生のネズミのように、穴の中に隠れ住む小さな生き物だった。

哺乳類は温血動物の一つの綱《こう》で、爬虫類や鳥類という他の羊膜類と同類だ。だが、哺乳類は爬虫類や鳥類とは決定的な形で違っている。哺乳類の脳には新皮質があり、そのおかげで哺乳類は卓越した計算能力を持っている。哺乳類には毛皮があるし（そう、人間にさえ毛皮はある。ただし、ほとんどの哺乳類ほどではないが）、たいがい、哺乳類は爬虫類や鳥類よりもよく我が子の面倒を見る。別の固有の特徴にちなんで私たちの綱に属する動物を「哺乳類」と最初に呼んだのは、近代的な分類学の創始者であるカール・リンネだ。すべての哺乳類が、乳腺から出る乳で子に栄養を与えるのだ。古生物学者にとって、哺乳類の化石で視認できる最も際立った特徴は、歯だ。最初期の哺乳類の歯にも咬頭《こうとう》〔訳注　歯の噛み合わせ面の膨らんだ部分〕があり、上の歯と下の歯をうまく噛み合わせられるので、ほとんどの爬虫類よりも効率的に食べ物を噛み潰したり噛み砕いたりできる。

哺乳類は、別の強力な進化の傾向も際立たせてくれる。より手の込んだ情報処理に向かう傾向だ。これは顕生代全般を通して見られたが、とくに動物に顕著で、なかでも哺乳類の間では目覚ましかった。

すでに見たとおり、あらゆる生物は情報食者だ。情報を収集し、処理し、それに基づいて行動する。原核生物を含め、ごく単純な生物では、第二段階（情報処理の段階）が原始的で、「ここはあまりに熱い。だから鞭毛を時計回りに振って、さっさと遠ざかろう」といった具合の、一種のオン／オフスイッチ程度にすぎない。単純な多細胞生物においてさえ、痛みや快感に対する簡単な反射に導かれて、多くの情報が効果的に処理されている。

だが、生物が大型化・複雑化すると、環境について、より多くの情報が必要となった。自然選択によって、大きな生物はより多くの情報を得たいという欲望を持つに至った。良い情報は成功に不可欠だったからだ。だから、人間がパズルを解くと、脳は食物や性行為から得られるのと同じ興奮が得られるのだ[16]。自然選択は、大きな生物により多くの感覚器官と、音や圧力、酸性度、光などのために、より多くの種類の感覚器官も与えた。そして自然選択は、しだいに多くの反応のレパートリーを進化させた。入力と出力の数と幅が増すと、処理の段階はしだいに手の込んだものになり、もっぱらその任務に当たる神経細胞の数も増えた。動物では、神経が集まってノードや節《せつ》や脳となり、トランジスターのようなスイッチのネットワークを形成し、並行して計算できるように、何百、何百万、何十億というニューロンを結びつけた。そのおかげで動物は、外の世界の重要な特徴をモデル化したり、ありうる未来さえモデル化したりできるようになった。どれほど脳の発達した生き物でも（あなたや私でさえも）環境と直接接触してはいない。そうする代わりに私たちはみな、脳によって構築された豊かなバーチャルリアリティの中に生きている。脳は私たちの体や環境の最も顕著な特徴のマップを生み出し、絶えずアップデートする。今日、刻々と変化する環境を気候科学者がモデル化するのと、まさに同じだ[17]。こうしたマップのおかげで、私たちはホメオスタシスを維持できる。私たちはマップの助けを借りて、周り中で果てしなく続いているさまざまな目まぐるしい変化に、たいていの場合には適切に対応することができる。

脳が発達した生き物では、意思決定はいくつかの異なるレベルで行なわれる。慎重に思案する時間がなければ、素早く下さなければならない決定もある。もっと遅くて重々しいが、より多くの選択肢を提供してくれる意思決定のメカニズムもある。痛みの感覚器官の単純なオン／オフスイッチは、とても複雑な多細胞生物においてさえ、多くの行動を制御している。あなたは炎の中に手を差し入れたら、考える暇もないうちにその手を引っ込めるだろう。大脳辺縁系が支配している情動も、迅速な意思決定を可能にする。情動は傾向や好みを生み出し、それが多くの重要な決定を推進し、たいてい正しく行なう。チャールズ・ダーウィンは、情動は生物が生き延びるのを助けるために、自然選択を通して進化してきた意思決定の仕組みであることを理解していた。ライオンを抱き締めたがるレイヨウは、自分の遺伝子を子孫に伝えることはなさそうだ。意識的な制御がいちばん及びにくい、最も基本的な情動は、私たちの中で泡立ってくるように思える。そうした情動には、恐れや怒り、驚きや嫌悪、そしてひょっとしたら喜びの感覚も含まれる。それらは私たちを特定の形で反応する気にさせ、化学信号を送って、逃げたり、注意を集中したり、攻撃したり、抱き締めたりするように、体に準備をさせる[18]。情動は、大きな脳を持った動物すべてで意思決定を推進しており、恐れのような一部の情動は、おそらくすべての脊椎動物が持っているだろうし、ことによれば一部の無脊椎動物、とくにタコのようなきわめて知能が高い動物も持っている。特定の結果や行動に対して情動が生み出す好みが、人間が抱く意義の感覚や倫理観の陰に潜んでいるのだ。

「判断力」と呼ばれることが多い能力は、多くの生物学的な意思決定の仕組みの一つにすぎない。その仕組みは、もし脳が十分大きく、時間がたっぷりあり、他のシステムが行き詰まってしまって明確な回答を出せなければ、重要な決定に関して裁定を下す。あれがじつはライオンではなかったら、私は本当にこれほど多くのエネルギーを使って逃げ出す必要があるのか？　私のライバルの脅しははったりなのか、それとも私はそれに応じるべきなのか？

感覚と情動と思考がいっしょになって、すべての人間と、おそらく、大きな脳を持った他の多くの種が経験する内面的で主観的な世界を創り出す。「意識」と私たちが呼ぶ状態は、新しくて難しくて重要な決定を下さなければならないときに、まるで裁判所への召喚命令のような脳の指令で生じた、鋭く集中した注意のモードであるように見える。本当に複雑な意思決定に必要な作業領域を提供できるほど大きな脳を持った多くの生き物には、ある程度まで意識が存在していることが、そこから窺える[19]。だが、日常的な決定には意識は必要ない。

この意思決定システムに記憶を加えれば、複雑な学習のための土台が手に入る。学習とは、以前の決定の結果を記録し、将来その記録を使ってより良い決定を下す能力だ。たとえば、「ホンソメワケベラ」という種の魚は、自分を簡単に食べてしまえるような魚の歯を掃除する。だがこの魚は、どのお客さんなら自分を食べずに、歯の間に詰まった残り物をただで食べさせてくれるかを学習しなければならない。記憶は、意識的に下された決定の結果を保存して、自動化された迅速な対応をするために使うことができる。あなたは自動車の運転の仕方をいったん学習してしまえば、赤信号が見えたときに、踏むべき手順の長いリストをいちいち確認する必要はない。体がどんどんやってくれる。自分の足がブレーキを踏んでいるのに、あなたは気づきさえしない。

このような精妙な意思決定とモデル化のシステムは、顕生代を通じて進化した。最も華々しい進化を見せたのが動物だった。動物は植物よりもはるかに多くの決定を下さなければならないからだ。ほとんどの無脊椎動物では、ニューロンのネットワークは全身に分散したままだった。ただし、特定のノードあるいは節に集中していることが多かったが。タコのような無脊椎動物の一部は、そのようなネットワークから、強力な情報処理システムを構築した。タコのニューロンのほとんどは、足（腕）にある。脊椎動物の系統でも、多くのニューロンが体の奥深くまで届いており、そこで感覚細胞や、決定を実行に移す運動細胞と連絡を保っている。だが、感覚器官が増え、処理が決定的に重要になると、しだいに多くのニューロンが集まって脳を形成し、そこで情報処理の専門家になった。情報処理は、エネルギーを大量に消費する複雑な鳥類と哺乳類の系統では、とくに重要だった。ただし、これらの非常に異なる種類の生き物は、厖大なデータを扱うために、まったく異なるサブシステムを進化させた[20]。

哺乳類では、情報処理の重要性が増したことを考えれば、皮質（脳の外側の灰色の層）の進化と成長の説明がしやすくなる。皮質は計算のための多くの領域と、はるかに大きな計算能力を与えてくれるので、馴染みのない状況や、他の意思決定システムが行き詰まっている状況で、皮質がない場合よりも優れた問題解決が可能になる。やがて、最も脳が発達した哺乳類は一般的な情報処理と問題解決のシステムを進化させることになる。それを細菌の世界のシステムと比べるのは、インターネットをソロバンと比較するようなものだ。強化された問題解決と情報処理のシステムの進化は、ついには私たち人間という驚くべき種が引き起こす情報爆発へとつながることになる。

小惑星が降ってきた——哺乳類への天の恵み

長い間、恐竜のたくましい筋肉が哺乳類の頭脳を圧倒するように見えた。だが六五〇〇万年前、すべてが一瞬のうちに変わった。

恐竜の世界は、直径一〇～一五キロメートルの小惑星が地球に激突してからわずか数時間で消滅した。[21] この衝突は、重大な絶滅イベントを引き起こし、その間にあらゆる属のうち、約半分が姿を消した。地質学者はこれを「K／T境界衝突イベント」と呼ぶ。白亜紀（しばしば「K」と略称される。ドイツ語で「白亜」を意味する「Kreide」という単語より）と、六五〇〇万年前に始まった新生代の旧称である第三紀〔訳注　英語では「Tertiary period」〕の境界で起こったからだ。

この小惑星は、ぶつかったときには毎秒三〇キロメートルの速さ（時速約一〇万キロメートル）で動いており、わずか数秒で地球の大気圏を通過した。落ちた場所は正確にわかっている。現在のメキシコのユカタン半島にある、チクシュルーブ・クレーターの中だ。この小惑星は、地殻にめり込む間に蒸発し、直径二〇〇キロメートル近いクレーターを残した。溶融した岩石が空中に舞い上がって塵の雲となり、何か月にもわたって太陽光を遮った。石灰岩が蒸発し、二酸化炭素を大気中に撒き散らした。衝突場所の周辺何百キロメートルもの範囲で生命が一掃された。その範囲の外側では何百キロメートルにもわたって、森林が燃え上がり、巨大な旋風が発生した。海では津波が起こり、水の壁がメキシコ湾岸に押し寄せ、何百キロメートルも離れた場所にいた魚や恐竜の命を奪った。アメリカのモンタナ州とワイオミング州のヘルクリーク累層《るいそう》では、小惑星の衝突で生じたガラスが鰓《えら》に詰まった魚の化石が見つかる。[22]

それより遠い場所では、直接の影響はそれほど極端ではなかった。だが数週間のうちに、生物圏全体が変化した。煤《すす》が太陽光を遮り、今日なら「核の冬」とでも呼ぶような状況が生じた。硝酸が空から降ってきて、それに当たった生物の大半が死んだ。地表は一年か二年、真っ暗になり、生命を太陽と結びつける命綱である光合成が停止した。塵の雲が薄くなり、靄《もや》を抜けて光が戻り始めると、地球は急速に温まった。今や大気は以前よりもはるかに多くの二酸化炭素とメタンを含んでいたからだ。衝突から数年後、悲惨な生存者たちは光合成と呼吸を再開できたが、それは熱い温室のような世界でのことだった。

生物圏がほぼ正常な状態に戻るまでには何千年もかかったに違いない。その間、それまでに存在していたあらゆる動植物の属のうち、半分が消えてしまったかもしれない。このような危機に際してはよくあることだが、大型の種はとくに手ひどい打撃を受けた。小さな生き物と比べて、必要とするエネルギーは多いし、個体数は少ないし、繁殖に時間がかかるためだ。だから大型の恐竜は滅びた。だが、現生の鳥類は比較的小型の恐竜の子孫であり、そうした小型の生き物は、なんとか生き永らえた。ネズミに似た哺乳類のような、より小さな生物は、それよりもわずかながらうまく切り抜け、その一部が、やがて私たちの祖先となる。

この小惑星が衝突したことを示す最初の証拠は、地質学者のウォルター・アルバレスと彼のチームによって、イタリアの岩石の中で見つかった。白亜紀の終わりを告げる境界線の前後で、岩石の間に際立った違いがあることは、すでに地質学者には知られていた。「有孔虫」として知られているプランクトンの化石は、その境界線直前の古い地層ではありふれているが、その後には急に見られなくなる。はっきりしなかったのは、その変化には何万年もかかったのか、それとも一、二年しかかからなかったのか、だ。一九七七年、アルバレスのチームはイタリアのグッビオのそばの発掘現場で、白亜紀の最後の最後にさかのぼる、きわめて高濃度の稀元素イリジウムを発見した。これは奇妙だった。イリジウムは地球上では稀だからだ。ただし、小惑星にはよく見られる。アルバレスと共同研究者たちは、イタリアの他の多くの発掘現場でも同じぐらい高い濃度のイリジウムを発見した。今では世界中で同じような場所が少なくとも一〇〇か所、知られている。そのイリジウムは、小惑星によって持ち込まれたに違いないように見えてきた。そこから、大惨事があったことが窺われた。

当時、ほとんどの地質学者は、地質学的変化はすべて漸進的であるという考え方を信奉していたので、小惑星の衝突が大惨事を引き起こしたという説を認める人はほとんどいなかった。地質学者は直接の証拠、地質学的な動かぬ証拠を求めた。そしてその証拠が、一九九〇年に見つかった。チクシュルーブ・クレーターは、この説にまさにふさわしい大きさで、まさにふさわしい時期に生じたことが示されたのだ。それ以降、ほとんどの地質学者は、小惑星の衝突が恐竜を一掃したことだけではなく、そのような壊滅的な出来事が地球の歴史の中で何度も起こったかもしれないことも受け容れるようになった。たしかに、K／T境界前後には大規模な火山噴火が起こったという証拠もあるし、そうした噴火が生物圏の安定を揺るがしたのかもしれないが、致命的な打撃は小惑星によってもたらされたことは、今ではほとんど疑いようがない。

チクシュルーブ後の世界は、私たちの哺乳類の祖先が進化することになる世界だった。それは、地球の歴史の過去六五〇〇万年に及ぶ新生代の世界だ。

小惑星衝突以後——哺乳類の適応放散

哺乳類である私たち人間は遺伝子の九割、すなわち、ＤＮＡの約三〇億の塩基対を、ラットからアライグマまで、他の哺乳類と共有している。残るＤＮＡの一割のどこかに、私たちを他の哺乳類と区別している遺伝子がある。

あらゆる哺乳類がそうであるように、私たちも温血であり、それはつまり、体温を高く保ち、脳をせっせと働き続けさせるために、ほとんどの爬虫類よりも多くのエネルギーを必要とするということだ。私たちの脳は強力でなくてはならない。食物とエネルギーの大きな流れを維持するための生態学的な技巧をたくさん生み出さなければならないからだ。最初期の哺乳類に似た生き物は、ハツカネズミ程度の大きさしかなかったが、おそらくすでに、今日の哺乳類と同じように、子を養育しただろうし、体の大きさと比べると並外れて大きな脳を持っていただろう。有袋類（多くの場合、育児嚢《のう》の中で子が特別の保護と栄養物を必要とする哺乳類）と有胎盤類（子が子宮の中で胎盤を通して栄養を摂取する哺乳類）の基本的な分岐は、少なくとも一億七〇〇〇万年前までさかのぼる。

一億五〇〇〇万年ほどにも及ぶジュラ紀と白亜紀の長い期間を通して、哺乳類のほとんどの種は小さいままで、月明かりに照らされた下草の間を駆け回っていた[23]。形態は多種多様だった。犬に似たものもいた。たとえばレペノマムスで、小さな恐竜とその赤ん坊を食べるほど大きかった。海に戻り、泳ぐものもいた。コウモリに似たものや、昆虫を食べるもの、木に登るものもいた。約一億五〇〇〇万年前、哺乳類の世界に変化が起こった。それまで植物の世界を支配してきた針葉樹とシダに肩を並べる新しい種類の植物が出現したためだ。それは被子植物という、果実と花を持つ植物で、今日、森や森林地帯、公園や裏庭で幅を利かせている種類の植物だ。顕花植物は、特別な歯を持った哺乳類に食物の大鉱脈をもたらした。そうした歯を使って果実や種子を食べることもできれば、やはり顕花植物を食べたり受粉を助けたりする多くの昆虫を食べることもできたからだ。

恐竜を破滅させた小惑星の衝突は、当時存在していた哺乳類の種の四分の三も消し去ったかもしれない。だが、ほとんどの哺乳類は依然として小さかったので、この進化上の危機を擦り抜けるものがいた。地球がおおむね正常な状態に戻った後、チクシュルーブ小惑星の衝突の生き残りは、新しい奇妙な世界に身を置くことになった。恐竜がいなくなり、新たな機会が残された。哺乳類は新しい適応放散によって多様化した。今日、大企業がすべて一夜にして破産したら、小企業が大躍進するように。多くの哺乳類の種は大型化した。五〇万年のうちに、牛ほどの大きさの草食性哺乳類や、同じぐらい大きい肉食性哺乳類が登場した。樹上で生活し、果実を食べ、やがて私たちにつながる哺乳類の目《もく》に属する霊長類もいた。最初の霊長類は恐竜の世界にもすでに存在したが、彼らが繁栄したのは、恐竜が舞台を去ってからだった。

哺乳類は、地球を我が物にする前に、もう一つ危機を生き延びる必要があった。それは、暁新世《ぎょうしんせい》／始新世《ししんせい》境界温暖化極大イベント（頭文字が好きな人は、「Paleocene-Eocene thermal maximum」という英語の名称を略して「ＰＥＴＭ」と呼ぶ）で、約五六〇〇万年前の、暁新世と始新世の境界で起こった、地球温暖化による短期的で痛烈な激動だ。被害は甚大で、多くの種が絶滅に追い込まれた。ＰＥＴＭは今日関心を集めている。地球の歴史上、最も新しい急激な地球温暖化の時期だからで、今日の気候変動を理解する助けになるかもしれない。当時と今日の状況は不気味なほど似ている。PETMの間に大気中に放出された二酸化炭素の量は、今日、化石燃料の燃焼によって放出されている二酸化炭素の量に近い。そして、五六〇〇万年前には、地球の平均気温が五～九度上昇する結果になった[24]。

この突然の温暖化を促進したのは何だったのか？　五八〇〇万年前から五六〇〇万年前にかけて、火山活動は並外れて盛んだったから、火山から噴出した二酸化炭素が、大気中の二酸化炭素濃度を押し上げただろう。だがその後、わずか一万年ほどの間にだろうか、何かが急速に起こった。それは、人間の歴史では農業が現れてから今に至るまでの時間にほぼ匹敵する。その期間が終わるまでに、多くの動植物や海洋生物の種が消え去った。両極の海が温まり、メタンハイドレート（メタンが凍った塊で、氷のように見えるが、マッチを近づけると発火する）が突然解け、二酸化炭素よりもなおさら強力な温室効果ガスであるメタンを大量に放出した、というのが今日最も有力視されている筋書きだ。それで気温が急上昇したことだろう。もしこの筋書きが正しければ、今日の両極の海にあるメタンハイドレートを、とても注意深く見守る必要がある。

二万年ぐらいかもしれないが、極端な気候が続いた後、地球の温度は、数回の短期的な逆転を挟みながら、長い時間をかけてゆっくりと寒冷化していった。二酸化炭素濃度が再び下がり始める一方、酸素濃度が上がった。赤道地方と両極域の間の温度差が増し、氷が北極圏と南極圏に拡がり、水を氷河の中に閉じ込めたので、海面が下がった。

この寒冷化の一因は、軌道周期と地球自体の軸の傾きの変化だった。こうした変化は、それを最初に記述した科学者にちなんで、「ミランコヴィッチ・サイクル」と呼ばれている。地球の軌道と傾きが変わると、太陽から地球に届くエネルギーの量が微妙に変化した。地殻変動の過程も進んでいたようで、大西洋が拡がり、南にあった大きなゴンドワナ大陸が、今日の大陸に分裂した。南極大陸は南極の上に落ち着き、巨大な氷床が積み上がる土台を提供する一方、北の諸大陸は北極海を囲み、北極圏を温かい赤道の海流から隔離した。その間、インド・プレートがアジア大陸に衝突してヒマラヤ山脈を押し上げ、それが風化作用を加速し、炭素が大気から海洋へ、さらに地殻の中へと運ばれるペースを速めた。

　生物も、生物圏を寒冷化させるのに一役買ったかもしれない。過去三〇〇〇万年間には、二酸化炭素濃度が下がるにつれ、現代のサバンナや郊外の住宅の庭を覆う、新しい種類の植物が進化した。それらは「C_4型光合成」という新しい形態の光合成を使った。それは、高木や低木が使う「C_3型光合成」よりも効率的だった。そしてそのため、より多くの炭素を大気から吸い出した[25]。

　正確な原因が何だったのであれ、約五〇〇〇万年前に始まった寒冷化の傾向は、今日まで続いてきた。約二六〇〇万年前、更新世《こうしんせい》の始まりに、世界は通常の氷河時代における現在の段階に入った。世界は、ペルム紀の終わりにパンゲアそのものが分裂して以来、二億五〇〇〇万年にわたって、これほど寒冷だったことはない。五〇〇〇万年前、恐竜絶滅後・PETM後の寒冷で不安定なこの気候変動の世界で、私たちの霊長類の祖先が進化した。

第Ⅲ部

私たち

7 人間──臨界6

共通言語はコミュニティのメンバーをつなげて情報共有ネットワークにまとめ上げ、絶大な集合的力の数々を持たせる。

──スティーヴン・ピンカー『言語を生み出す本能』

人類全体には一つの共通性があり、それについて歴史家は理解したいと望むだろう──他のいかなる下位集団を結びつける特徴をも理解できているのと同じぐらい明確に。

──ウィリアム・H・マクニール「神話的歴史（Mythistory）」


私たちのオリジン・ストーリーで、人間の登場は一大事件だ。姿を現してからまだわずか数十万年にしかならないのに、私たちは今日、生物圏を一変させ始めている。過去にもシアノバクテリアのように、生物群全体で生物圏を変えた例はあるが、単一の種がこのような力を振るったことはかつてない。これに加えて、人間はまったく新しいことをも成し遂げようとしている。私たちは周囲の環境に関する各人のマップを共有できるという能力を活用して、それぞれのオリジン・ストーリーの背後に必ず存在する、空間と時間についての豊かな集合的理解を築いてきた。私たちの種だけが達成したらしいこの偉業は、宇宙のちっぽけな一部が今や自らを理解し始めていることを意味する。

本書が扱う人間の歴史では、歴史家が通常論じるような事柄にはほとんど触れない。つまり、戦争や指導者、国家や帝国、あるいは芸術や宗教や哲学におけるさまざまな伝統の進化などだ。その代わりに、私たちの現代版のオリジン・ストーリーの主たるテーマに焦点を絞り続ける。私たちは新しい形の複雑さの登場を目撃することになるだろう。その複雑さは今回、新奇な方法で情報を活用し、しだいに多くのエネルギーの流れを利用するようになった新たな種によって生み出された。最初は局地的なコミュニティ内で、だがついには世界全体で結びついた人間が、まずはゆっくりと、やがて徐々に速度を増しながら生物圏を変え始め、今日では地球を変貌させる種にまでなった経緯を、これから見ていこう。私たち人間が自分の力を今後どのように使っていくのかは未知数だ。それでも人間が、さらには生物圏全体までもが、深刻で、ひょっとすると凄まじい変化の時に直面していることはすでにはっきりしている[1]。

私たちはどのようにしてこの状況に至ったのだろうか？　私たちの現代版のオリジン・ストーリーは、人間の歴史を地球と宇宙全体についてのはるかに広大な物語の中に置くことを通して、現在の立場を理解するのを助けてくれる。山の頂上から眺めれば、私たちがなぜ際立った存在なのかを知る手掛かりが得られるだろう。

寒冷化していく世界における霊長類の進化

文化的に見れば、人間は驚くほど多様で、それが私たちの強みの一つになっている。とはいえ遺伝的には、チンパンジーやゴリラやオランウータンといった最も近い現生種よりも均質だ。地球上に登場してから日が浅いので、遺伝子がたいして多様化できていないのだ。そのうえ、私たちは社会性が並外れて高く、移動を好むので、人間の遺伝子は集団から集団へとかなり自由に行き来してきた。

私たちは哺乳綱霊長目に属し、そこにはキツネザルやサル、大型類人猿が含まれる。そのため人間は、霊長類の仲間と多くの共通点を持っている。最初期の霊長類はほぼ間違いなく、樹上で生活していた。(幼い頃の私も含めて)人間の子供も木登りが大好きだし、得意でもある。木に登るには、摑むことのできる手足と指が必要だ。枝から枝へ飛び移ろうとすれば、距離を目測できる立体視の能力があると都合が良い。これはつまり、視線の重なり合う二つの目が顔の正面についていることを意味する(けっして片目を閉じたまま枝から枝へ飛び移ろうとしてはいけない)。というわけで霊長類はみな、摑むことのできる手足と、正面に目のついた平たい顔をしているのだ。

霊長類は他に類を見ないほど脳が発達している。その脳は体の割に並外れて大きく、最表層の大脳新皮質は巨大とも言える。哺乳類の大半の種では、皮質は脳全体の大きさの一〜四割ほどだ。ところが霊長類ではその割合は半分を超え、人間では八割にも達する[2]。人間は皮質ニューロンの数そのものに関しても群を抜いている。人間の皮質ニューロンは約一五〇億個を数え、チンパンジー(約六〇億個)の二倍以上だ[3]。人間に次いで多いクジラやゾウには、およそ一〇〇億個の皮質ニューロンがあるが、両種の体の大きさに対する脳の比率はチンパンジーの比率よりも小さい。霊長類の大きな脳は、彼らが環境についての情報を獲得し、保存し、活用するのに秀でていることを意味する。

では、霊長類の脳がそれほど大きいのはなぜだろう？　理由はわかり切っているように思えるかもしれない。脳は大きいほうが良いに決まっているではないか？　いや、そうともかぎらない。なぜなら脳はエネルギーを大量に消費するからだ。脳は同じ量の筋肉組織に比べて、最大二〇倍ものエネルギーを必要とする。人間の場合、脳は体重のわずか二パーセントでしかないのに、体内で利用可能なエネルギーの一六パーセントを消費している。だからこそ、筋力と頭脳のどちらかを選択するとなれば、進化はたいてい脳よりも筋肉を好んできた。そして、非常に大きな脳を持つ種はごくわずかなのだ。なかには、脳を軽蔑するあまり、なくても済む贅沢《ぜいたく》品のように扱う種もいる。ウミウシのいくつかの種は、幼生のときに小さな脳を持っている。幼生はその脳を使って、海中を漂いながら、餌を摂取するのに適した着床場所を探し求める。だが、いったん着床場所を見つけてしまえば、これほどコストのかかる器官はもう不要になり……なんと、自らの脳を食べてしまうのだ（これは終身在職権を得た学者にどこか似ていると、辛辣なジョークを飛ばした者もいる）[4]。

それに対して霊長類の脳は、コストに見合うだけの働きをしているようだ。器用な手足を操るには、大きな脳が必要なのだ。また、視覚におおいに依存した種では、画像処理（三本先の木になっているプラムは熟れているのか、といったこと）にも欠かせない。コンピューターの場合とまったく同じで、脳の場合にも画像の扱いには情報処理能力をたっぷり必要とするからだ。だが、さらに重要な要因として、霊長類は社会性が高いことが挙げられる。これは、集団で生活すれば保護と支援を得られるためだ。暁新世／始新世境界温暖化極大イベント（ＰＥＴＭ）後の寒冷化していく世界では草原や森林が拡大し、そのような拓けた無防備な土地では、大きな集団での生活を促す圧力が増した。同じ種のメンバーとうまく暮らしていくためには、家族や敵味方の間で絶えず変わる関係を常に把握しておかなくてはならない。誰に勢いがあり、誰が落ち目なのか？　誰が信頼でき、誰ができないのか？　誰に貸しがあり、誰に借りがあるのか？　これは演算タスクであり、その複雑さは、集団が大きくなるにつれて指数関数的に跳ね上がる。他のメンバーが三人しかいなければ、たぶんうまくやれる。だが五〇人、一〇〇人となれば、計算はずっと厄介になる。

集団で生きていくには、他のメンバーの頭の中を察する力も必要だ。他者の考えや気持ちを感じ取るのは、意識、すなわち自分自身の心の中で何が起こっているのかについてより明確に認識することに向けた重要な前進だったのかもしれない。(5) こうした社会的な計算を誤ると、多くの場合、十分な食料や保護が得られなくなり、痛めつけられる機会が増え、自身の健康を維持して健康な子供をもうける可能性が減ることが、霊長類社会の綿密な観察によって示されている。(6) だから、社会性と協力と知能は、霊長類の歴史の中で並行して進化したと考えられる。霊長類では実際、集団の規模と脳の大きさには緩やかな相関関係があるようだ。霊長類の多くの系統は、より大きな集団で生きていく能力と引き換えに、また新たなエントロピー税、すなわち「脳税」を進んで支払うことにしたのだろう。

最初の霊長類はおそらく、恐竜が絶滅する前に現れたが、現存する最古の霊長類の化石は、チクシュルーブへの小惑星衝突の数百万年後のものだ。私たちは類人猿として知られる尾のない大型霊長類の一群に属する。類人猿は約三〇〇〇万年前に出現し、二〇〇〇万年前にアフリカとユーラシアで繁栄し、多様化した。大型類人猿（「ホミニド」）には今日、人間の他にオランウータン、ゴリラ、チンパンジーが含まれる。類人猿の祖先は、ＰＥＴＭ後に二酸化炭素濃度と気温が下がり、前より気候が気まぐれな世界で進化した。不安定な気候が進化のアクセルを強く踏み込んだため、多くの種が迅速かつ頻繁に適応せざるをえなくなった。約一〇〇〇万年前から、棲息域の多くで気候の乾燥化と寒冷化が進み、棲み処としていた森林が草原に変わるにつれて、大型類人猿の系統ではおそらく、非常に厳しい淘汰がなされた。このような進化の強行軍を生き延びたのが、私たちの祖先なのだ。

一九七〇年代以前は、化石の証拠から判断して、人類は遅くとも二〇〇〇万年前には他の類人猿から分岐していたと、ほとんどの古生物学者が確信していた。だが一九六七年、ヴィンセント・サリッチとアラン・ウィルソンという二人の遺伝学者が、現存する生物種のＤＮＡを比較することによって、二つの種が分岐した年代を推定できることを示し、見方が変わった。なぜ推定が可能かと言えば、長く伸びるＤＮＡ鎖、なかでもとくに遺伝子をコードしていない部分は、ほぼ一定のペースでランダムに変化するからだ。この見識に基づく遺伝子の比較から、人類とチンパンジーとゴリラには、約八〇〇万年前まで共通の祖先がいたことが判明した。現生のゴリラの祖先はその時点で、独自の道を歩むことにした。残る人間とチンパンジーには、約六〇〇万〜七〇〇万年前まで共通の祖先がいた。言い換えれば、その頃のアフリカのどこかには、現生の人類とチンパンジーの両方の起源となる生き物が存在していたのだ。化石は今のところ発見されていないが、現代の遺伝学はこの生き物が実際に存在していたことを教えてくれる。

現在でも、チンパンジーと人間は九六パーセントを優に超えるゲノムを共有している。だがこれは、各ゲノムに含まれる三〇億の塩基対のうち、約三五〇〇万の遺伝文字（すなわち塩基対）が異なることを意味する。これらの異なる遺伝文字に、人間とチンパンジーがこれほど違う歴史をたどることになった理由を知る手掛かりが潜んでいる。その違いは過去数千年間にとりわけ顕著だ。私たちに最も近い種が今や、わずか二〇万〜三〇万頭を残すだけになる一方で、人間は七〇億人を超え、生物圏を支配するに至ったのはなぜなのだろう?

初期のホミニンの歴史——最初の人間はいつ出現したのか?

進化史上、人間とチンパンジーが枝分かれした後の人間側に含まれるすべての種は、「ホミニン(ヒト亜族)」として知られている。古生物学者は過去半世紀に、おそらく三〇以上のホミニンの種の化石を発見した(指の骨一本、あるいは二、三本の歯だけという場合もある)。わざわざ「おそらく」と書いたのは、何をもって独立した種とするかは、意見を求める古生物学者によって異なるからだ。細かく分類して、ホミニンに多くの種を認める学者もいれば、大まかに分類して、少数の種の中に多くの変種があると考える学者もいる。今日、私たちはホミニンの唯一の残存種となっている。これは異例の状況だ。なにしろ、わずか二万〜三万年前までは、数種の異なるホミニンが共存し、アフリカやユーラシアのサバンナを歩き回っていたのだから。私たちの種がますます多くの土地や資源を手に入れるかたわらで、近年になって他の種が姿を消したという事実からは、私たちがどれほど危険な存在かが窺われる。

古生物学者は過去五〇年間に、新たな科学的検査の装置や技術をいくつも手に入れ、ホミニンの歴史の詳細な部分をますます多く埋めるのに役立ててきた。歯の化石からは、とりわけ多くの情報が得られる。これは吉報だ。なぜなら、唯一の出土品が歯である場合が多いからだ。患者がポップコーンやチョコレートやアイスクリームをよく食べていることを歯科医が見抜けるように、古生物を診断する目利きの「歯医者」も、私たちの祖先が肉を食べていたのか、草を食べていたのかを判別できる。歯の形状から、持ち主がその歯で食べ物を嚙み切っていたのか、嚙み潰していたのかがわかるのだ。木の実を食べるには、臼歯のような嚙み潰すための歯が必要であり、肉を食べるには、犬歯のような嚙み切るための歯が必要となるためだ。これは非常に重要な情報と言える。

　骨や歯に見られる化学的な特徴も、食性や生態について多くを語ってくれる。たとえば、イネ科植物やスゲをはじめとするC_4型光合成を行なう植物は、一般的な炭素同位体^{12}Cよりも、わずかに質量の大きい^{13}Cを多く吸収する。約二五〇万年前のアウストラロピテクス・アフリカヌスの歯を分析したところ、予想よりも^{13}Cの比率が高いことがわかった。彼らがけっしてイネ科植物を食べていなかった（それらを食べられる類人猿はいない）ことを考えれば、これはイネ科植物を食べる動物の肉を彼らが食べていたことを示唆している。そして、肉食という食性は、彼らが屍肉を漁るか、狩りをするかしていたこと、さらには石器を使用していたかもしれないことを物語っている。

　骨に含まれるストロンチウム同位体を化学的に分析すると、各個体がどれぐらいの範囲を移動していたのかさえわかる。[7] アウストラロピテクス属として知られる初期ホミニンの一群の骨を調べたところ、女性のほうが男性よりも移動範囲が広かったことが明らかになった。これはつまり、女性が男性の集団へ移っていたのであり、その反対ではなかったことを示唆している。言い換えれば、彼らのコミュニティは現生のチンパンジーのそれと同じように父方居住性だったのであり、この事実から彼らの社会についてさまざまなことが読み取れる。以上のような科学技術は強力な調査手段だ。だが残念ながら、こうした研究は答えをもたらす以上に多くの疑問を提起し、私たちは人間の進化の物語が実際にはどれほど複雑かを思い知らされる。

ホミニンの化石記録は、以前よりもはるかに豊富になった。一九〇〇年の時点では、古生物学者のもとには太古の二種類のホミニンの化石しかなかった——一八五六年に初めてドイツで発見されたネアンデルタール人の化石と、一八九一年にオランダの古人類学者ウジェーヌ・デュボワがジャワ島で最初に発見したホモ・エレクトスの化石だ。これらの化石は、人類がヨーロッパかアジアで進化した可能性を示唆していた。ところが一九二四年に、南アフリカで解剖学教授を務めていたオーストラリア出身のレイモンド・ダートが、アフリカ初の重要なホミニンの化石を発見した。それは、他のいくつもの化石とともに埋まっていた頭蓋骨で、現在アウストラロピテクス・アフリカヌスとして知られる種の子供のものだった。アウストラロピテクス・アフリカヌスは、約五〇〇万年前に初めて現れたアウストラロピテクス属に属する多くの種の一つだ。この発見を皮切りに、アフリカで続々とホミニンの化石が出土し始め、今では古人類学者の大半が、私たちの種はアフリカのどこかで誕生したと確信している。一九三〇年代に入ると、ルイスとメアリーのリーキー夫妻がアフリカ大地溝帯でホミニンの化石や人工遺物を発見し始めた。この地溝帯は、アフリカの大部分が載っている構造プレートが、マントルから湧出するマグマに引き裂かれつつある場所だ。ここにはいずれ、新たな海が姿を現すだろう。だが当面、アフリカ構造プレートに入った亀裂は、化石ハンターたちに私たちの種の遠い過去を垣間見させてくれる。

一九七四年には、エチオピアでドナルド・ジョハンソンによって、アウストラロピテクス属の別の種であるアウストラロピテクス・アファレンシスの化石が、全身の四割もの骨がまとまった形で発見された。「ルーシー」と名づけられたこの化石人骨は、約三二〇万年前のものだった。他にも、四〇〇万年近く前のアウストラロピテクス属の化石も複数出土している。これ以降、さらに古い時代のホミニンの種がアフリカ各地で相次いで発見された。四〇〇万〜五〇〇万年前のアルディピテクス、さらには六〇〇万年も前のオロリン・トゥゲネンシス、ことによると七〇〇万年前にまでさかのぼる可能性のあるサヘラントロプス・チャデンシスといった具合だ。これは、すべてのホミニンに共通する最後の祖先が生きていたと想定される時期にきわめて近い。

ごく初期のホミニンの化石は非常に少ないので、たった一つの新発見が定説を劇的に変えかねない。最初期の化石が本当にホミニンのものなのかさえ確かでなく、その化石が独立した種に属するのかどうかも必ずしもはっきりしない。たとえば、脳の大きさにかなりの違いがあるホモ・ハビリスとホモ・エレクトスを、別々の属に分類するべきか？　それともホモ・ハビリスを後期アウストラロピテクス属の一種と見なすべきか？　初期のホミニンの歴史に関しては、まだ概略しかわかっていないが、その物語のなかには明確になりつつある部分もある。

どうやら最初期のホミニンの種でさえ、少なくともときおりは二足歩行をしていたようだ。この点は、ナックルウォーク〔訳注　軽く握った拳を地面に突くようにして歩く半直立の四足歩行〕をするチンパンジーやゴリラと大きく異なる。日常的に二足歩行をしている種かどうかは、骨から判断できる。二足歩行をする種では、足の親指はもう物を摑むためには使われないため、他の指と向きが近づくし、脊柱は後ろではなく下から頭蓋骨につながっている（両手両足を床についてみれば、その理由がわかる）。二本の足で歩くには、背中や腰に加え、頭蓋骨の形状までも再調整しなくてはならなかったのだ。また、二足歩行には腰幅が狭いほうが好ましいが、そのせいで出産はより困難で危険なものになった。このため多くのホミニンも、現生人類と同じように、出生時には独力では生き延びられない未熟な状態だったと考えられる。となると、育児にかかる手間は当然増えたはずで、それが社会性を促進したり、子育てへの父親の関与を深めたりする要因となったのかもしれない。二足歩行は多くの間接的な影響をもたらしたが、ホミニンが二足歩行を始めた正確な理由はまだわかっていない。それまで三〇〇万年にわたって寒冷化していた世界でサバンナの草原が拡大し、二足歩行のほうが平原を遠くまで歩いたり走ったりするには都合が良かったのかもしれない。さらに、二足歩行で自由になった人間の手は、巧妙な作業に専念できるようになり、ついには道具を作り出した。

霊長類の基準に照らして、最初期のホミニンの脳が並外れて大きかったことを示す証拠は何一つない。彼らの頭蓋骨に収まっていた脳は私たちのものよりもはるかに小さく、約三〇〇〜四五〇ｃｃ程度で、どちらかと言えばチンパンジーの脳に近かった。これに引き換え、私たちの脳は平均で約一三五〇ｃｃにもなる。その純粋な大きさにも増して重要なのが、適切に算出するのは容易ではないものの、特定の生物群において体重に見合うと想定される脳の大きさとどの程度違うのかを示す指標だ。これを「脳化指数（ＥＱ）」と呼ぶ。チンパンジーの脳化指数は（他の哺乳類と比べた場合）およそ二で、現生人類は約五・八とずば抜けて高い。[8] アウストラロピテクスの脳化指数は、二・四〜三・一の範囲に収まる。つまり、ホミニンの第一の特徴は並外れた脳の大きさではない。二足歩行こそが最大の特徴なのだ。

私たちと同じホモ属に現在分類されている最古の化石は、ホモ・ハビリスとして知られる種のものだ。ホモ・ハビリスはおよそ二五〇万～一五〇万年前にアフリカに棲息していた。この種の最古の証拠は、わずかに顎骨一片と手の骨数片だけではあるが、一九六〇年にメアリー・リーキーと息子のジョナサンによって、アフリカ大地溝帯にあるオルドヴァイ峡谷で発見された。石器との密接な関連性が認められたことから、二人はこの新種をホモ属の一種に分類することにした。これは古人類学者流の言い回しで、「それらは道具を作るので、まさしく人間だと考えられる」という意味だ。

だが、それらは本当に私たちの同類なのだろうか？　人間の歴史はここから始まったのだろうか？現在では、ホモ属に私たちとホモ・ハビリスの両方を含めるという分類法に対しては、ほとんどの学者が懐疑的だ。なにしろ、ハビリスの脳は五〇〇～七〇〇ccとアウストラロピテクスのものよりもわずかに大きいだけで、脳化指数もせいぜい三余りなのだから。またその石器にしても、岩を割って破片を使用していた程度にすぎない。アウストラロピテクスのなかにもおそらく石器を作る種があっただろうことや、チンパンジーも道具を作れること（ただし石器ではない）を考えれば、ホモ・ハビリスはアウストラロピテクスによく似ており、彼らと同じ属に分類するべきであるように思える。道具作りが人間に特有の行為ではないことが判明している今となっては、道具を使用するからといって人間とは言えないのだ。

その後のホミニンの歴史――過去二〇〇万年

更新世《こうしんせい》の始まった二〇〇万年前には、体や脳がより大きく、より精巧な石器を作り、より幅広く環境を活用できる種のホミニンが見つかる。彼らの出現が気候の寒冷化や乾燥化と時期を同じくしていたのは、偶然ではないだろう。これらの種は通常、ホモ・エレクトスあるいはホモ・エルガステルと分類されるが、本書では、そのすべてを一くくりにして、ホモ・エレクトスという呼称を使うことにする。

ホモ・エレクトスの大きな脳は注目に値する。すでに見たとおり、脳は大きな代償を伴う進化上の装置だからだ。ホミニンの体重に対する脳の大きさの増加率はじつのところ、進化史に登場する他のいかなる種の集団における増加率をも上回っている[9]。その原動力となったのは、社会性かもしれない。社会生活上の計算の重要性は人間の脳の構造にはっきりと表れていて、その計算には厖大な数の神経回路が充てられている。ニューロン（神経細胞）の増加は、仲間や食料の増加、健康の増進、繁殖機会の向上を意味したのかもしれない。脳の容量が増大したおかげで、ホミニンがより大きな集団やネットワークの中で暮らせるようになったのは確かだ[10]。チンパンジーやヒヒを含む霊長類の大部分は、五〇個体に満たない集団で生活しており、大まかに言って、脳が小さいほど集団も小さい。だがホミニンでは、過去二〇〇万年で脳容量が増加し、それに比例するように集団の規模も大きくなった。ホモ・エレクトスはおそらく、五〇個体以上が結びついた集団で暮らした最初のホミニンの種だろう。

ホモ・エレクトスの最初の化石は、ウジェーヌ・デュボワによって一八九一年にジャワ島で発見された。デュボワがインドネシアで調査を行なっていたのは、人間はアフリカのチンパンジーから枝分

アシュール型握斧

かれした（ダーウィンはそう考えていた）のではなく、アジアのオランウータンから発生したのではないかと直感していたからだ。この考えは間違っていたが、彼が見出した化石は九〇〇cc近くの大きさの脳を持ち、約一三五〇ccという現生人類の平均的な脳容量にぐっと近づいていた。また、その脳化指数も三～四だった。この化石がジャワ島で発見されたという事実からは、ホモ・エレクトスがアフリカからユーラシア南部の大部分を横断して移動するために必要な技術と技能を持っていたこともわかる。だがこの点については、それほど感心する必要はない。ライオンやトラやゾウなどの多くの種、さらには私たちの近縁種オランウータンでさえも、同じような移動をしていたし、そのような移動が可能だったのは、ユーラシア南部の多くの場所にアフリカとあまり変わらない環境があったからだ。実際、近年の証拠によると、ホモ・ハビリスにきわめて近い種がインドネシアにまでたどり着き、わずか六万年前までフローレス島に棲息していたホモ・フローレシエンシス（別称「ホビット」）として知られる小型のホミニンの祖と

なった可能性がある。(11)

ホモ・エレクトスはホモ・ハビリスよりも長身で、上背が現生人類と変わらない者もいた。また、ホモ・ハビリスよりも精巧な道具を作った。それは入念にデザインされた美しい石器で、「アシュール型握斧《あくふ》」として知られている。石器の発達に伴い、ホモ・エレクトスはより多くの肉を得られるようになったのだろう。肉は容量を増す脳を働かせるために必要な、高エネルギーの食料を供給する重要な源だ。さらに彼らは、火を扱い、操り、役立てる能力も身につけたかもしれない。もしそうなら、新たに莫大なエネルギー源の活用が可能になっただろう。霊長類学者のリチャード・ランガムは、ホモ・エレクトスは火を使って肉などの食料を調理していた（言い換えれば、消化しやすくすると同時に無毒化していた）と主張する。生のままでは消化できなかったり、有毒だったりする食物は多いので、火を通すことで食べられるものの幅は拡がっただろう。火による調理は、食べ物を咀嚼《そしゃく》したり消化したりする時間も短縮したと考えられる。

火の使用がもたらした可能性のある重大な影響はこれにとどまらない。たとえば、調理によって、腸が担うべき消化活動の量が減った。その結果、腸は短くなり（そしてなんと、これは化石によって証明されている）、大きくなった脳を機能させるために必要な代謝エネルギーの一部が、腸での余剰分で賄われたのではないかというのだ。とはいえ、この興味深い仮説はまだ証明されていない。火を体系的に操っていたことを裏づける確固たる証拠は約八〇万年前まで見られず、数多く見つかっているのは約四〇万年前以降のものに限られるからだ。(12) そのうえ、ホモ・エレクトスの石器作りの技術は一〇〇万年間ほとんど変化していないことも知られている。どうも彼らは、私たちの種のような技術面での才能や創造性を欠いていたようだ。

過去一〇〇万年間で、ホミニンの進化は加速した。化石記録では、約六〇万年前に新種のホミニンが登場する。それらの種の脳や体は、ますます現生人類のものに近づいてきた。驚くまでもないが、彼らは以前よりも大きな集団、一五〇個体もの大集団で生活してもいたらしい。この一五〇という人数が、ホミニンに分類される私たちの祖先が形成しえた集団の上限と見られる。[13]

五〇万年前に何種のホミニンがいたのかについては、議論が紛糾している。数多く存在したことは確かだ。だが、数よりも重要なのは大局的な動向だ。すなわち、アフリカのサバンナとは大きく環境が異なり、新たな技能や技術を必要とする氷期のヨーロッパや北アジアに、ホミニンが姿を現したのだ。だとすると、彼らの道具がホモ・エレクトスのものよりも精巧で、種類も多く、専門化していたとしても不思議はない。ホミニンはこの頃初めて、石製の尖頭器に木軸をつけた。ドイツのシェーニンゲンでは、四〇万年前の精巧で優美な木槍が考古学者たちによって発見されている。その地で芸術や儀式といった活動の証拠さえも見出した人類学者もいる。ウジェーヌ・デュボワの発見のなかには、五〇万年前にさかのぼる、模様の彫り込まれた貝殻もあった。これは、どうも単純な形式の美術に見える。

とはいえ……それらはどれも革新的とは言い難い。本当に目覚ましい変化が始まるのは、わずか二〇万～三〇万年前、私たちの種ホモ・サピエンスの登場後のことだ。

私たちを異質な存在にしているのは何か——臨界6を超える

エイリアンの科学者チームが数百万年にもわたる長期研究プロジェクトとして、地球を周回しながら知的生命体を探索したり、この惑星の生物を調査したりしていると想像してみよう。二〇万年前には、私たちの祖先には特別変わった点は目につかなかっただろう。アフリカ各地やヨーロッパとアジアの一部地域では、私たちがホモ・ネアンデルタ―レンシス（ネアンデルタール人）やホモ・ハイデルベルゲンシスと呼んでいるものを含む、二足歩行をする大型霊長類を数種見つけたかもしれない。ことによると、人類を専門とする現代の古生物学者ならホモ・サピエンスと称するような個体さえ目にしたかもしれない。というのも、通常私たちの種に分類される最古の頭蓋骨の化石は、二〇万年近く前のものだからだ。これはアフリカ大地溝帯にある、エチオピアのオモ渓谷で発見された（二〇一七年六月にモロッコで出土した人間の化石は三〇万年前のものと推定されているが、現生人類との正確な関連はまだ明らかになっていない）。だがこうした初期の人間と、他の多くの大型や中型の霊長類あるいは哺乳類の種に大きな違いはなかった。当時の人々は、あちこちに散らばった小規模なコミュニティで移動しながら生活を営んでおり、その総数はせいぜい二〇万～三〇万人程度だった。大型哺乳類の例に漏れず、彼らも採集や狩猟によって環境から必要な食料やエネルギーを得ていた。

それから二〇万～三〇万年を経て（古生物学者にとっては物の数に入らない）、知的生命体を探し求めて周回しているエイリアンたちは、現在までにこの現生人類という種の行動に大きな変化を認め、何度かハイタッチしてその学術的成果を喜び合ったに違いない。彼らは人間が世界中に拡散するのを目の当たりにしただろう。そして一万年前に最終氷期が終わってからは、人口がぐんぐん増加していることに気づいたはずだ。人間たちは自分に都合が良いように環境に手を加え始め、森林を焼き払ったり、川の流れを変えたり、土地を耕したり、町や都市を築いたりした。この二〇〇年で総人口は七〇億を超え、私たちの種は海洋や大地や大気までも変容させ始めた。各大陸の至る所に人間の手で道路や運河や鉄道が巡らされ、人間の建設した、人口一〇〇万を超えるものも含む何千もの大都市を結んだ。巨大な船が海を行き来し、航空機は上空を飛び交って、大陸間で貨物や人を輸送した。わずか一〇〇年前には、明るい線や斑を描いて、地球は夜も明るく輝きだした。エイリアンの計器はきっと、海水が酸性化し、大気の温暖化が進み、サンゴ礁が死滅に向かい、極地の氷河が縮小しているのを検知していただろう。生物の多様性が急激に減少しているのを見て、エイリアンの生物学者のなかには、新たな大量絶滅の始まりではないかと危惧する者がいたかもしれない。

古生物学の見地からは、これほど急速な変化は爆発にも匹敵する。意図したわけではないが、私たちはこの惑星を一変させる種になってしまった。今なお高度厳戒態勢下に置かれている一八〇〇発もの核ミサイルの一部を愚かにも発射すれば、ほんの数時間で生物圏の多くを破壊する力さえ持っている。四〇億年にわたる生物圏の歴史の中で、これほどの力を単独で獲得した種は一つもなかった。

私たちが新たな臨界を超えたことは明らかだ。エイリアンの科学者たちはきっとこう自問していただろう――この奇妙な種はいったい何者なのか、と。

この問いには、これまで長年にわたって歴史学、人類学、哲学をはじめとするさまざまな分野の研究者が懸命に取り組んできた。この問題はあまりに複雑で多岐にわたり、多くの含意を持つので、科学的な回答を生み出すのは不可能だと感じている者もいる。だが興味深いことに、人間の歴史をより広い生物圏や宇宙の歴史の一部として捉え直すと、私たちの種の顕著な特徴がぐっと際立ってくる。今日、私たちを異質な存在にしているのは何なのかという問いに対して、さまざまな分野の学者たちが一様に、似たような結論にたどり着きつつあるようだ。

このような急激な変化に直面したときはまず、重大な結果を招く小さな変化を探すといい。複雑性理論やそれに関連したカオス理論の分野は、このような変化に満ちている。そうした変化はしばしば、「バタフライ効果」と呼ばれる。このたとえは、気象学者のエドワード・ローレンツに由来する。ローレンツは、気象系では些細な事象（ことによると一匹のチョウの羽ばたき？）でさえも、正のフィードバックサイクルによって増幅され、次々と変化を生み、何千マイルも離れた場所で竜巻を引き起こしかねないことを指摘した。では、人類史に竜巻を引き起こした些細な変化とは、いったい何なのか？

器用な手から大きな脳や社会性まで、数多くのさまざまな特徴が人間というものを形作っている。だが私たちをまったく異質な存在にしているのは、環境に関する情報を集団で制御する能力だ。私たちは他の種のように、ただ情報を集めるだけではない。農家の人が作物を育てるように、情報を「育てて」、「手懐《てなず》けて」いるように見える。私たちは情報を次々と生み出しては共有し、それを使ってますます多くのエネルギーと資源の流れを利用する。新たな情報のおかげで、人間は槍や弓矢を改良し、より大型の動物をより安全に仕留められるようになった。舟を改良し、新しい漁場や土地へアクセスできるようになった。さらに、植物に関する新しい知識を得て、キャッサバのような植物も毒を抜いて食用に供することができるようにもなった。もっと近い時代で言えば、化石燃料からエネルギーを引き出したり、人間をつないで世界全体に及ぶ単一のシステムにまとめる電子ネットワークを構築したりすることを可能にしたテクノロジーの背後にも、新しい情報が存在していたのだ。

このような大規模な情報の運用は、個人の力では成し遂げられない。一人ひとりの見識を共有し、何世代にもわたって幾百万となく蓄積できて初めて実現する。コミュニティごとのこうした情報共有は最終的に、ロシアの地質学者ウラジーミル・ヴェルナツキーが「ノウアスフィア（人智圏）」と呼んだ、精神や文化、共有された思考やアイデアから成る単一のグローバルな領域を生み出した。アメリカの認知心理学者マイケル・トマセロは次のように書いている。「行動と認知にこれほど短期間にこういった種類の変化をもたらしうる生物学的メカニズムは、ただ一つしか知られていない。……その生物学的メカニズムとは、社会的あるいは文化的伝達であり、有機的な進化のメカニズムとは桁違いに速い時間スケールで機能する」。トマセロが「累積的文化進化」と名づけたこの過程は、私たちの種に特有のものだ[14]。

人間が大量の情報を共有して蓄積することを可能にした些細な変化は、言語に関連している。言語を持つ種は多い。鳥類やヒヒは同じ群れの仲間に捕食者の接近を警告できる。だが、動物の言語が共有できるのはごく単純な概念だけで、ほぼすべてが目の前の事実にかかわるものであり、どこかパントマイムに似ている（生化学やワイン醸造をパントマイムで教えようとしたらどうなるか、想像してみてほしい）。これまでチンパンジーに言葉を教えようと試みた研究者も何人かいる。チンパンジーは実際、一〇〇〜二〇〇語ほどの単語を覚えて使えるだけでなく、自分で新しい単語の組み合わせを作ることさえできる。とはいえ、チンパンジーの語彙は少なく、彼らが構文や文法を使うことはない。この二つの規則があればこそ、私たちは限られた数の言葉という表象から、じつにさまざまな意味を生み出せるのだ。チンパンジーの言語能力は、人間で言えばせいぜい二、三歳の幼児程度にすぎず、それでは今日の世界を創り出すには足りない。

そしてまさにここで、チョウは羽ばたいた。人間の言語はまったく新しい種類のコミュニケーションを可能にする微妙な言語的臨界を超えたのだ。何より、私たちはこの言語によって抽象的な事柄や、目の前になく、想像の範囲外には存在しさえしないかもしれない物事や可能性についての情報を共有できるようになった。しかも言語のおかげで、私たちはそれを迅速かつ効率的にできる。ダンスで蜜の在《あ》り処《か》を仲間に伝えられるミツバチという例外があるにはあるが、すぐ目の前にないものについての正確な情報を伝達できる動物は一つとして知られていない。どんな動物も将来や過去について話を交わしたり、一〇マイル北にいるライオンの群れについて警告したり、神や悪魔について語ったりはできない。そうしたものについて考えることは可能かもしれないが、語ることはけっしてできない。これは他のどんな種、私たちに最も近いサルや類人猿にさえも、教えるという行為の証拠がほとんど見つからない理由なのかもしれない[15]。

言語によるこうした能力強化によって、人間はじつに正確で明快に情報を共有できるようになり、知識は世代を追うごとに蓄積されていった。動物の言語はあまりに限定的で正確さに欠け、この種の知識の蓄積はなしえない。人間に先立つ種に十分な言語能力があったとすれば、生活領域の拡大や環境に対する影響の増大など、何かしらの痕跡が必ず残されたことだろう。実際私たちは、人間の歴史について見られる種類の証拠を目にすることだろう。人間の言語は非常に強力で、文化的な歯止め装置として機能し、ある世代の見識をとめ置いて次の世代のために保存する。その結果、続く世代は順々に知識をつけ加えていくことが可能になる。[16] 私はこのメカニズムを「集合的学習」と呼ぶ。集合的学習は変化の新たな原動力であり、自然選択と同じぐらい強力に変化を推し進める。ただし、こちらは即時の情報交換を可能にするので、変化のスピードは格段に速まる。

集合的学習という変化の強力な原動力を新たに生み出すために必要な言語能力を、私たちの種がなぜ、どのようにして獲得したのかはまだわかっていない。アメリカの神経人類学者テレンス・ディーコンが主張するように、さまざまな記号《シンボル》の中に厖大な情報を込めるという新しい能力（「記号《シンボル》」のような、一見すると単純な単語がみな、じつは情報の巨大な積み荷を運んでいる）のおかげだろうか？　それとも、言語学者のノーム・チョムスキーが提唱したとおり、じつにさまざま意味を伝えるために厳密な規則に従って単語を結びつける助けとなる文法処理の回路が、人間の脳で新たに進化したからだろうか？　この説は魅力的だ。なぜなら、同じ言語学者のスティーヴン・ピンカーが記しているように、最大の難関は「概念がもつれ合ったスパゲッティを単語が順に連なった真っ直ぐな糸の中に押し込めるコードを設計して」、この真っ直ぐな糸から、聞き手がただちに概念のスパゲッティを再構成できるほど効率的に、この転換を行なえるようにすることだからだ。[17] ことによると、人間の言語がこれほど効果的になったのは、大脳皮質の拡大に伴って思考に充てられる領域が増えた結果、複雑な思考を頭にとどめておいて込み入った構文の文章を生み出したり、各人が何千もの単語の意味を記憶したりできるようになったからだろうか？[18] あるいは、言語形式の進化は、私たちの種でとりわけよく発達している社会性や協働することへの意欲に起源を持つのだろうか？[19] はたまた、以上すべての要因の相乗効果なのだろうか?

何が起こったにしても、言語上の臨界を超えて、コミュニティ内での世代をまたいだ情報蓄積が可能な領域に足を踏み入れたのは、私たちの種が初めてだったようだ。集合的学習は金鉱を見つけたようなもので、動植物、土壌や火や化学物質、さらには文学、芸術、宗教、他者などに関する情報の大鉱脈を掘り当てたのだ。各世代で失われてしまう情報もあったが、長い目で見れば、情報の蓄えは積み重なっていき、知識は豊かさを増して、より多くのエネルギーの流れと環境に対するさらなる影響力を獲得する道を拓き、人間の歴史を前進させることになった。記憶研究の先駆者でノーベル賞も受賞したエリック・カンデルは、このメカニズムについて次のように記している。

ホモ・サピエンスが東アフリカに初めて出現したときから、人間の脳の大きさと構造に変わりはないが……一人ひとりの学習能力と歴史的記憶は、何世紀にもわたる学習の共有——すなわち文化の伝達——を通して向上してきた。非生物学的な適応形式である文化進化は、過去の知識と適応行動を世代を超えて伝達する手段として、生物学的進化と並行して機能している。太古から現代に至るまでに人間が成し遂げたことはすべて、何世紀にもわたって蓄積されてきた共有記憶の所産なのだ。[20]

世界史の権威ウィリアム・H・マクニールも、同様の見方を核に据えて、世界史の古典とも言うべき『西洋の台頭(*The Rise of the West*)』を書き上げた。「歴史上重大な社会変化を促す第一の要因は、未知の新しい技能を持つ見知らぬ者との接触だ[21]」

旧石器時代の生活

というわけで、人間の歴史は集合的学習とともに始まったと言える。だが、集合的学習はいつ始まったのだろうか?

地球を周回していたエイリアンの科学者たちでさえ、二〇万年前には集合的学習の最初のきらめきにはほとんど気づかなかっただろう。ホモ・エレクトスのコミュニティでも、集合的学習が何らかの形で機能していた可能性はあるが、その成果はまだ画期的なものではなかった。技術のより急速な変化を示す兆候は、アフリカで出土した少なくとも三〇万年以上前の考古学の記録に、しだいに精巧さを増していく石器（多くは柄がついている）として現れ始める。[22] また、このような創造性を発揮していたのはホモ・サピエンスだけでなく、ネアンデルタール人や、ホモ・ハイデルベルゲンシスとして知られる種のホミニンも同様だった。これらの種はどれもが、以前より高度な言語形式を獲得しつつあり、あと一歩で臨界6に届く所まで近づいていたのかもしれない。儀式や象徴的活動や芸術的活動を示す初期の証拠はとりわけ重要だ。それらは記号などを使って象徴的に考えたり、架空の存在について語ったりする能力があったことを示し、現在のような言語形式の登場を意味する可能性があるからだ。

ひょっとすると、複数の種が集合的学習への臨界を超える余地はなかったのかもしれない。「競争排除則」として知られる進化メカニズムがあって、完全に同一のニッチで二種が共存することはけっしてできない理由を解き明かしてくれる。一方の種があるニッチを競合している相手よりほんのわずかでも有効に活用できれば、やがて相手を排除することになるという。この法則に従えば、次のように想像できる。集合的学習へつながる進化の臨界付近にいくつかの種がひしめいていたが、やがてそのうちの一つが臨界を超え、環境を非常に効率良く活用し始め、個体数を急速に増やして勢力を拡大した結果、他の種が締め出されてしまったのだ。[23] ネアンデルタール人をはじめとする私たちに最も近いホミニンが死に絶え、現生する最近縁種のチンパンジーやゴリラが絶滅に向かいつつある理由も、これで説明がつくかもしれない。

一〇万年以上も前の技術や文化の変化を裏づける証拠は、曖昧で解釈が難しい。私たち自身の系統は、遅くても二〇万年前にはアフリカ大陸内で拡散し始めていた。この事実は、集合的学習の強みを示しているのかもしれない。[24] だが、大半が拡大家族とほぼ変わらない規模の、小さな分散したコミュニティから成る世界では、変化は緩やかで一貫性がなく、たやすく逆行した。何世紀にもわたって築き上げてきた技術や物語や伝統とともに、集団が突然死に絶えてしまうこともあった。この種の惨事で最大のものは、約七万年前に起こった。遺伝的証拠から、人間が突如として二万〜三万人、すなわち中規模のスポーツスタジアムを埋める程度の人数にまで激減したことが判明している。私たちの種は絶滅の瀬戸際まで行った。この大惨事は、インドネシアのトバ火山の大規模噴火がきっかけとなって生じた可能性がある。火山から上がる煤煙が大気中に立ち込めて、何か月も、あるいは何年にもわたって光合成を妨げ、多くの大型動物種が危機にさらされた。だが人間は、その後再び増加に転じた。彼らはさらに広範囲に拡散し、集合的学習という装置も再び力強く動きだした。

私たちは過去一〇万年間における祖先の暮らしぶりを垣間見ることができ、そこに集合的学習のより明確な証拠も見出せる。大型動物の例に漏れず、私たちの祖先も環境内の資源を拾い集めたり、獲物を狩ったりしていた。だが、動物と初期の人間との間には決定的な違いがあった。他の種は何世代もほとんど変化のないお決まりの技能や情報に頼って狩猟採集をしていたのに対して、人間は動植物や季節、地勢に関する情報を共有して蓄積するにつれ、環境に対する理解を深めて、それを活用した。集合的学習とはつまり、人間コミュニティが世代を経るごとに狩猟採集の技能と効率を向上させることを意味した。

いくつかの遺跡からは、私たちの祖先の暮らしぶりの詳細が見えてくる。南アフリカのインド洋沿岸に位置するブロンボス洞窟で、考古学者クリストファー・ヘンシルウッドのチームは、九万〜六万年前の遺跡を発掘した。この洞窟の住人は、陸上の哺乳類や爬虫類だけでなく、貝や魚などの海洋動物も食べていた。よく手入れのされた炉で調理もしている。[25] また精巧な石刃《せきじん》や骨製の尖頭器を製作し、おそらくは特製の接着剤で木の柄に取りつけていた。一方、彼らは芸術家でもあった。考古学者が発見した黄土《オーカー》の塊には、まるで記号、もっと言えば文字にさえ見える幾何学的な模様が刻まれていたのだ。洞窟の住人はさまざまな色の顔料や貝殻製のビーズ飾りも創り出していた。これらの遺物はブロンボスのコミュニティが集合的学習や情報の保存と伝承に「価値を認めていた」証しであり、彼らがさまざまな物語を語り継ぎ、それが集積されてコミュニティの知識となっていたことを示す確かな証拠であると、つい考えたくなってしまう。

現存する狩猟採集民のコミュニティとの類似性を感じずにはいられない。両者の類似性が私たちを欺いているのでないかぎり、多くの集団がブロンボス洞窟の住人と同じように、幾世代にもわたって積み上げたきわめて多彩な狩猟採集の技術を身につけていたと考えられる。彼らはきっと、熟知した縄張りを渡り歩き、家族の絆と共有の言語や伝統で結ばれていたのだろう。踊ったり歌ったり、オリジン・ストーリーを物語ったりもしたに違いない。そしてほぼ確実に、現代の私たちが宗教と呼びたくなるようなものを信じていただろう。

オーストラリアのマンゴ湖遺跡には、宗教の存在を裏づけるじつに有力な証拠がある。約四万年前の火葬と埋葬の跡やその周囲に埋まっていた人骨は、豊かな儀式の伝統があった証拠だ。旧石器時代の社会も現代の人間社会と同じく、激変を何度も経験しており、その多くは最後の氷期に起こった予測のつかない気候変動が原因だったことが、この遺跡から出土した他の証拠から窺われる。ウィランドラ湖群地域に初めて人間がたどり着いたのは五万年ほど前かもしれないが、そこには当時から周期的な乾期があった。約四万年前には、乾燥が進んで湖群全体が縮小し始めた。

その二万年後、氷期の最も寒冷な時期にさえも、現在のウクライナに当たるステップ地帯には、ツンドラのような環境で暮らすコミュニティが存在した。メジリチのもののようないくつかの遺跡では、人々はマンモスの骨を枠組みにして獣皮を張り、大きなテントのような住居を建て、内部に炉を作って暖を取っていた。彼らはマンモスをはじめとする大型動物を狩り、地面に掘った穴の中で獲物の肉を低温保存し、長く厳しい冬の間にそれを取り出して栄養を得ていた。さらに毛皮で覆われた動物を仕留めて、頭部に装飾の施された針のような骨製の道具を使って、暖かい衣服を縫い上げてもいた。氷期の長い冬の期間、メジリチには三〇人もの人々がともに暮らしていた可能性がある。メジリチ周辺には似たような遺跡がいくつもある。この事実からは、近隣の集団間で定期的に接触があり、ある種のネットワークが形成されていたことが窺われる。そのネットワークを通じて新しい技術や気候の変動、動物の群れの動向、その他の資源などの情報、さらには物語までもがやり取りされていたのだろう。近隣集団の間では、人の移動もあっただろう。

旧石器時代のコミュニティが残した遺物は、彼らの社会のさまざまなスナップショットを提供してくれる。不鮮明ではあるが、そこからは彼らの文化世界全体、すなわち、物語や伝承、英雄や悪党、科学や地理の知識、古くからの技能を保存し伝えるための伝統や儀式を伴う文化の全体像が浮かび上がってくる。アイデアや伝統や情報のこうした蓄積のおかげで、旧石器時代の先祖たちは必要なエネルギーと資源を見つけ、厳しい氷期の世界で生き延び、繁栄し、先へ先へと拡散できたのだ。

今日では、氷床で採取したコア〔訳注　円柱状のサンプル〕から、何十万年にもわたるグローバルな気温の変化をきわめて正確にたどることができる。ホモ・エレクトス出現以降の二〇〇万年を含む更新世には、たびたび氷期が巡ってきた。氷期は通常一〇万年以上続き、各氷期の合間には比較的短い温暖な時期である間氷期が訪れた。現在私たちは、一万年前の完新世初期に始まった温和な間氷期を生きている。前回の間氷期は約一〇万年前に始まり、二万年あるいはそれ以上続いたと見られる。この間氷期が終わると、度重なる一時的な逆行や地域差はあったものの、世界の気候は確実に寒冷化と乾燥化が進んだ。最終氷期の最寒冷期は、約二万二〇〇〇年前から一万八〇〇〇年前まで続いた。

寒さが厳しくなるにつれて、人々はそれまで何百年、何千年と暮らしていた地域も放棄せざるをえなくなった。約四万年前から続いていた北ヨーロッパの居住地からは住人が姿を消し、その後何千年も誰一人寄り付かなかった。北ヨーロッパよりは温暖なオーストラリア北端の地でも、人間はかろうじて生き延びられる程度だった[26]。クイーンズランド州北西の端を流れるローン・ヒル川は、分厚い石灰岩の層に渓谷を穿《うが》ち、川で採れる魚や生き物と周囲の高台の産物という好条件をそこに暮らす人々に提供し、心地良い生活を支えていた。だが寒さがきわめて厳しい時期には、住人たちは凍てついた高台を完全に放棄して、寒さを凌げる渓谷の環境に居を移した。

生物圏全域への進出——人間が世界中に拡散する

技術や生態系に関する知識が蓄積するにつれて、気候変動や近隣集団間の争い、ことによると人口過多などに影響されて、多くのコミュニティが新天地へ移り住んだ。何千年にもわたって小規模な移動が先へ先へと繰り返され、私たちの種はついに、南極を除くすべての大陸に進出した。今日、世界中で出土した考古学的遺物の拡散状況を追ったり、さまざまな現代人の個体群の遺伝子を比較したりすることによって、そうした移動の道筋をたどることができる[27]。

前回の間氷期に当たる一〇万年前には、ほぼすべての人間がアフリカに暮らしていた。だが、ごくわずかながら中東へ移った者たちもいた。彼らは現在のイスラエルにあるスフール洞窟やカフゼー洞窟のような場所でネアンデルタール人と出会い、ときには交配していたのだろう（こう推測できるのは、今日アフリカ以外の場所に住んでいる人間の大半が、ネアンデルタール人の遺伝子の一部を持っているからだ）。その後気候が寒冷化すると、私たちの祖先はネアンデルタール人を残して中東を離れたようだ。ネアンデルタール人の体のほうが、寒冷化した気候に適応していたのだった。ようやく私たちの祖先が中東に戻ったのは、約六万年前のことだった。とはいえ、人間の一部は東へ向かい、中央アジアや南アジアへ渡っていた可能性がある。こう考えられる理由の一つとして、六万年前から五万年前にかけて、サフル大陸（氷期に存在した、現在のオーストラリア、ニューギニア、タスマニアを含む大陸）に人間が到達していたことが挙げられる。それが六万年前にアフリカを出た者たちだとすれば、途方もない速さで移動しなくては、そこへたどり着くことはできない。だとすれば、オーストラリアに最初に上陸したのは、はるか以前からアジアに定着していたコミュニティの者である可能性が高い(28)。オーストラリアへの移住は、人間の歴史上大きな出来事の一つだ。オーストラリアへの最初の移住者を駆り立てたのが何だったのかはわかっていない――おそらく、現在のインドネシア南部における人口圧力や他のコミュニティとの争いだろう。だがオーストラリアへ渡るには、高度な航海術とともに、まったく異なる未知の動植物相に素早く適応する能力が必要だったことは確かだ。これまで海を渡ることのできた種は、人間をおいていない（ディンゴはこの数千年のどこかでオーストラリアに上陸したが、人間の関与があったと見てほぼ間違いない）。

シベリアと北ヨーロッパへの最初の移動はおそらく、束の間の温暖期に一時的な下見のような形で行なわれた。それでもメジリチのもののような遺跡は、二万年前までには、私たちの先祖が酷寒の環境にも対処できたことを示している。早くも四万年前には、シベリアに永続的に住みついている者がいた可能性がある。その二万年後、最終氷期が最盛期を迎えると、シベリアの居住者の一部は東へ向かい、ベーリング地峡を歩いて渡った。大量の海水が極地氷河に閉じ込められて、海面が今日よりも低かったために、歩いて渡ることができたのだ。ベーリング地峡を越えた人々は、そこからアラスカを横断するなり、北アメリカ大陸北西部の沿岸を小さな舟で下るなりして、アメリカ大陸へ拡散した。なかには南アメリカに進出する者もいて、わずか二〇〇〇～三〇〇〇年のうちに南端部のティエラ・デル・フエゴの島々にまで達していたようだ。目下のところ、北アメリカで人間の存在を示す最古の堅固な証拠は、約一万五〇〇〇年前のものだ。

旧石器時代には、移住は環境の激変や人口圧力に対する最も一般的な反応だったと見られる。細々と散発的に移住が起こっていたという事実は、私たちの種が世界中に拡散していく間、人間のコミュニティはどれも同程度の規模を保てたことを意味する。そしてそれは、彼らが伝統的な社会規範の多くを維持できていたことにもなる。旧石器時代に人口とコミュニティの総数が増大したことを示す証拠が豊富にある一方で、大規模な集落の痕跡がほとんど見つかっていない理由はここにある。イギリスの人類学者ロビン・ダンバーは、人間の脳が通常対処しうる集団規模は一五〇人が上限であると説く。だとすると、構成員の数がそれを超えた場合、そのコミュニティが分裂したのは自然だろう。ダンバーによれば、大半の人々が属している緊密なネットワークは今日でも、せいぜい一五〇人規模だという。もちろん、これ以外に多くの他者とも一時的なかかわりを持っているにしても、だ。現代のコミュニティは巨大だが、それはそれだけの規模を維持するための新しい特別な社会構造が生み出されたおかげで成り立っているのだ。

理由はどうあれ、旧石器時代のほとんどのコミュニティは、現代の狩猟採集民の社会がおおむねそうであるように、家族や親族という概念を通して組織できる程度の規模だった。旧石器時代のコミュニティを社会というよりは家族と考えたほうが理に適っている理由はここにある。また、現代の狩猟採集民のコミュニティが参考になるとすれば、彼らは「家族」という単語の意味を、人間の世界を超えて、他の生物種、さらには山や川といった地勢的特徴までを含むものとして広く解釈していたと思われる。旧石器時代の社会は、都会に暮らす現代人にはとても理解できないような形で、生態的にも文化的にも、環境に深く根差していたのだ。

旧石器時代における複雑さの増大

旧石器時代のコミュニティは小さかったとはいえ、新しいアイデアや見識や知識を蓄積するという、人間に共通する才覚を備えていた。だから、たとえその歴史を詳しくたどることは難しくても、当時のコミュニティも後世のコミュニティと同じような文化的・技術的ダイナミズムを、規模は小さいながらも示していたことは確かだ。

現代の狩猟採集民と同じで、旧石器時代の私たちの祖先も、獲物である動物や昆虫、そして食料や衣服や道具として活用する植物の習性や生態について、詳細かつ正確な知識を持っていたに違いない。広範囲に散在するコミュニティを結びつける、緩やかなネットワークも存在し、それを介して人々や物語、儀式や情報が行き交っていたのだろう。日頃は別々に暮らしている家族集団が定期的に寄り合って、数百もの人々をしばらく養えるだけの食料が手に入る場所で、オリンピック大会の旧石器時代版とも言うべき集いが持たれていたと、考古学と人類学の証拠から結論できる。たとえば、オーストラリア南東部のスノーウィー川流域では、ボゴング蛾《が》の幼虫が何百万匹も孵化して、現在「コロボリー」の名で知られる大規模な集会を支えるのに必要な食料が得られる時期になると、多くの集団が結集した。このような集まりでは、物語が語り合われ、儀式や贈り物が交わされ、踊りや祭式によって連帯の絆が保たれた。さらに、結婚する者（あるいは不満を抱いている者）が他の集団へ移ったりもした。一万五〇〇〇年前のフランス南部でも、同じような集まりが持たれていた。馬や鹿や牛の群れを追って狩りをするなかで、いくつものコミュニティが定期的に集まって儀式を催し、そこからは美しい岩絵も生み出された。ドルドーニュ地方にあるラスコー洞窟やマドレーヌ岩陰のような遺跡に残された壁画や彫刻、さらには、オーストラリア各地で発見されたさらに古い時代の石の彫刻でさえ、現代人の目には、これまでに人間が創り出したどんな美術作品にも負けず劣らず美しく優美に映る。それらは、旧石器時代に私たちの祖先が持っていた豊かな知的世界と精神世界を解明する上で一役買っている。

狩猟採集の技術が高まるにつれて、私たちの祖先は環境を新しく作り替え始めた。世界の一部地域では、周囲の既存種の構成を一変させてしまった。オーストラリアに最初に到達した人間たちは、そこで多くの大型獣（大型動物相《メガファウナ》）に遭遇した。なかには、現在も大型動物相が数多く生き残っているアフリカ南部で見られるサイやゾウやキリンに匹敵するほど大きな動物もいた。オーストラリアには、巨大なカンガルーやウォンバット、さらにはゲニオルニス・ニュートニのような飛べない巨鳥も棲息していた。ところが突如として、オーストラリアの大型動物相の大半が姿を消した。同じ現象は後に、シベリアやアメリカ大陸でも起こる。

大型動物相が消えた原因は、気候変動にあるのかもしれない。だが、それまで何度も氷期を生き延びてきたのだから、狩猟技術をますます向上させていた人間が、絶滅への最後の一押しをしたのではないかと考えざるをえない。歴史の順序もこの説を裏づけている。オーストラリアやシベリアや北アメリカで大型動物相が絶滅したのは、人間が到来して間もなくのことなのだ。モーリシャス島のドードーと同じように、オーストラリアの大型動物相は、私たちの祖先に対する警戒心が足りなかったのかもしれない。この点では、人間とともに進化し、その恐ろしさを知り抜いていたアフリカの仲間とは異なる。いずれにしても、大型動物相は他のあらゆる大型獣（恐竜を含む）と同じく、急激な変化にきわめて弱い。近年でも、モアの名で知られる、ニュージーランドに棲息していた巨大な鳥が、人間の上陸からわずか数百年で絶滅したのをはじめ、大型動物の絶滅例はたくさんある。シベリアとアメリカ大陸では、大型動物を殺して解体していた場所があることが、直接的な証拠からわかっており、人間がマンモスのような大型動物を狩っていた根拠となっている。

大型動物相が一掃されると、景観は一変した。大型の草食動物は、移動しながら大量の植物を食べることができる。それらが絶滅したせいで、植物が食べられないまま枯れ残るようになり、火災の頻度が増したのだ。オーストラリアでは約四万年前に、多くの地域で火事の件数が増加した。その大部分は落雷に起因すると見られる。だがオーストラリアでも、旧石器時代に世界の多くの地域で行なわれていたように、人間は土壌を豊かにするために、体系的に火を活用し、いわゆる「野焼き」をしていたことがわかっている。この技術は、オーストラリア先住民が過去に土地に火を放つために持ち歩いていたファイア・スティック（火起こし棒）にちなんで、「ファイア・スティック農業」の名で考古学者に知られている。調理をしたり身を守ったりするためだけでなく、環境を改変するためにも火を体系的に活用していたという事実は、私たちの種が生態系への影響力を強めていたことを示す最初期の徴候の一つだ。火を安全に取り扱うために必要な技能を持っていれば、定期的な野焼きには多くの利点があった。草原の一画を焼き払い、一、二日後に戻ってみるといい。最初に目に入るのは、丸焼きになった動植物だろう。数週間もすれば、新芽が吹いてくる。火事で撒き散らされた灰は肥料となり、動植物の残骸の分解が加速したからだ。イネ科植物をはじめとする植物が芽を出し、収穫時期は早まる。そして、新たに芽吹いた植物はたいてい、草食動物や小型の爬虫類を引き寄せるので、狩りは容易で実り多いものとなる。要するに、ファイア・スティック農業は土地の生産性を向上させるのだ。

旧石器時代後期には、それと似た技術が世界各地で広く利用されていた。それらは厳密には農耕とは呼べないが、所定の広さの土地で手に入れられる動植物の量を増やす一方策であったことは確かだ。言い換えれば、集約化の一形態とも見なせる。ファイア・スティック農業は、やがて本格的な農耕によってアクセスが可能になる食料や資源やエネルギーの大鉱脈を予見させてくれる。

人間の歴史における最初の時代

人々が幾世代にもわたって、近隣のコミュニティ間で冗談や噂話や物語とともに、情報やアイデアや見識などを共有しているうちに、徐々にではあるが、それぞれの地域に「科学」と呼びたくなるような豊かな情報体系が蓄積していった。旧石器時代の科学には次のようなものがあった。狩猟や採集によって、食料、衣服の材料、あるいは薬として使用できる資源に関する知識、航行術や狩猟法や根菜を掘り出す技術に関する知識、天空に関する知識、年長者や見知らぬ人物に近づいて話しかける術や、各人の人生における重要な転機を祝う方法といった社交に関する知識などだ。これらは生存に欠かせない大切な知識だったので、それを培い、後世に継承していくことはじつに重大だった。知識は多くの人間の頭脳を通して濾過され、その信頼性や正確性や有用性などが検証され、最終的に教育の核心にあるオリジン・ストーリーに組み込まれた。利用可能な情報の緩やかな増加、そして蓄積された情報によって私たちの種が手に入れた、自然環境に対する支配力と生物圏を流れるエネルギーに対する支配力は、やがて人間の歴史に変化を起こす主要な原動力となる。人間が拡散すれば、知識も拡散した。当時の知識は依然として、コミュニティごとにそれぞれ独立した状態だったが、この惑星の歴史上初めて、共有の知識という新たな圏域、すなわち人智圏が、ゆっくりと姿を現しつつあったことは想像に難くない。

旧石器時代に人口が増大するにつれて、人智圏はアフリカからユーラシア、オーストラリア、そしてついにはアメリカ大陸へと拡大した。コミュニティがアフリカ内で拡散していた間は、地域による住民数の増減は当然あっただろうが、総人口は数万から数十万人にも達していたと考えられる。だがすでに見たとおり、わずか七万年前には、その数は二万〜三万人にまで激減した。イタリアの人口統計学者マッシモ・リヴィ＝バッチの推計によると、人口は三万年前には五〇〇万人だったが、ちょうど一万年前の完新世初めには五〇〇万〜六〇〇万人にまで増加していた可能性があるという[29]。

リヴィ＝バッチの数字を見ると、人口は旧石器時代の最後の二万年間で約一二倍に（平均すると一〇〇〇年に二五万人の割合で）増えたことになる。各人の使用するエネルギー量が減少していないという合理的な前提に立てば、これは人間が消費する総エネルギー量も約一二倍になったことを示唆している。一〇万年以上にわたる集合的学習は、世界のさまざまな地域で、エネルギーや資源の流れに対する人間の支配力を大幅に拡大したのだ。

増大するエネルギーの流れの大半は、人口増加を支えるために費やされた。局地的なレベルで見た場合、複雑さの増大に充てられたエネルギーは多くない。すでに見たとおり、人間のコミュニティは相変わらず小規模で親密なものだったからだ。とはいえ種全体に目を転じると、世界各地への人間の拡散が複雑さの増大を意味していたことに疑いはない。というのも一万年前には、人間は地球上に暮らす他のどんな種よりもはるかに多様な技術と情報を使っていた上、世界の大半の地域でそうしていたのだから。

エネルギーの増大が物質的な豊かさを促進したことを示す証拠はない。狩猟採集民のなかには、かなり暮らし向きの良かった者もいただろう。事実、人類学者のマーシャル・サーリンズによれば、一部の環境では、旧石器時代のコミュニティは多彩な食生活を送り、高水準の健康を保っており、たっぷりある余暇を使って、物語を語り合ったり、睡眠や休息を取ったり、延々と踊り続けたりしていたという。小さなコミュニティの多くは、こうした行為を通して団結していたようだ㉚。だが富の所有に関しては、格段の違いは生まれえなかった。なぜなら、環境から必要なものがほぼすべて得られるのならば、狩猟採集民に物をため込む理由はないからだ。そのうえ頻繁に移動するとなると、貴重で持ち運べる物以外は荷物になるだけだ。

二万年余り前に最終氷期の最寒冷期が終わると、不規則に気温が上昇する時代が数千年続いたが、約一万二〇〇〇年前になってようやく、地球の気温はより温暖で安定した状態に落ち着いた。完新世における人間の歴史は、おおむねこの気候の下で経過することになる。最終氷期の終わり頃には、エイリアンの科学者たちはすでに、地球という惑星で進行しつつある新奇な事態に興味津々だったに違いない。気候の温暖化が進むにつれて、人間の行動はますます目立つようになっていた。人間は（古生物学の尺度で言えば）突如として、農耕によって以前より格段に大きなエネルギーの流れへのアクセスを獲得し、この新たなエネルギーの流れが、人間社会の複雑さや多様性、規模や緻密さを飛躍的に増大させることになる。

8　農耕――臨界7

アダムが耕し、イヴが紡いだとき、誰が領主であったのか？

原初より万人は生まれながらにして同じに創られており、束縛や隷属を強いられている我々農奴の境遇は、横暴な者たちの不当な抑圧によって生まれたのである。なぜならば、神がもし初めから農奴をお創りになっていたならば、誰が束縛され、誰が自由であるべきかを定められたに違いないからである。

――ジョン・ボール、イングランドの農民反乱〔訳注　ワット・タイラーの乱〕に際してなされた説教

私たちの祖先は、地上に登場して以来二〇万年以上にわたって、狩猟採集生活を営んでいた。ときおり少しずつ起こるイノベーションのおかげで、彼らはしだいに多様な環境で、徐々に効率良く食料を集めることができるようになった。そして一万年前に最終氷期が終わるまでに、人間は世界のほとんどの地域に住み着いていた。過去一万年間には、イノベーションが怒濤のように次々に起こって、人間の生活様式は一変する。それらのイノベーションとは、「農耕」あるいは「農業」と呼ばれるものだ。

農耕は光合成や多細胞生物の登場にも肩を並べるほどの巨大なイノベーションだった。農耕は私たちの祖先が資源やエネルギーのより大きな流れを利用するのを助け、人間の歴史を一段とダイナミックな新しい道筋へと向かわせた。人間はより多くの資源とエネルギーを使い、活動の幅を広げ、新たな形の富を築けるようになった。ゴールドラッシュと同じで、このエネルギーの大鉱脈の発見は凄まじいまでの変化を生み出すことになる。そして最終的には、生物圏に対する人間のかかわり方まで変えてしまう。なぜなら農耕社会は、発展するにつれて、狩猟採集社会をはるかに上回る人口を養えるようになり、可動部分も大幅に増やしたからだ。エネルギーや資源や人口の増加、そしてコミュニティ間の結びつきの強まりは、正のフィードバックサイクルを引き起こして変化を加速させた。以上すべての理由から、農耕は、複雑さを増していく私たちのオリジン・ストーリーにおける第七の臨界と考えられる。

状況を一変させるほどのイノベーションを生む潜在力は、集合的学習が始動して以来常に存在していたが、三つの主要なゴルディロックス条件が整ったことを受けて、それがいよいよ実現に向かい始めた。その条件とは、新たな技術（と集合的学習を通して得られた環境への理解の深まり）、人口圧力の増大、そして温暖になった完新世の気候だ。

農業とは何か?

環境に関する情報の収集・管理能力が向上するにつれて、人間のコミュニティはより深い理解と高い技能を活かして採集や狩猟を行なえるようになり、周辺の動植物やありように与える影響も強まっていった。たとえばファイア・スティック農業は、広大な土地の状況をすっかり変えて、人間の役に立つ動植物の収穫量を増加させた。一七七〇年にジェイムズ・クックと船員たちが、オーストラリア東岸沿いに北に航路を進めていたとき、彼らの目に映ったのは荒野ではなかった。彼らが見たのは、オーストラリアの住民たちが土地に放った火から立ち昇る遠くの煙であり、故国イギリスの田園地帯によくある菜園と同じように、人間の活動によって変わり果てた風景だった。オーストラリアの大型動物相は、はるか昔に姿を消していた。そこにあったのは、何千年にもわたるファイア・スティック農業の結果、多くの場所で繁茂するようになった火に強いユーカリだった。

狩猟採集民と同じように、農耕民も何千年にもわたって蓄積されてきた情報を活用した。だが、斬新な使い方をしたため、人間による環境操作はまったく新しい水準に到達することになった。

農耕の基本原理自体は、いたって単純だ。すなわち、環境に関する知識を活かし、最も有益だと考える動植物の収穫量を増やし、役に立たないものの生育を妨げるのだ。農耕民は、耕作地の雑草を抜き、水をやり、小麦や稲のような望ましい植物の生育を促し、ヒツジやヤギなど重用する動物を柵で囲い込んだ。その一方で、雑草は取り除いて、ヘビやネズミといった好ましくない動物は追い払ったり殺したりした。こうした活動のせいで土地のありようががらりと変わった。動植物はこの新たな環境にも、あらゆる環境変化に対するのと同じように、遺伝的な適応、すなわち進化によって対処した。農耕民が周囲の環境を改変するのと時を同じくして、新種の動植物が出現し始めた理由はここにある。最も繁栄したのは、人間に気に入られた種だった。それらは人間が最も手間暇をかけて世話をしていた種だからだ。小麦や稲の栽培種のような栄養価の高い植物が進化し、動物でも同様に、家畜化された犬や馬、牛、ヒツジなど、より有益な動物が現れた。家畜は狩りを手伝い、人や荷物を運んだり引いたりし、毛や乳を提供した。殺せば、肉や皮、骨、腱を利用できた。

環境を改変するのはじつに骨の折れる仕事であることに、農耕民は気づいた。それでも彼らは、木を切り倒し、土地を耕し、雑草を抜き、水はけを良くし、柵で囲いを造れば、その見返りに、周囲の土地や川や森から、以前よりはるかに多くのエネルギーや資源を手に入れられた。彼らが重視していた種が、目覚ましく育ったからだ。そのおかげで、最初の農耕民たちは生物圏を流れる光合成エネルギーをそれまで以上に活用できるようになった。もちろん、光合成エネルギーの流れの総量は必ずしも増加していない。樹木のように光合成エネルギーを大量に産出する植物を農耕民が除去したせいで、総量は減少してさえいたかもしれない。だが農耕民にとっては、既存の流れからの取り分を増やせることこそが重要だった。

農耕がもたらしたのは、食料や木材や繊維ばかりではなかった。農耕民は新しいエネルギーの流れへ間接的にアクセスできるようにもなったのだ。たとえば、人間は草を直接食べることはできないが、牛や馬はできる。そこで、それらの動物に草を食《は》ませて、人を乗せたり荷物を引いたりさせる、あるいは殺して食べるといった形で、草原に行き渡った光合成エネルギーの大きな流れを利用するというわけだ。それが大変な違いを生む。人間はせいぜい七五ワット程度の仕事しかできないが、牛や馬ならば最大でその一〇倍もの働きができる。こうして追加で得られたエネルギーはすべて、鍬を使って人力で掘り返すよりも深く土地を耕したり、荷車で物を移動したり、人を運んだりするために活用できた。また、農耕民は食料以外の目的で利用する動植物の増産にも成功した。たとえば麻や綿は、織物の素材になった。さらには、木を植えて木材にし、住居や農場、小屋や柵などを造ったり、燃やして料理や暖房をしたりすることもできた。

農耕とは端的に言えば、だんだんと蓄積されていく環境の活用法に関する情報にアクセスできる、非常に機知に富んだ単一の種によるエネルギーと資源の略奪だった。人間は集合的学習という魔法のような能力を通して、生物圏を巡っているエネルギーと資源の流れを利用できるようにどんどん引き込んで、自らの取り分を増やす方法を見出したのだ。それはまさに、自分たちの田畑や都市に大河から水路を通した後世の人々が使ったのと同じ手法だった。

生物学者の目には、農耕は共生の一形態と映る。共生とは、異なる種どうしの密接で互恵的な関係だ。狩猟採集民は何百種もの動植物や昆虫を利用し、その生態を熟知していたのに対して、農耕民は好みに合った少数の種だけに注目し、それらと並外れて密接な関係を築いた。強固な共生関係から、双方の種に行動や遺伝子構成の変化が生じることはよくある。ミツアリの現生種はアブラムシを「家畜化」している。ミツアリはアブラムシを保護し、餌をやり、繁殖を助ける。アブラムシはこの共生関係に適応して大きく変化してしまったため、もう自力では生き延びられない。アブラムシは餌と保護の見返りに、アリに優しく撫でられると甘露《かんろ》を提供する。私たちにとってもっと馴染み深くて重要な実例としては、植物とハナバチの関係が挙げられる。ハナバチは花蜜を得る一方で、花から花へと花粉を運んで、花の確実な繁殖を助ける。ハナバチを駆除し過ぎてしまえば、今日何十億もの人間を養っている穀物の収穫は、深刻な危機に陥るだろう。

生活の質という点から言えば、農耕民が惜しみなく手間暇をかけたお気に入りの種（栽培種や家畜種）にはほとんど得るものがなかった。それでもそれらの種は、数の面では成功したと言える。野生動物（農耕民が興味を持たなかった動物）の数が激減するかたわらで、家畜の数は急増した。二〇〇〇年の時点で、野生の陸棲哺乳動物の総生物量《バイオマス》は、家畜化された陸棲哺乳動物の総生物量の約二四分の一にすぎなかった[1]。

共生する種はみな、共進化を続けるうちに変化する。現代のトウモロコシと、その野生原種である貧相なテオシントを比べてみよう。あるいは、現代の家畜化されたヒツジと、その原種の一つとされる野生のムフロンでもいい。ヒツジのほうはまるで、人間を喜ばせるために進化したかのように見える。従順で（原野の仲間たちよりも愚かだと、冷ややかな見方をする人もいるかもしれない）、本来必要とする量以上の毛を生やし、その肉は人間の好みに合っていて、人間の保護なしには生きられない。種の個体数という点から見れば、これは驚くほど有効な進化戦略だ。家畜として飼われているヒツジが現在一〇億頭を超えているのに対して、ムフロンはごく少数しか残っていない。

人間ももちろん変化したが、その方法は違っていた。多くの場合、遺伝子ではなく文化によって順応したのだ。たしかに人間にも、農耕の影響で遺伝的な変化が起こった。たとえばあなたが、かつて家畜を飼い、牛や馬の乳を飲んでいた人々の子孫ならばおそらく、ラクトース（乳糖）を分解する酵素であるラクターゼを産生し続けられるので、大人になってもそれらの乳を消化できるだろう。狩猟採集民は四歳頃まで母乳を飲んでいたが、動物の乳は口にしなかったので、幼児期を過ぎるとラクターゼを産生する必要がなかった。だが牛や馬の乳が主要な食料源となった地域では、住民たちは成人してからもラクターゼを産生するようになり始めた——遺伝子に変異が起こったのだ。

とはいえ農耕にまつわる共生関係に対して、人間はおおむね遺伝子変異ではなく、新たな行動によって適応した。つまり、集合的学習を通して積み重ねた技術的・社会的・文化的イノベーションだ。人々は土地や森林や河川の新しい利用法を編み出した。それに伴って、協働したりいっしょに暮らしたりする方法も改めなくてはならなかった。文化の変化は遺伝子変異よりも格段に速く進む。だからこそ、農耕は人間の生活様式をわずか数世代のうちに一変させえたのだ。

初期農耕の歴史と地理

人間が地球上の多くの異なる環境に狩猟採集技術を適応させるまでには、一〇万年か二〇万年かかった。ところが、農耕民たちは持てる技術をさまざまな種や土壌や気候にすみやかに合わせたので、農耕は一万年足らずのうちに世界中に広まった。現在では、複数の異なる感染中心からどのように疫病が伝播したのかをたどれるのと同じように、農耕が拡散した経路もたどることができる。

農耕は一様に普及したわけでも順調に普及したわけでもない。急速に広まった地域もあれば、緩やかに広まった地域も、ほとんど広まらなかった地域もあった。そしてこの違いはやがて、人間の歴史の地理的側面に多大な影響を及ぼすことになる。農耕が軌道に乗った頃には、人間は広く拡散していたので、世界の片隅で起こった出来事は他の地域にほとんど影響しなかった。主要な変化はコミュニティごとに生じ、まずは局地的なネットワークを通じて拡大した。時間の経過とともに、アイデアは遠隔地へも広まったが、五〇〇〇年前までは、人々の移動や、農耕のようなアイデアや技術の伝播には、いくつかの根本的な障壁があった。最終氷期が終わると海面が上昇して、ユーラシアとアメリカ大陸は分断されていた。またユーラシアとオーストラレーシア〔訳注　オーストラリア大陸とニューギニアなど周辺の島々〕の間、あるいは西太平洋の島々とのコミュニケーションはないに等しかった。そこには、早くも三万年前には人が住み着いていた地域もあるというのに、だ。この頃には事実上、人々は世界に点在する多くの孤島、あるいは隔絶したゾーンに暮らしていたのだと言える。人間の歴史はそうした区域内で、それぞれの居住者たちがまるで別々の惑星に暮らしているかのように展開していったのだった。

最も大きく、最も古いワールドゾーンはアフロ・ユーラシアだ。ここは現生人類誕生の地であり、アフリカとユーラシアは陸橋でつながっているので、アイデアや人や物がリレー方式ではるか遠くまで到達できた。次に古いワールドゾーンがオーストラレーシアで、最初に人間が住み着いたのは約六万年前だった。最終氷期には、オーストラレーシアのワールドゾーンでは、ニューギニアやタスマニアは陸続きだったが、ユーラシアとの結びつきはきわめて希薄だった。アメリカ大陸の第三のワールドゾーンには、遅くとも一万五〇〇〇年前には人間が移住していたが、最終氷期末にベーリング地峡が海に沈むと、ユーラシアとはほぼ断絶してしまった。さらにここ数千年の間に、太平洋には第四のゾーンが出現することになる。ソロモン諸島をはじめとする西部の島々には、早くも四万年前には人間が居住していた可能性があるが、それ以東や以南の島々（ニュージーランドやハワイ、イースター島など）に人間が進出したのは、わずか三五〇〇年前に始まる、海路で続々と入植者が押し寄せた目覚ましい移住期のことだった。

複数の異なるワールドゾーンが併存していたおかげで、非常に興味深い自然実験のお膳立てが整った。というのも、当時を振り返れば、別々の活動領域で人間の歴史がどのように展開したのかを観察できるからだ。[2] 各ワールドゾーンの歴史には、重大な類似点があった。どの地域においても、集合的学習が新しい技術や社会的関係や文化的伝統を生み出したのだ。だがその速さはまちまちだったので、農耕もそれぞれ独自の進化を遂げ、互いに大きく異なる地域史を形作った。一五〇〇年以降にワールドゾーンが再び結びつけられたとき、こうした相違はきわめて重要な意味を持つことになる。

農耕が真っ先に登場したのはアフロ・ユーラシアのワールドゾーンで、農耕が最も遠くまで広まり、最も大きな影響を及ぼしたのもまたこの地域だった。ニューギニアでも、農耕は非常に早い時期に始まっていた。農耕はやがて、アメリカ大陸でも花開くことになる。だがその他の場所では、多くのコミュニティが何らかの形の農耕を試みてはいたものの、変革をもたらすほどの影響力をそれらが持つことはなかった。

一万四〇〇〇年前までに、狩猟採集民はどのワールドゾーンにも進出しており、一部の地域、とくにアフロ・ユーラシアでは定住して、環境を改変し始めた。その五〇〇〇年後には、アフリカとユーラシアの両大陸をつなぐ要所である、ナイル川沿岸と「肥沃な三日月地帯」として知られる地中海東岸の弓形の丘陵地帯で、農村が見られるようになる。さらにその二〇〇〇年後には、まったく別の地域、ニューギニアの高地に農村が出現した。四〇〇〇年前になると、アフリカやヨーロッパの多くの地域、南アジアや東南アジアや東アジアの大部分、さらにはアメリカのワールドゾーン内でも、農村が見られるようになっていただろう。その頃までにはおそらく、大半の人が農耕に頼って暮らしていたと考えられる。というのも、農耕のほうが狩猟採集よりも多くの人口を養えたからだ。だが、オーストラリアと太平洋地域、さらにはアメリカ大陸やアフロ・ユーラシアの多くの地域を含め、世界の大部分には、移動生活を送る狩猟採集民のコミュニティがまばらに点在していた。とはいえこのような場所でも、ときに農耕へ向かう小さな前進が見受けられることがある。

農耕やそれに近い活動は、世界各地でまったく別々に現れた。どこかで一回だけ考案された創意工夫ではないのだ。これには重要な含みがある。つまり、人間のコミュニティが技術や生態系に関する知識を独自に蓄積していくと、それがどこであれ、いずれは狩猟採集民として蓄えてきた知識を使って、農耕技術を発達させるらしいのだ。ただしそれは、農耕によって得られるさらなる資源を必要としている場合に限られたようだ。何と言っても、農耕は重労働だし、コミュニティの生活様式をそっくり変えることを意味していたのだから。

人間はなぜ農耕を始めたのか?——臨界7を超える

最終氷期末に世界的な変化が二つ重なって、少数の地域で農耕が魅力的に映り始めた。その変化とは、第一に世界中で気候の温暖湿潤化が進んだこと、そして第二に狩猟採集民が地球上のほとんどの地域に進出を果たした結果、場所によっては人口が多過ぎると実感され始めたことだ。これら二つの変化に促されて、人間は少しずつ農耕へと向かった。程度に差はあっても、すべてのワールドゾーンのさまざまな地域でこの二つの変化が感じられていたことを思えば、まったく接触のない地域でわずか数千年のうちに農耕が出現したという奇妙な事実の説明がつきやすくなる。

不規則ではあるものの、気候は約二万年前から温暖化に向かい、一万三〇〇〇年前には世界各地の平均気温は今日と同程度になっていた。その後、「ヤンガードリアス期」として知られる寒冷期に、気温は少なくとも一〇〇〇年間大幅に下がってから、再び上昇に転じた。この一万年ほどは、気候はいつになく安定している。温暖湿潤化が進み、気候が異例なまでに安定していたために、それまでの少なくとも一〇万年よりも農業の実効性が高まって、完全な農耕時代の到来に向けたゴルディロックス条件が整った。過去六万年にわたる世界各地の平均気温を表したグラフを見れば、熱帯地方から離れるにつれて変動幅が大きくなるものの、ここ一万年の気候が驚くほど安定していたことがはっきりと読み取れる。

　温暖湿潤化の進行した完新世初期の気候は、地元の狩猟採集民にとって豊かな「エデンの園」となる、多彩であり余るほどの植生に恵まれた地域をいくつか生み出した。こうした地域のなかには、豊富な資源に囲まれて、狩猟採集民が永続的なコミュニティあるいは村落を形成して定住できる所もあった。近年、西オーストラリア州沖にあるダンピア群島で、九〇〇〇年前にさかのぼる石造りの円形住居跡が発見された[3]。同様の変化が最も綿密に調査されてきたのが、地中海東岸の肥沃な三日月地帯だ。この地では一万四〇〇〇年前から、考古学者に「ナトゥーフ人」として知られる人々が、数百人規模の永続的な村を作って暮らし始めた。彼らはロバの顎骨に尖った燧石《すいせき》〔訳注　石器の原料や火打石として用いられた石英の一種〕をはめ込んだ鎌を使って、野生の穀物を収穫した。また、ガゼルを囲い込んで飼ってもいた。さらには、住居を造り、死者を墓地に埋葬した。ナトゥーフ人たちはまだ農耕を行なってはいなかった。彼らの遺跡で見つかった花粉は、野生種の穀物のものだったのだ。とはいえ、彼らは移動せずに村で暮らしていた。このようなコミュニティを、考古学者は「豊かな狩猟採集民」と呼ぶ。

人口圧力もまた、ナトゥーフ人が定住傾向を強める一因になったのかもしれない。ナトゥーフ人の集落跡は数多く残っているが、この事実は肥沃な三日月地帯で急速な人口増加が起こっていたことを示唆している。これは驚くまでもない。というのも、肥沃な三日月地帯はアフリカとユーラシアを結ぶ主要な移動経路上にあり、新たな流入者が押し寄せていた可能性があるからだ。

定住はいくつかの異なる理由から、さらなる人口増加を促した。一定の土地でどれほどわずかな人数しか暮らしていけないかを熟知していた狩猟採集民は、しばしば人口の増加を抑制しようとした。ところが村が形成されると、幼児を抱いて移動する必要がなくなったばかりか、子供はいずれ成長すれば仕事の担い手にもできた。そこで家族や子供、男女の役割分担に対する考え方に変化が生じた。村の暮らしでは、子供をたくさんもうければ、一家の働き手が増えるし、老人の保護や世話もしてもらえる。そのため、定住したコミュニティではたいてい、女性はできるだけ多くの子供を産むことを期待されるようになった。この背後には、子供の半数が成人に達するまでに死んでしまう恐れがあったという事情もある。このような考え方から、農耕時代全体を通して、男女による役割の違いはより鮮明になり、女性は人生の大半を出産と育児に捧げることが決定的になった。また同じ理屈から、豊かな狩猟採集民の村の多くが、数世代のうちに人口過剰という試練に直面したことも説明がつく。(4)

人口が増えるにつれて、ナトゥーフ人は同じ土地からより多くの資源を絞り出さなくてはならなくなった。そのためには、土地をより丹念に手入れする必要があり、それがやがてある種の農耕の開始へとつながった。ナトゥーフ人は、甘い罠に陥りつつあった。彼らが村を築いた場所は、当初は楽園のような環境だと思われたが、わずか数世代のうちに新たな人口問題が浮上した。近隣のコミュニティでも同じように人口が急増していたので、単純にもっと多くの土地を使うというわけにはいかなかった。そうする代わりに、持てる策を総動員して、今ある土地の生産性を上げるしかなかった。このような圧力に後押しされて、彼らはおそらく不本意ながらも、農耕の厳しい生活へ足を踏み入れたのだろう。そして、農耕民としての生き方を覚えるうちに、狩猟採集生活のことは忘れてしまった。集合的学習の常として、新たに蓄積した知識が太古の知識や見識を覆い隠してしまったのだ。人口が増えるにつれて、世界の多くの場所で同じような圧力が狩猟採集民のコミュニティを一変させることになった。(5)

豊かな狩猟採集時代から農耕時代への移行をはっきり示す証拠が、ユーフラテス渓谷に程近い、現在のシリア北部に位置するアブ・フレイラ遺跡に残っている。この遺跡は一九七〇年代初頭に発見され、わずか二期にわたる発掘調査の後、ダムの建設に伴って水没してしまった。最古の層は、ナトゥーフ文化の狩猟採集民によく見られる円形住居の集落から成り、約一万三〇〇〇年前までさかのぼる。住民はガゼルや野生のロバを狩り、木の実や果実や野生の穀物など、さまざまな食料を幅広く集めていた。ヤンガードリアス期として知られる一〇〇〇年ほどの寒冷期に気候が悪化すると、温暖な気候を好む果実は姿を消し、村人は寒さに強い穀物に頼り始めた。だが、それらは摘み集めるのも、処理するのももっと難しかった。やがて彼らは、寒さに適応したライ麦のさまざまな栽培種を主食とするようになった。となると、少なくともアブ・フレイラでは、狩猟採集民を農耕民に変えたのは気候変動だったと言えそうだ。寒冷期の終わりにかけて、この場所は何世紀もの間放棄されていたが、一万一〇〇〇年近く前になって再び人が住み着いた。このとき出現した村はかなり大規模で、長方形の泥レンガ造りの住居が数百も集まり、数千人の住民が栽培化した穀物を育て、野生のガゼルやヒツジを狩って暮らしていた。その後しばらくすると、ヒツジの骨の出土数が急激に増える。これは、ヒツジが完全に家畜化された確かな証拠だ。また人骨からは、最初の農耕民の生活がどれほど厳しかったかが窺われる。出土した人骨の歯はどれも、穀物中心の食生活で激しく摩耗していた。とはいえ、歯の摩耗は土器の登場により、穀物を煮て粥にできるようになると改善した。女性の骨には、長時間膝立ちで前後に体を揺らしながら穀物を挽いていたことに起因する摩耗の跡が、はっきりと見て取れる。[6]

　最初の農耕民が好んでその道に進んだわけでないことはまず間違いない。初期の農村では生活水準が低下したらしいからだ。肥沃な三日月地帯の初期の農村跡で発見された人骨は、近隣の狩猟採集民のものよりも背が低く、農耕民の食料が偏っていたことを示唆している。農耕民は食料の収穫量を増やせたものの、飢餓に陥る危険性は高まっていた。彼らは狩猟採集民と違って少数の主要作物に頼っていたので、それらが不作の場合、深刻な苦境に陥るのだ。初期農耕民の骨には、収穫と収穫の狭間《はざま》に訪れる定期的な窮乏期が原因と思われるビタミン不足の痕跡が残っている。そこにはストレスの徴候も見られ、耕作や作物の収穫、樹木の伐採、建物や囲いの手入れ、穀物の製粉などに要する重労働が、そうしたストレスを生んでいた可能性がある。村から出される廃棄物は、害虫や害獣を呼び寄せた。村の住人がある程度まで増えると、移動生活を営んでいるもっと小さな狩猟採集民のコミュニティでは生き延びられなかった病原体が病気を蔓延させるようになった。健康状態の悪化を示すこうした証拠のいっさいから、最初の農耕民が複雑で相互関係の深まっていく農耕生活に移行したのは、その利点に惹かれたためではなく、やむにやまれぬ事情のせいでそうせざるをえなかったからだと推察できる。

　では彼らはどのように、同じ面積の土地からより多くの穀物を手に入れる方法を知ったのだろうか？　そもそも、どうやって農耕の手法を知ったのか？　ここにこそ、集合的学習の効力が如実に表れている。同じような生態学上の危機に直面した場合、人間以外の種のほとんどは個体数増加の厚い壁にぶつかることになっただろう。この壁が存在するために、たいていの種類の生物で個体数の成長曲線はお馴染みのS字カーブを描くのだ。つまり、新たな種が生まれると、数を増やしているうちにそのニッチにある食物エネルギーを全部絞り出すところまでいき、食物に窮するようになり、繁殖率が下がり、個体数の増加は頭打ちになるというわけだ。ところが、人間にはもっと幅広い選択肢があった。他の種よりも多くの情報を持っていたからだ。その大半は、それまで必要とされてこなかった類の情報だ。すなわち、位置《ポテンシャル》エネルギーと同じように、潜在《ポテンシャル》的な知識――万が一必要になったら活用できるよう蓄えておいた知識なのだ。現代の狩猟採集民は、危機に陥ったときに活用できる潜在的な知識をたっぷり身につけている。ナトゥーフ人も同様の知識を持っていたと見て間違いない。水をやり、雑草を抜いて競合種を取り除いてやれば、自分好みの植物がよく育つことを彼らは心得ていた。オーストラリアでもこの数百年間に、穀物を収穫したり（オーストラリア北部では、毛皮で覆った柄に石刃を取りつけた鎌が使用された）、種子をすり潰したり、専用の小規模な水路網を敷いてウナギを養殖したりと、狩猟採集民のコミュニティがより集約度の高い技術を導入している。[7] だが、たいていそのような技術は必要ない上、余分な手間がたくさんかかるため、狩猟採集民がわざわざそれらを実践することはない。ところが肥沃な三日月地帯のような地域では、完新世初期に起こった気候と人口動態の変化が相まって、いざというときに備えて蓄えてあった技術を、ほぼ継続的に使用する機会と動機がもたらされた。こうして、狩猟採集民は農耕民へと変わったのだ。

手短に言えば、気候の温暖化を受けて、好条件の揃った幾つかの地域では村での定住と農耕が可能になった上、人口圧力からそれが必要になる場合さえあり、狩猟採集民として何千年にもわたって蓄えてきた知識が、農耕の実現に向けた第一歩を踏み出すための技術を提供したのだ。

初期農耕の地理的分布は、プレートテクトニクスにまつわる偶然と、特定の地域で進化してきた動植物の種類によって形作られた。動植物には、家畜化や栽培化がきわめてたやすいものと、そうでないものがある。狩猟採集民は肥沃な三日月地帯のような地域、つまり、家畜化や栽培化の機が熟していた動植物が豊富に見られる場所に惹き寄せられた[8]。家畜化あるいは栽培化する候補として、彼らがさまざまな種を試したことは間違いない。種子のための栄養をたっぷり蓄えている果樹の類は、じつに魅力的だった。さらに望ましいのが、栄養満点で美味しい塊茎や脂肪種子を実らせる季節性の植物で、これらは人間が乾季を生き延びる一助になった。小麦や稲は、最盛期に収穫すれば栄養価の非常に高いエネルギー源になるので、植え付けや保護、水やり、収穫、貯蔵に厖大な労力を払うだけの価値があった[9]。

動物もその有用性には差があった。シマウマは気性が荒く、飼い馴らすのが難しかった。ライオンやトラは危険過ぎる上、とりたてて美味しくもなかった。一方、ヤギや牛や馬といった群れを成す動物は御しやすく、人間が群れのリーダーとしての役割を担える場合はとりわけ簡単に管理できた。草食動物であれば、家畜は草を食肉や乳、繊維、労力に変えてくれるので、人間は世界中の広大な草原を活用することができた。そのうえ、そうした動物の肉はおしなべて美味で栄養価が高かった。だが農業が普及し始める頃には、飼い馴らしやすい大型の草食動物はアフロ・ユーラシアでしか見つからなかった。すでに見たとおり、オーストラリアとアメリカ大陸の大型動物相の大部分は、おそらく人間の上陸後ほどなくして絶滅に追い込まれていた（リャマをはじめとする南アメリカのラクダ類のような一部の例外はあったが）。これは、他のワールドゾーンに先駆けてアフロ・ユーラシアで農業が花開き、どこよりも広く伝播した理由の一つかもしれない。

初期農耕時代——農耕が世界中に広まる

農村は複数の中核的なゾーンに登場した後、農耕民が技能に磨きをかけ、新しい手法を身につけて増産し、新天地に農耕を導入するのに合わせて、数を増やしながら広まっていった。

何千年にもわたって肥沃な沖積土を堆積させてきた中東のチグリス川やユーフラテス川、中国の黄河や長江、インド亜大陸のインダス川やガンジス川のような大河の周辺には、しだいに多くの農耕民が集まりだした。一万一〇〇〇年ほど前だろうか、肥沃な三日月地帯とナイル川流域で農村が生まれ、その後一〇〇〇年か二〇〇〇年のうちに長江と黄河の流域にも現れた。六〇〇〇～七〇〇〇年前には、ニューギニアの高地でタロイモその他の食用作物が栽培されるようになっていた。そして五〇〇〇年前から四〇〇〇年前までの間に、インダス渓谷や西アフリカでも農村が見られるようになった。そしてついに、農耕民はアメリカ大陸のワールドゾーンにも姿を現す。それは、ミシシッピ川流域、現在のメキシコや中央アメリカの一部地域、さらにはアンデス山脈などだった。アンデスの山々は多様な環境と、家畜化や栽培化の見込める動植物を幅広く提供した。

農業は最初に興った中核地域から自然に広まったわけではけっしてない。たとえばニューギニアでは、高地で始まった農業は海沿いの低地へは拡大しなかった。タロイモやヤムイモのような高地向きの作物が、低地では同じようにうまくは育たなかったからだ。

人口圧力に押されて新しい環境へ移ると、移住者たちは持てる農耕技術を適応させたり、場合によっては家畜種や栽培種が新たな種を進化させるまで待ったりする必要があった。農耕は八〇〇〇年前から四〇〇〇年前にかけて、肥沃な三日月地帯からまずは中央アジアやトルコへ、その後バルカン半島や東ヨーロッパ、さらには西ヨーロッパへと伝播した。ヨーロッパでも気候がより冷涼で森林が多い地域へ農耕が伝わると、そこでは土壌や生育期や害虫も異なるため、農耕民も作物も適応を余儀なくされた。中央ヨーロッパや北ヨーロッパでは、農耕民は穀物の新品種を開発した。また森林地帯では、移動農業あるいは焼き畑農業と呼ばれる、非定住型の農業を始めた。焼き畑農業では、人々は木を伐採して焼却し、切り株の間の草木灰の行き渡った土地を耕作した。そして数年して土壌が痩せてくると、別の場所へ移った。インダス渓谷では四〇〇〇年前に農耕が栄え、その後いったん衰退したが、約三〇〇〇年前から盛り返して、インダス川やガンジス川の流域、インド亜大陸のその他の地域へも拡がった。アフリカでは五〇〇〇年前、ことによるとそれよりもはるか以前から、サハラ（今日よりも湿潤で豊かな土地だった）で牛の放牧が盛んだった。西アフリカでは、三〇〇〇年前には農耕がしっかりと根づいていた。農耕はそこから中央アフリカと南アフリカへ伝播した。アメリカ大陸でも、農耕民は新しい状況に適応しなくてはならなかった。たとえば、メソアメリカ〔訳注　現在のメキシコ中部からホンジュラスやニカラグアに至る領域〕とミシシッピ川流域では、他では見られないさまざまな種類のトウモロコシが進化した。

　農耕コミュニティが増えるにつれて、変化のペースが上がった。農耕とそれがもたらすたくさんの変化は、狩猟採集よりも拡散が速かったからだ。だが、農耕がこれほど急速に広まった理由は、すぐには思い当たらない。というのも、農耕生活は厳しいものとなりえたし、だからこそ狩猟採集民は、しばしば農耕民を尻目に何千年も生き永らえてきたのだ。シベリアやオーストラリアをはじめ、地域によっては農耕の難点が利点を上回り、近代まで狩猟採集が広く行なわれていた所もある。とはいえ、農耕に適した地域や適するように改良しうる地域、あるいは急激な人口増加が利用可能な資源の大きな負担になっている地域では、農耕コミュニティには近隣の狩猟採集民と比べて多くの利点があった。焼き畑農業でさえ、土地一平方キロメートル当たり二〇〜三〇人程度を養えた。同じような環境に暮らす典型的な狩猟採集民の人口密度の約一〇〇倍だ[10]。これは、いざというときには、原則として農耕コミュニティのほうが狩猟採集民よりも多くの人員と資源を動員できることを意味した。彼らは人数で相手を圧倒できたし、必要であれば、武力で打ち負かすことも可能だった。このような理由から、早くも五〇〇〇年前頃には、ほとんどの人間が農耕に頼るようになっていて、農耕コミュニティとそこで暮らす人々が、だんだんと人間の歴史を支配し始めた。

　拡散した農耕民は、移住先の環境を一変させた。彼らは至る所で森林を切り拓き、村を築き、土地を掘り起こし、害虫を追い払い、雑草を抜き取った。まさにその本質からして、農耕には環境を操作するという態度が欠かせない。狩猟採集民がおおむね、自分たちを生物圏に根差した存在と考えていたのに対して、農耕民は環境を、管理したり、開墾したり、活用したり、改善したりするべきもの、さらには征服するべきものとさえ見なした。また、農耕民は環境を操作するために必要な知識を集合的学習から得る一方で、農耕からは食料とエネルギーの流れを得て、それらをもとに人口を増やし、ますます広い領域でより多くの労力と高い技術力を使って環境を改変できるようになった。

集合的学習と新たなエネルギーの流れ――この二つが農耕時代の歴史の荒々しいまでのダイナミズムを躍進させ、旧石器時代には見られなかった破壊的な変化を可能にしたのだった。

農耕は人間の歴史をどのように変えたのか？

最終氷期が終わってから五〇〇〇年ほどだろうか、農耕時代の人間の歴史で主役を演じていたのは農村だった。農村は当時のメガロポリスであり、地球上で最も複雑で、人口が多く、強大なコミュニティだった。農耕が普及して人口が増加するにつれて、村は数を増し、ついには大半の人間が生活を営むコミュニティとなった。もしあなたが農耕時代に生きていたとしたら、農耕民か、彼らのコミュニティの住人だっただろう。

このような濃密なコミュニティは、人間の歴史上前例を見ない現象だった。現代の基準からすれば、農村は単純に見えるかもしれない。だが旧石器時代の基準に照らせば、農村は巨大な社会的・政治的・文化的組織だった。うまく機能させるためには、新しい技術だけでなく、新たな社会的・道徳的規範、ともに生活を営む方法や争い事の回避策、コミュニティの富の分配法などについての新たなアイデアが必要だった。イギリスの人類学者で進化心理学者のロビン・ダンバーが提唱するとおり、人間の脳が対処しうる集団の規模の上限が進化によって一五〇人と決まっているならば、それよりもはるかに大きなコミュニティには当然、まとまりを保つための新たな社会的技術が必要になる。

人間の歴史における農耕時代の前半には、大部分の農村は独立したコミュニティであり、近隣の村々とのつながりも希薄で、伝統的な血縁関係に基づく規範でまとまりを保てる程度の規模だった。村どうしでの人や物やアイデアなどのやり取りはしだいに重要性を増していたが、国家や帝国、都市や軍隊といったものはまだ存在しなかった。過去五〇〇〇年にわたって人間の歴史で主役を演じてきた巨大で複雑な社会は、農耕が広範かつ急速に拡大し、臨界を超えるのに必要なだけの人間や資源や新しい技術が揃った後にようやく出現したのだ。とはいえ、農耕文化の起源は、初期農耕時代の村のコミュニティに見出せる。

狩猟採集社会にはさまざまな種類の潜在的な知識がたくさん蓄積されていて、そこには大人数の集団を管理する方法に関する情報が含まれていたことはすでに見た。増す一方の社会の複雑さ、大規模な政治的・経済的・軍事的ネットワーク、巨大な建造物といった、あらゆる農耕文明に見つかる事象を創出する潜在力は、狩猟採集民と初期農耕民のコミュニティにすでに存在していた。

アナトリア（小アジア）南部に位置するギョベクリ・テペ遺跡は、初期の狩猟採集民と農耕民のコミュニティ内に潜んでいた知的・技術的潜在力を鮮やかに浮かび上がらせてくれる恰好の例だ。ギョベクリ・テペが最初に利用されたのは、ナトゥーフ人が村を形成していた時期で、その後も一万二〇〇〇年前から九〇〇〇年前にかけて断続的に使用された。(11) この遺跡には円形の石組みが二〇か所あり、そこに見事な彫刻の施された石柱が合計で約二〇〇本も配されていて、それには高さが五メートルを優に超え、重さ二〇トンに及ぶものさえ含まれる。石柱の多くには、鉤爪や嘴のある鳥や動物の不思議な姿が浅浮き彫りにされている。居住用の構造物は一つもなく、興味深いことに、石柱の多くが儀式的埋葬の形式で埋められていた。考古学者はこの遺跡で、ビールを醸造していた可能性を示す痕跡をいくつか発見しており、これもまた、儀式的行為（と飲めや歌えのどんちゃん騒ぎ）が行なわれていたことを示唆しているのかもしれない。以上からギョベクリ・テペは、イングランドのストーンヘンジやアメリカのニューメキシコ州のチャコ・キャニオン〔訳注　農耕民だったプエブロ族の集落遺跡で、「キヴァ」と呼ばれる宗教儀式のための場所がある〕と同じように、周辺のコミュニティが儀式を執り行なうための中心施設であったと推察され、ことによるとオリンピック大会や国際連合の古代版とも言えるかもしれない。ここはさらに、天文観測所として機能していた可能性もある。ギョベクリ・テペの円形の石組みを建設するために投入されたとてつもない労力は、人口が急増する時代に、異なるコミュニティ間の交流や技術的連携がどれほど重要だったかを示している。石柱の大きさや正確で美しい彫刻、そして巨大な石材に彫刻を施したり、それを運んだりするために何百もの人々が動員されたに違いないという事実からは、新たな規模の複雑な社会組織の存在が窺われる。この遺跡にある最初期の建造物を造ったのが、まだ真の農耕民でさえなく、ナトゥーフ人と同じような定住した狩猟採集民あるいは豊かな狩猟採集民だった可能性が高いことを思えば、これは驚異的と言える。

村や村どうしのネットワークの規模が大きくなるにつれて、血縁関係に基づく伝統的な規範は困難に直面した。[12] 初期の農村が拡大し、近隣の人々と新たなつながりを築き、場合によっては小さな町を

ギョベクリ・テペ遺跡。円形の石組み（上）と石柱（下）

形成するようになると、血縁関係や家族に基礎を置く伝統的な規範は、財産や権利、序列や権力にまつわる新しい規範によって修正や補完を余儀なくされた。一〇〇〜二〇〇〇人から成る伝統的な社会の基本単位は、どうしても結びついて、より大きなネットワークを形成せざるをえず、そこには必然的に階層制が生じた。農耕の広まりとともに至る所で、伝統的な血縁関係の規範によって成り立っていた村落コミュニティの上位に、新たな階層構造が次々と出現し始めた。

人口一〇〇〇人の村の人間関係と序列をたどるのなら、伝統的な血縁に基づく規範を、時間をさかのぼって当てはめてみるというのも一つの手だ。それは次のようなものだったかもしれない。あなたの両親、祖父母、曾祖父母が全員、各世代の長子の子孫であるならば、あなた自身と家族全員について長子としての優位性を主張できただろう。このようなメカニズムを使えば、家族全体あるいは家系全体の序列を優位性に基づいて決定することができた。これはまさに階級や階層の萌芽だ。とはいえ、一人ひとりの才能も重要だった。大きな村に人々が寄り集まって暮らすようになれば、土地の権利、継承、強奪、所有物の棄損などをめぐって争い事も増える。これはちょうど、恒星が最初に形成されるときに、凝縮した物質の塊の内部で陽子どうしが衝突したのに似ている。だが、大きな村で起こる諍いを解決するのは、家族内での喧嘩を収めるのとはわけが違う。調停役や裁定者には、心配りや如才なさ、知性や経験が求められた。またときには、力ずくで自らの意思を押し通す必要もあった。

小規模な村社会についての現代の研究から、こうした問題をきっかけに単純な形の指導者が誕生しうることがわかっている。とりわけ度量の大きな人や説得力のある人、あるいは伝統や掟を熟知している人、きわめて敬虔な人、あるいは卓越した戦闘技術を身につけた人などが、その評判に基づいて他の村人に対するいくばくかの権威を認められるというわけだ。人付き合いや政治的駆け引きに長《た》けていれば、そうした人物は「ビッグマン〔訳注　メラネシア地域の伝統的な村社会で見られる政治的指導者。世襲制ではなく、個人の資質や社会的名声などによって選ばれる〕」、つまり、懐が広く、指導力と統率力に優れていることで名の通った指導者になれるかもしれない。家系もしくは能力に基づく序列は、階級や階層による分化の土台を築いた。皇帝の権力の大枠は、古代の村落における饗宴と諍いの中に、いち早く予見されていたのだ。

人間の数が増えて交流が活発になると、集合的学習の仕組みは一段と相乗効果を増して、ますます強力に機能するようになった。各地で農業の改善を少しずつ進めるイノベーションも多かったが、大きな変革をもたらすものもあった。なかでもとくに重要な二つのイノベーションが、大型動物の家畜化と大規模な灌漑《かんがい》だ。

動物の家畜化はおそらく、初めて植物が栽培されたのと同時期に始まっていた。犬は狩猟採集社会ですでに飼い馴らされ、狩りを手伝ったり、見張り役を務めたりしており、冬の寒い時期には暖を取るためにさえ利用された。だが当初は、家畜化は効率が悪かった。殺して食肉や皮、骨や腱を得るまでには、かなりの代償を払って動物を囲い込み、育てなくてはならなかったからだ。ところが、これはとくに家畜の大群を養えるほどの広大な草原地帯がある地域で顕著だったが、農耕民や牧畜民は六〇〇〇〜七〇〇〇年前までに、畜殺するまでの間に家畜を活用する方法を考え出した。牛や馬、ヤギやヒツジの乳を搾る、ヒツジやヤギの毛を刈る、馬に乗ったり荷車を引かせたりする、といった具合だ。考古学者アンドルー・シェラットは、このような新しい技術を「二次産物革命」と呼んだ。これは、家畜の一次産物（殺したときに得られる資源）と二次産物（生きている間に家畜が提供しうるエネルギーや資源）の両方を利用する術を人間が身につけたことを指す。近代に入るまで、こうした強力な技術はアフロ・ユーラシアのワールドゾーンでしか見られなかった。なぜなら、アメリカ大陸では大型動物相の多くの種を絶滅させてしまったせいで、家畜化できそうな動物がほとんど残っていなかったからだ。一方、中央アジアや中東や北アフリカなど、アフロ・ユーラシアの一部地域では、二次産物による生産力向上が目覚ましかったために、各地のコミュニティ全体が家畜に頼った生活を送り始め、家畜を追って草原を渡り歩きながらテントで暮らし、移動生活に回帰することになった。このような人々は「遊牧民《パストラル・ノマド》」と呼ばれる。その移動生活から、遊牧民は遠隔地を結ぶ連結役に打ってつけだった。やがて彼らは、いわゆるシルクロードを通じてアフロ・ユーラシア全土にアイデアや技術、人や物、さらには疾病さえも伝播させることになる。

大規模な灌漑も同じように大きな変革をもたらした。メソポタミアでは人口圧力によって、肥沃な三日月地帯の降雨に恵まれた丘陵地帯から、現在のイラク中心部にあたる南部の乾燥した平野へ、続々と農耕民が追い立てられた。その平野を流れていたのが、この地域の二大河川であるチグリス川とユーフラテス川だ。そこでは降雨が非常に少ないので、農耕を行なおうとすれば、川から水を引かなくてはならなかった。農耕民は最初、自分で簡易な水路を掘って使っていた。だがそのうちに、コミュニティ全体で協働して、用水路や堤防から成る複雑なシステムを張り巡らせ、維持するようになった。とくに大規模なものの建設には、何千もの人員に加えて、強力な統率力と広範にわたる調整が必要だった。それでも、何千年にもわたって繰り返し大河の氾濫を受けて地味の肥えた土壌の広がる地域では、その見返りはきわめて大きかった。灌漑に適した地域では、農耕が飛躍的に進歩した。インド北部や中国や東南アジアがその例で、やがてアメリカ大陸の一部地域でも同じように発展した。灌漑農業は以前より多くの人口を支えられたが、同時にそれまで以上の社会的連携も必要とした。その結果、農村どうしが結束してより大きな社会的・政治的ネットワークを形成する傾向が強まった。農法の改善が進んで農耕が普及するにつれ、人口は急速に増加した。最終氷期末に人口が初めて五〇〇万人に達するまでには、少なくとも一〇万年はかかっている。ところが五〇〇〇年前には、人口はその四倍の約二〇〇〇万人にまで増えていた。二〇〇〇年前には二億人になり、最終氷期末のじつに四〇倍に上った。

とはいえ、人口増加は着実に進んだわけではなく、各地で悲惨な災難により中断した。農耕時代には、疾病、飢饉、戦争、死――まさしくヨハネの黙示録の四騎士だ――が猛威を振るった。すでに触れたように、移動民の野営地とは異なり、村落には廃棄物がたまり、それが害虫や害獣を呼ぶので、病気は急速に蔓延した。新しい病気（人間が免疫を持たない天然痘のような感染症）が現れると、住民の半数が亡くなることも珍しくなかった。農耕民はごく少数の栽培作物に頼っていたため、狩猟採集民より飢饉にも弱かった。食料が底をつき始めると、雑草やドングリや木の皮などで飢えを凌ぐのにも限度があり、幼い子供や老人が最も大きな打撃を受けて、真っ先に命を落とした。また、人口の増加に伴って、土地や水をはじめとする資源をめぐって村どうしの争いが起こった。そうした争いは第三の騎士、すなわち戦争を招いた。この第三の騎士は疾病や飢饉よりも甚大な被害をもたらす上、それらとともに襲いかかることが多かった。もとより人間に争い事は付き物だったが、農耕社会が成立すると、戦闘に加わる人員が増え、金属の槍や二輪馬車や攻城兵器などの投入により、武器はいっそう致命的になった。三人の騎士の後ろには、第四の騎士、すなわち死が続いていたのだった。

こうして人間の歴史は、良くも悪くも一段と動的な時代に突入した。そこでは、不変なものは変化だけだ。人間のコミュニティはその数と規模と複雑さを増しながら、農耕文明誕生へ向けた基盤を築いた。そして、来たる農耕文明は、今日までの五〇〇〇年にわたる人間の歴史を支配することになる。

9 農耕文明

彼《か》の時代　アガデの住居は　金《きん》で溢《あふ》れ
その光り輝く家々は　銀で溢れ
その穀物倉には　銅や錫《すず》や、ラピスラズリの厚板が運び込まれ、
サイロは満杯で……
その埠頭は船が停泊し　たいそう賑わい……
その城壁は　天高くそびえ立つこと　山のごとく……
その城門を――滔々《とうとう》たる水を海へ注ぐチグリスのごとくに
聖なる女神イナンナは　その城門を開いた
――シュメールの詩、S・N・クレーマー訳

農村とその住民たちは、農耕文明に必要な人的資源と物的資源の大半を供給し、農耕文明は過去五〇〇〇年にわたって、人間の歴史の主役を演じてきた。農耕文明に登場する、帝国の軍や都市、神殿やピラミッド、隊商や船団、文学や芸術、哲学や宗教の裏側を覗いてみると、その背景として、しばしば中心地から遠く隔たった所に、幾多の農耕コミュニティや、さらに貧しい多くの放浪者や持たざる者たち（その多くが奴隷）の姿が見つかるだろう。大都市で必要とされる穀物や食肉の大部分、亜

麻や絹の織物の多く、労働力（自発的なものと強制的なものの両方）の多くは、この下層階級の人々が生み出していた。彼らの生産物や労働は、街道や宮殿や神殿などの建設、さらには裕福な者のための絹織物やワインや宝飾品を賄うために使われ、その一方で男性や馬は軍務に就かされた。農耕文明は、農村で生み出される人員と物質的な富とエネルギーを結集して、それまでに人間が築いたどんなコミュニティよりもはるかに壮大で複雑な社会構造を築いた。あらゆる生物と同じように、農耕文明も情報を活用した。なぜなら、情報量が増えるほど、多くのエネルギーと資源を手に入れられるからだ。

農耕文明の登場もまた、複雑さの増大における臨界だった。とはいえ、農耕文明は数千年にわたる農耕コミュニティの発展によって築かれた土台の上に成立した。そこで、この文明の出現は、まったく新しい臨界としてではなく、人間に農業をもたらした臨界の第二段階と捉えていこう。

農耕文明の出現を理解するにあたっては、特定の文明の歴史ではなく、現代版のオリジン・ストーリー全体を通して私たちがこれまで提起してきた疑問に注目したい。すなわち、この新しい形の複雑さを可能にしたゴルディロックス条件は何だったのか？　農耕文明の持つ新たな創発特性とは何だったのか？　そして、それらの新たな特性を支えるエネルギーの流れは何だったのか、という疑問だ。

余剰、階層制、分業

農村は飢饉や疾病や戦争をものともせず、完新世を通して数を増しながら拡散を続けた。それが可能だったのは、毎年のように必要以上の量を生産できたからだ。彼らは太陽光のエネルギーを余剰の富に変えた。この点は狩猟採集社会と大きく異なる。狩猟採集民も知識を蓄えてはいたが、周囲の至る所で生活に欠かせない食料や原料を得られるので、余剰品をため込む必要を感じることはほとんどなかった。カラハリ砂漠に暮らす現代の狩猟採集民は、食料になるモンゴンゴの実がこんなにたくさんあるのに、どうして農耕民になって働かなくてはならないのか、と言ったという(1)。狩猟採集社会で徐々に蓄積された知識は、有形の物をため込むのではなく、新しい環境へ移動するように促した。農耕社会では反対に、物を蓄えておく、しかも大量に蓄えておく必要があった。なぜなら、多くの動植物は収穫できるのがわずか数週間なのに、それを一年、あるいはそれ以上かけて食べたり加工したりしなくてはならなかったからだ。そのため農耕コミュニティの住居や小屋、物置、耕作地には必ず、消費されるのを待つたくさんの農産物があった。

生産性が向上するにつれ、収穫量は生産者が一年間に必要とする量を上回り、余剰が出始めた。必要以上の人手、食糧、物、エネルギーは、新しい形の富の出現を意味し、ある問題を提起した。つまり、誰がこの富を支配(そして享受)することになるのか、だ。時とともに、余剰の富は、少数ながら大きな力を持つ一部の人間の手に握られることになり、彼らが築いた、余剰の富を(しばしば手荒な強制力を使って)徴集するための構造は、農耕文明を支える筋肉となり腱となった。

富の余剰は人の余剰を意味した。生産性が向上すると、全員が耕作に携わる必要がなくなり、社会に新しい役割が現れた。放浪者や奴隷になる人も多かったが、農耕をしない人の一部は、社会に生じた余剰の富の多くを掌握することになった。というのも、彼らは社会に有益な役割を専門に担えたからだ。たとえばそれは、専業の神官や陶工、兵士、哲学者、支配者といった職務だ。専門職の人たちは、自分の限定された役割の権威になった。だが、こうした分業は新たな依存形態も生み出した。社

メソポタミアの陶器（前4500-4000年）

会的役割が増えるにつれて、人間社会は最初の多細胞生物と同じように、しだいにネットワーク化や分化や相互依存が進み、複雑になっていった。やがて、社会を支える骨格や筋肉や神経系に相当する新たな結合組織が姿を現すことになった。

専門家たちは一般に、農耕民よりも結合組織への依存度が高かった。農耕民は通常、自分の口は自分で養えたからだ。考古学者は分業が発展する過程をたどることができる。メソポタミアでこの過程の典型的なケーススタディができるのが、陶器の製造だ。最初期のメソポタミアの陶器は簡素で作り手ごとに独特な形状をしており、おそらく大半はごく普通の農家で作られていた。ところが約六〇〇〇年前から、ろくろを備えた専門的な作業場が見られ始める。陶工は規格化された鉢や皿や水差しなどを大量に生産し、広い範囲で販売した。それらは、専用の装置に投資し、長い下積み修行で腕を磨いた専業の職人の手になる品物のようだ。専門化は新しい技能と技術の発達を促すので、技術の変化を生む手段であると同時に原動力であると言えた。たとえば、陶工は陶器の焼成に窯を必要としたが、だんだんと性能が改善されて、より高い温度で稼働する窯が建造され、良質な製品を作れるようになった。だが効率の良い窯というのはまさに、銅や錫や鉄などをそれらが含有されている鉱石から分離して、金属を成型したり、曲げたり、鍛錬したりして、日用品や装飾品や武器などを製作するのに必要な装置だった。銅や金銀や鋼を細工する職人たちはみな、専業の陶工が開発した技術の恩恵に浴したのだった。

余剰が増大するにつれて、専門分野の種類も増えた。五〇〇〇年前には、南メソポタミアの都市ウルクで、一〇〇種ものさまざまな職名を列挙した「標準職業分類」が作成された。この分類が重要で広く知られていたことは間違いない。なぜなら、同様の分類が何世紀にもわたって、書記見習いによって書き写されているからだ。階層的に編成されたこの分類には、王や廷臣、神官、徴税官、書記、銀職人や陶工、さらには蛇使いのような芸人まで記載されていた。陶工や蛇使いは農耕民と違い、食料も皮革も繊維も生産しないので、自分が提供する製品やサービスを食料その他の生活必需品と交換することで、自身と家族の衣食を賄っていた。だからこそ複雑な社会にとっては、交易や市場や会計を支える硬貨や書字といった道具が不可欠だった。ちょうど、人体には動脈や静脈が欠かせないのと同じだ。そうした道具は、それらが象徴する物やエネルギーの流れを人から人へ、そして集団から集団へと移すことを可能にした。私たちが神官と呼ぶ宗教の専門家でさえ、自らの宗教的な務めと引き換えに、食料などの生活必需品を手に入れなくてはならなかった。神殿のある所には、寄進と供物も見つかるものだ。

専門化の程度には、農業の生産性と一人の農民が養いうる余剰人員数という二つの制約があった。

チャタル・ヒュユク遺跡

たいていの農耕文明では、非農耕民一人を支えるために約一〇人の農耕民が必要だった。大部分の人が農耕に携わらざるをえなかった理由はここにある。最古の諸都市でさえ、住民の多くは自宅の裏庭や市壁の外側で作物を育てていた。だが、農民が人口の大半を占め、社会を支える資源の大部分を供給していたとはいえ、社会の相互依存が強まるにつれて、専門職に従事する人はしだいに影響力を強めていった。農民は農具やささやかな装身具を購入し始め、行商人や徴税官、地主や監督官などと渡り合わなければならなくなった。多種多様な職種の人々が、町や都市を行き来して商品や資源を運び、市場で使う硬貨や、農民や兵士が使う金属の犂《すき》や剣を製作し、帳簿をつけ、法に違反する者を取り締まり、万人に代わって神に祈りを捧げ、他者を組織して支配した。専門職の人々は、言うなれば、農耕文明に支柱と筋交いを提供した。その結果、彼らはやがて、社会の残りの人々を組織してその上に君臨することになった。

専門化が進むにつれて、不平等も拡大した。最初期の農耕コミュニティは、たとえ太古のコミュニティの最大規模である一五〇〜二〇〇人を超えていても、比較的平等だった。現在のトルコに位置するチャタル・ヒュユクは、九〇〇〇〜八〇〇〇年前に栄えた新石器時代の町で、住民は数千人に上ったかもしれないものの、各世帯の住居の大きさにはほとんど違いがない。だが時とともに、一握りの富裕層が姿を現し始め、その数はしだいに増えていく。そのほんの一例を紹介しよう。黒海沿岸の町ヴァルナの近郊には、六〇〇〇年前の墓地遺跡があり、そこで二〇〇基以上の墓が見つかっている。死者の多くはそのまま、あるいは二、三の簡素な品物とともに埋葬されていたが、ひときわ多くの副葬品が納められた墓が一割ほどあった。ある墓には一〇〇〇点を超える品がいっしょに埋葬されており、そのほとんどは黄金製で、腕輪や銅製の斧、さらにはペニスケースまであった。[2] これはまさしく、お馴染みの富のピラミッドにほかならない。すなわち、約一割のエリート層の頂点に一人の人物が君臨する一方、大部分の人間は食うや食わずの生活を強いられるという構図だ。幼い子供が豪勢な副葬品とともに埋葬されていれば、たんなる階層制ではなく、複数の世代にまたがる階層制が存在したことを考古学者は確信できる。なぜなら、子供が自力で高い地位を得ることは不可能だからだ。これは貴族社会やカースト制の表れなのだ。宮殿やピラミッド、ジッグラト〔訳注　メソポタミアやエラムの古代都市に建設された階層状の聖塔で、頂上部には神殿が設けられた〕、神殿のような大規模な造営事業もまた、大人数の労働を組織できるほどの権力を持つ人物がいたことを教えてくれる。

権力と特権の勾配がきつくなると、それを維持するための新しい支柱が必要になった。市場を取り締まり、すりや泥棒を罰し、納められた税を勘定し、農民や放浪者や奴隷で作業集団を編成し、宮殿建設や用水路の維持に当たらせる役目を担う人が求められた。複雑な社会は、神が間違いなく人民を病気から守り、豊かな雨を恵んでくれるように取り計らってくれる宗教の専門家も必要とした。このような構造が機能不全に陥れば、その悪影響はすべての人間に及んだ。だからこそ、社会の底辺にいる人々でさえもたいていは、特別な事情がないかぎり、上位の権力者たちに従っていたのだ。

人類学者は、現代の小規模な社会における階層制の出現を研究してきた。たとえば、西太平洋のメラネシアにある社会だ。そこでは、「ビッグマン」あるいは「首長」として人類学者に知られる有力者が、尊敬の念と、親族や同盟者や支持者による忠実な支援に基づいて権力を築いていた。だが、彼らの権力は常に不安定だった。支持者の忠誠をつなぎとめておけるだけの富や特権を分配しそこなえば、彼らはただちにその権力や富、ときには命さえも失いかねなかった。十分な強制力も持たず、利益を与えてもくれない相手に、いったい誰が従うだろうか?

拡大を続ける社会にはやがて、それまでより格段に強力な指導者が登場することになった。彼らは何十万もの人民を支配し、厖大な富の流れを掌握しているので、彼らやその盟友は、必要とあればそれに物を言わせて、力ずくで意思を押し通すことができた。農耕文明では実際、力ずくで労働力や農産物や富を搾り取るというやり方が至る所で罷《まか》り通っていた。農耕文明で奴隷制と強制労働が広く見られたのはこのためだ。また、農民から富と労働を搾り取るために使われた手法は、彼らがしばしば奴隷同然の境遇にあったことを物語っている。紀元前二千年紀後期に書かれたエジプトの文書は、農民に余剰資源を差し出させるために日常的に使われていた手法の実態を雄弁に物語っている(3)。作成者の書記は、書記であることがなぜ良いのか説明する。まずは農民の重労働を思い描いてみよう。暑い日も寒い日も野良で長時間働き、家畜の世話をし、農具や建物を修繕する。そんなある日、徴税官が武装した供を連れて現れたら、いったいどんなことが起こりうるのか想像してほしい。

一人が［農民に］言う。「穀物を出せ」。「ありません」［と農民は答える］。農民はひどく叩きのめされる。彼は縛り上げられて、井戸に投げ入れられ、頭から水に沈められる。彼の妻も、夫の目の前で縛られる。彼の子供たちは足枷をかけられる。隣人たちは彼らを見捨てて逃げる。

ここに風刺的な要素が含まれているのは確かだが、あらゆる農耕文明で、支配層が脅迫的な手段を使って秩序を維持したり、人口の大多数を占める者たちから労働力や資源を搾り取ったりしていたことを示す証拠は枚挙に暇《いとま》がない。

私たちは通常、広範な領域にこの種の支配力を振るうことのできる権力構造を「国家」と呼ぶ。国家は、人口と富が十分に増えて、数多くの農村だけでなく町や都市が形成され、大量の余剰労働力が生まれて、軍隊や官僚組織で働く人員やその費用を確保できるようになった社会に出現したのだった。

町から都市と支配者へ――徴集と新たな栄養段階

人口と余剰が増えるにつれて、コミュニティの最大規模も拡大した。そして人間同様、コミュニティも専門化が進み始める。一部の村は大きく発展して、新しい役割を獲得した。その理由として、それらの村が交易路に近接していた、あるいは戦略的に重要な渡河地点を押さえていた、他の村々からも買い手と売り手が集まるような市場を擁していた、宗教的に重要な場所の近くだったなどの要因が挙げられる。南アナトリアにあるチャタル・ヒュユクは、地味豊かな耕作地に囲まれていただけでなく、黒曜石にも恵まれていた。黒曜石は硬い火山ガラスで、新石器時代としては最も優れた鋭利な刃を作る材料として使われていた。チャタル・ヒュユクの住民は、黒曜石の取引をはるか遠くメソポタミアにまで拡げていた可能性がある。また、エリコ〔訳注　現在のパレスティナ東部に位置する〕は継続的に人が居住していた集落跡として世界最古の部類に入るが、ナトゥーフ文化の時代にこの地に最初に人が住み着いたのは、けっして涸《か》れることのない泉があったからだった。九〇〇〇年前には、エリコは三〇〇〇人ほどの住民から成る町へと発展していた。

拡大していく町のなかには、新しいサービスや仕事や品物を提供するものが出てきた。それらに惹かれてますます多くの人が集まり、町はしだいに周辺の小さな村や町に対する影響力を獲得していった。五〇〇〇年前までに、大きな町の一部は都市へと変貌して、周囲の町や村に支えられ、専門職の人が集中して居住する、多様な巨大コミュニティが形成された。都市で見出される技能や仕事、産品、人々の多様性を思えば、あらゆる農耕文明で都市が技術的・商業的・政治的原動力となった理由も、辺鄙な近隣地帯から多くの人を惹き寄せた理由もよくわかる。

都市と国家の出現は、人間社会に抜本的な転換が起こったことを示している。

伝統的な国家は、現代国家とはずいぶん違っていた。そこには何より、現代国家がすべての国民の生活に介入することを可能にしている通信テクノロジーも官僚制度も存在しなかった。伝統的な支配者は、局地的には絶大な権力を行使できたが、遠隔地に命令を伝えるには数週間、場合によっては数か月かかることもあり、その結果を知るまでにも同じだけかかった。そのため、主要な人口密集地から離れた場所では、支配者の権力は地方の領主たちの緩やかで階層的なネットワークに依存していた。領主たちはしばしば、ある程度独立した封土のような形で、自己の領地を統治していた。とはいえ、最初の国家は人間の歴史における新奇な存在だった。最初期の国家はみな、一定の保護を与える見返りとして、農耕コミュニティや町や都市から富を徴集する権利を手にしていた。イングランドの政治理論家トマス・ホッブズは、『リヴァイアサン』（一六五一年）に次のように記している。資源を分配する権利は、「いかなる種類の国家《コモンウエルス》においても主権者の権力に属する。というのは、コモンウェルスが存在しない所では……各人の隣人に対する闘争が絶えないからである」。従来のエリート層が権力を保持できたのは、伝統的な農耕コミュニティが、本質的に弱く孤立した存在だったためでもある。カール・マルクスの言葉を借りれば、農民には袋の中のジャガイモほどの団結力しかなかった(4)。そのせいで、農民たちは略取の餌食になりやすかった。なぜなら、たいして力のない支配者でも、手荒な者たちを何人か使えば、村から村へと自分の意思を無理強いしていくことが可能だったからだ。この力の不均衡があったから、何千年にもわたって、少数の支配者と役人が数では自分たちを大きく上回る農民を首尾良く牛耳ってこられたのだ。

最初の都市や最初の国家や最初の農耕文明の歴史は、南メソポタミアに位置するシュメールのものがよく知られている。この地では約五五〇〇年前に、非常な短期間に都市が次々に誕生した。南メソポタミアの都市ウルクはしばしば、人間の歴史上最古の都市と称される。ウルクはユーフラテス川沿岸の港町だった。メソポタミアにあった多くの都市の例に漏れず、ウルクも大河を利用した複雑で管理の行き届いた灌漑システムに頼っていた。だがそれだけでなく、南部の河川デルタの湿地に隣接してもいた。実際、ウルクが成長したのは気候の乾燥化が進んだ時期だったらしく、辺鄙な村落から管理の行き届いた灌漑システムを持つ都市へと移住を余儀なくされた人たちが続々と押し寄せたようだ。五五〇〇年前のウルクでは、ユーフラテス川を挟んだ両岸に一万人が暮らしていた。その二〇〇年後にはおそらく、約二・五平方キロメートルの土地に五万人もの住民が暮らしていた。(5) ある時点で、ユーフラテス川は流路を変え、町を迂回するように外周に沿って流れるようになった。

人口五万の都市と聞いても、現代人は別に驚かないかもしれない。だが当時にしてみれば、ウルクは怪物のような存在で、それまで人間の歴史に登場した定住コミュニティのなかで最大だったかもしれない。そこには、神殿を中心とした広大な建物群が二か所あった。これは、何千もの労働者(その多くは奴隷だった)を動員できるほどの権力を持つ神官もしくは王がいたに違いないことを意味する。ウルクには非常に美しい品々を製作する工房があり、穀物や貴重な物資を蓄えておく倉庫があった。二〇〇〜三〇〇〇年後の記述は、書き記された最古の叙事詩の主人公であるギルガメシュ王の都だった時代にウルクを訪ねたら広がっていたはずの光景を、多少なりとも思い描かせてくれる。そこには、神殿を中心とした広大な建物群や王宮があっただろう。また庭園や狭い通りや路地が見られ、工房や宿屋や聖廟が建ち並んでいたに違いない。町は周囲を焼成レンガの城壁で囲まれ、運河や水路が船着き場や近隣の農地へと巡らされていた。ギルガメシュの叙事詩の中で、王は言う。「全土の三分の一が都市で、三分の一が庭園、そして残りの三分の一が耕作地であり、イシュタル女神の聖域が設けられている」。考古学者は、遠く離れたアナトリアやエジプトのような場所でも、ウルク様式の品々を発見していて、ウルク商人が広範囲にわたって交易を営んでいたことが窺われる。

五〇〇〇年ほど前のあるとき、ウルクで最古の書字が誕生し、粘土板に書きつけられて、エアンナ聖域〔訳注　イシュタルを祀った区域〕の神殿に収められた。複雑さの増大は情報量の増大を意味した。裕福な権力者がほしいままにできる資源とエネルギーの流れがだんだんと増えていくなかで、書字はそれらの記録をつけることを可能にする新たな技術だった。メソポタミアの最初期の文書は、ほとんどが財産目録だった。雌牛や雄牛やヒツジの頭数、亜麻布の梱《こり》の数、奴隷の人数といった具合だ。そこからは、不平等が急激に拡大する世界へいよいよ突入したことが見て取れる。すなわち、支配者や貴族や役人のネットワークが情報と権力の流れを掌握し、多くの奴隷や農民や職人からエネルギーや生産物を徴集できる世界だ。

「ウルのスタンダード〔訳注　スタンダード（standard）とは、行進や戦闘で掲げられる儀仗旗を指す〕」の名で知られる見事な工芸品が復元され、大英博物館に展示されているが、そこには五〇〇〇年近く前に南メソポタミアに存在した諸都市の様子が、断片的にではあるがありありと見て取れる。ウルのスタンダードは箱型の遺物で、楽器の一部、あるいは、行進の際に掲げる旗章だったのかもしれないが、実際の用途は明らかになっていない。側面にはモザイク画が描かれ、ペルシア湾で採れる貝殻、アフガニスタン産のラピスラズリ、インド産の赤色石灰岩などが使われている。片面は平時のウルの様子を示している。王らしき人物と裕福な高位の男性たちが饗宴の席に着き、楽師が竪琴の伴奏に合わせて歌っている。王や貴族は召使いよりも大きく描かれている。これは彼らの地位の高さや重要性を際立たせる常套的な表現法だ。モザイク画の中段から下には、この饗宴のためにだろうか、さまざまな品や家畜が町に運び込まれる場面が見られる。農民が生み出した余剰生産物が吸い上げられて、エリート層に消費されるというわけだ。スタンダードのもう片面には、戦時のウルの様子が描写され、この富と権力の急な勾配を維持する軍事力をいくらか窺い知ることができる。最上段に立つ、ひときわ大きな人物は王と見て間違いない。その下には揃いの軍服姿の兵士たち、さらにはロバに引かせた四輪戦車に乗る軍の指揮官たちが見受けられる。敵兵を踏みつけている戦車もあれば、はっきりわかるほどの傷を負った裸の捕虜を引きずっている戦車もある。

五〇〇〇年前に南メソポタミアにあった都市群は、その後二〇〇〇～三〇〇〇年にわたって歴史の主役を演じることになる社会のあり方を象徴している。支配者やそれを支えるエリート層は、巨費を投じて装備の整った軍隊を維持し、それを活用することで、国外の敵を撃退したり、権力と富の勾配（これこそが、彼らの権力と富の基盤だった）を保ったりできたのだ。細胞膜を挟んだエネルギー勾配を一定に保つプロトンポンプと同じように、貴族が抱える兵士や武装した従者は、村から町へ、さらには都市や統治機構へと富を汲み上げる手段である、説得力と強制力の勾配を維持した。豪華に着飾った王や大領主が敵や臣民に脅威を与えるという階層的な権力構造の図式は、あらゆる農耕文明に出現している。

生態学的に見れば、国家やその支配者たちは、食物連鎖における新たな進展、新たな栄養段階の登場を意味している。すでに見たとおり、太陽光のエネルギーは光合成を通して生物圏に取り込まれ、植物から草食動物へ、次いで肉食動物へと移動していく。ところがエネルギーの大半は、各栄養段階で一種の「廃物税」として浪費されてしまう。このため、上位にいくほど、それを支えるエネルギー量は大幅に少なくなる。だから、ライオンはレイヨウよりも数が少ないのだ。農耕が人間の利用でき

ウルのスタンダード「平和の場面」（上）と「戦争の場面」（下）

る資源を増大させた結果、国家は食物連鎖のピラミッドの頂点に栄養段階をもう一つつけ加えることができた。支配者や貴族や役人たちが農民の労働力と生産物から富を搾取し始める一方、農民自身は農耕によって自分たちのエネルギーと食料を調達した。こうして生まれた労働力と生産物とエネルギーの新しい流れを利用して、国家は自らの権力と富の土台である軍隊や官僚制度、宮殿、物資にかかる費用を賄った。

このような過程を生態学的な観点から考えてみると、富はけっして物から成るわけではないことに気づかされる。富は物を生み出し、動かし、掘り出し、改変するエネルギーの流れに対する支配力から成る。物質が実際には凝結したエネルギーであるのとよく似て、富とは圧縮された太陽光のようなものだ。この圧縮されたエネルギーを他の人々から徴集することは、それが実現させた資源の流れを掌握することと並んで、支配者と統治機構の基本的課題となり、この課題がその後、農耕文明の発展と歴史のあらゆる側面を形作っていく。

徴集は実際、旧来の国家にとっては現代国家にとってよりも中心的な職務だった。支配者は従来、ほとんどの臣民の教育や健康や日々の生活といった事柄にそれほど目を配る必要はなかった。農民はおおむね自力で生活を賄うことができたからだ。事実、多くの農民が国家や帝国の力がはるかに及ばない独立した村落で暮らし続けていた。そこで、国家が農民を支配している地域では、国家の主な課題は彼らから資源を搾り取ることだった。そして時の経過とともに、支配者や貴族や役人たちは、だんだんとこの課題をうまくこなせるようになっていった。宮殿の建築や道路の敷設、あるいは新兵の大量採用、自分たちの贅沢品購入などのためにさらなる資源が必要になったとしても、伝統的な支配者たちが生産性向上に向けたイノベーションに投資するという現代的な戦略を採ることはまずなかった。技術に関しては、彼らは保守的だった。なぜなら、そうした戦略が変化をもたらすまでには非常に時間がかかったので、イノベーションが人の一生のうちに相応の見返りを生むことは稀で、既存の富の流れを断ち切ってしまう場合も多かったからだ。支配者が新たな兵器に投資したり、道路を敷設したりすることもあるにはあっただろうが、支配者の課題はほぼ、伝統的な徴集方法で既存の技術を使って利用可能な資源を増やすことに尽きた。

富や権力を増大させる方法として、伝統的な支配者には大きく分けて三つの選択肢があった。最も先見の明のある支配者は、農民に未耕作地の開墾を、商人に新しい商品の探求を奨励した。だが支配者の多くは、より危険で強引な二つの戦略を使って、もっと手っ取り早く利益を得ようとした。すなわち、民衆蜂起や経済崩壊の危険を冒して、臣民により厳しい取り立てをするか、あるいは、軍隊を送り込んで隣国から富を奪うことを狙うという賭けに出るかしたのだ。後者の賭けは危険だったが、うまくいくことも多かった。だからこそ、伝統的なエリート層はおおむね好戦的だったのだ。支配者が自らを称える像を作らせるときに、たいてい甲冑姿で武器を携えてポーズを取ったことも、これで説明できる。つまるところ、それは主に強制力の脅威によって資源が徴集される世界であり、武力を結集してそれを振るう能力が広く称賛される世界だった。もしあなたが王だったならば、隣国から資源を略取するというのは、自国経済を成長させるきわめて重要な手段の一つだった。そしてそれが成功した暁には（アレクサンドロス大王を思い浮かべてみよう）、どれほど悲惨な状況を引き起こしたとしても、あなたはきっと称賛されただろう。

徴集の主な役割は、伝統的な支配者の多くが作成してきた国政術に関する指南書によく表れている。その恰好の例の一つが、インドの政治の手引きである『実利論』だ。これは二〇〇〇年足らず前に書かれたようだが、それまで多くの指南書で蓄積されてきた経験を集約したものとなっている。インド亜大陸北部のインダス川流域には、早くも四二〇〇年前には強大な国家が出現していた。だが、このいわゆるインダス文明は約四〇〇年後に崩壊する。その八〇〇年後、今度はガンジス川流域にも新たな国家が姿を現した。鉄器の技術によって森林の開拓が可能になり、農業が拡大して人口が急増したのだ。紀元前五〇〇年までには、強大な都市や国家が登場し始めた。そのなかには、小規模な都市国家を征服して力を蓄えてきたものもあった。続く二〇〇年の間には、現在のパトナ近郊にあったパータリプトラに都を置く巨大王国、マガダ国が台頭した。パータリプトラは最盛期には一〇〇万もの人口を擁していたかもしれず、帝国時代のローマに匹敵するほどだった。紀元前三二七年にアレクサンドロス大王の北インド侵略が失敗に終わると、その後の混乱状態に乗じて、紀元前三二〇年頃にマウリヤ朝がマガダ国を征服した。『実利論』の著者はしばしば、このマウリヤ朝の初代王であるチャンドラグプタ（紀元前三二〇〜二九八年頃在位）の宰相を務めたカウティリヤだと言われてきたが、実際に『実利論』が書かれたのは、たぶんその数世紀後だっただろう。

『実利論』も国政術を説く多くの指南書の例に漏れず、万人にとって最悪の状況は国家が存在せず、支配者のいない状態であると論じるところから始まる。悪事を働く者を誰も罰することができない世界は、「魚の道理を生む――すなわち、刑罰の執行者がいなければ、弱者は強者に喰いものにされるが、刑罰を科す者に守られれば、弱者も力を得るのである」(6)。これはもちろん、支配者にとって都合の良い理屈だったが、より一般的な実情を言い当ててもいた。つまり、農民の大半にとっても、秩序ある国家で暮らすことには利点があったのだ。

『実利論』は、支配者の主たる課題を次のように要約している。

農業と畜産業は商業とともに、経済を形成する。経済は穀物、家畜、貨幣、林産物、労働を供給するがゆえに有益である。これによって、彼［王］は財と軍隊を活用して、味方も敵方も自らの勢力下に置くことができる。事業と保障を提供するのが……刑罰［ダンダ、「王杖」の意］である。そして、その管理が政治である。政治は、いまだ獲得せざるものを獲得し、獲得したものを保全し、保全されているものを増大させ、増大させたものを受領するにふさわしい者たちに授けることを目的とする。世の中がうまく回るか否かは、これにかかっている。したがって、刑罰は以上三種の知識体系の基盤と言える。(7)

これがすべて徴集についての記述であることは明白だ。要するに、安定した国家を維持するために、エネルギーと労働と富の流れを農民や労働者や職人から社会の支配者へ向かわせるポンプ機構について述べているのだ。この指南書の多くは、徴税や役人の選任、軍隊や監獄の整備とそれらへの物資補給、さらには農民たちが十分な富を確実に生み出すよう計らって社会を繁栄させる方法などに関する記述に費やされている。

徴集には質の良い情報が欠かせない。徴集がうまくいくかどうかは、じつのところ、資源を徴集しようとする相手よりも多くの情報を握っているかどうかにかかっている。そのため『実利論』の多くが、諜報網の構築法や、裁判記録のつけ方、国庫の資源や資産の記録法の記述に割かれている。人口調査は不可欠だった。歳入の徴集を統括する主税官はすべての村を登録簿に記載し、それぞれの村の財産や、それらが納める穀物、家畜、貨幣、林産物、労働の量、そして兵士の人数によって分類するべきものとされた。都市長官に対しては、「カースト、氏族、姓名、職業の観点から、それぞれ「の世帯集団」を構成する男女の人数ならびにその収支を把握」するよう助言している。[8] 各地の徴税官は、「耕作者、牛飼い、商人、職人、労働者、奴隷」の人数を記録に残すべきとされた。[9] さらに、奇術師、娼館の経営者、宿屋の主《あるじ》、兵士、医師、役人といった、もっと人数の少ない他の職業集団についても列挙しなくてはならなかった。また別の役人たちが、馬（年齢、毛色、健康状態、出生地に従って列挙）、ゾウ、その他の重要な資源についての記録を作成した。

国家は生き物と同じように、複雑な適応システムなので、両者には共通する特徴が多くあり、そうした類似点は、これまで多くの著者が指摘してきた。『リヴァイアサン』の序説で、トマス・ホッブズは国家を巨大な怪物「リヴァイアサン」〔訳注　旧約聖書「ヨブ記」四〇～四一章に記された海獣で、地上のすべての獣の上に君臨している〕として描いた。

一種の人工的な人間だが、自然の人間よりも大きくて強力であり……そこにおいて、主権は人工の魂であり……為政者ならびに司法・行政を担うその他の役人たちは、人工の関節に相当し、賞罰は……神経であり……すべての構成員がそれぞれに所有する富や財宝は体力に当たり、サルス・ポプリ（人民の安全）はその本分であり、顧問官らは……記憶に相当し、衡平《エクイティ》と諸法は、人工の理性と意志であり、調和は健康に、暴動は病気に、内戦は死に当たる。

国家の主な特徴は、たしかに生物の特徴に相似している。生物の細胞と同じように、国家は半透性の境界を持ち、保護された内部領域を作り出している。国境を通る流れは国家の存続に不可欠なので、注意深く監視されている。また、国家には「代謝作用」もあり、エネルギーや資源の流れを結集して分配するという方法で、国家を守り管理するエリート層（『実利論』で言う「尊い者」）や軍隊や官僚を支援することで、国家機能を維持している。生物にとってと同じで、国家にとってもエネルギーの流れの大半を生み出す究極の源泉となっているのは光合成だ。光合成のおかげで、農民は太陽光のエネルギーを捉えることができる。国家においても、生物の体内と同じく、エネルギーの流れは入念に管理しなくてはならない。エネルギーの流量が少な過ぎれば、国家は困窮する。反対に多過ぎれば、臣民が反乱を起こしたり、飢えに苦しんだりすることになり、エネルギーと資源の流れは枯渇する。生物がエネルギーの流れの原動力である電気化学勾配を一定に保つのとまったく同じように、国家も説得力と強制力の勾配を維持しているのだ。国家は法や教育や宗教を使って、国家権力の正統性を臣民に説く。だがその一方で、そうした説得が功を奏さなかった場合には、服従を強いることができるように、軍隊を維持し、強制力を行使する集団を養成する。だからこそ、『実利論』は刑罰（ダンダ）を国家が存続するための基盤と見なしている。あらゆる農耕文明で、徴集の基本は強制力だった。戦争が重要だった理由も、社会においてだけでなく、世帯や家族の中でも広く身体的な懲罰が行なわれていた理由も、これで説明しやすくなる。

国家は生物と同様に、自らの資源や敵に関する情報を常に把握し、不安定な環境に絶えず順応できるようにしている。あなたが執行官であれ、スパイであれ、国勢調査員であれ、いつも危険に対する警戒を怠らず、富の流れを把握しておくには、情報を記録する手立てが必要だ。どんな国家でも必ず何らかの書字が発達したのはそのためだ。文字を持たなかったと言われる南アメリカのインカ帝国さえも例外ではない。彼らの書字法は、「キープ」と呼ばれる、縄に結び目を作るという形式を取った。書字はどこでも、政治的に有益な情報を記録する手段として発達した。さらに、細胞がゲノムを持つのとちょうど同じように、国家は規範を持っている。国家において規範は、法律、支配者や地方の役人が発布する布告、『実利論』のような指南書に記されているし、石柱に彫り込まれていたり、支配層や役人の集合知の中に見られたり、宗教的伝統に根づいていたりする。

国家を政治的な生物の「属」、あるいは一種と考えるならば、支配者や役人が新たな国政術を身につけ、政治や軍事や官僚制に関する新しい技術を獲得するのに合わせて、伝統的な国家は徐々に進化してきたのだと言える。実際、数千年にわたる国家と農耕文明の歴史には、生物圏の歴史と類似するところがある。国家は新しいニッチに参入しては、そこで新たな統治法や政治手法を進化させた。消滅するものがある一方で、国家の新しい属も誕生し、一部の国家は拡大を続けて、ますます大きな権力と多くの知識を獲得したのだ。

農耕国家の広まり

国家も農耕と同じく、世界各地でそれぞれが独自に現れた。驚くまでもないが、国家が出現したのは、農耕がすでに何百年、何千年にもわたって栄え、十分に発展していて、大きな人口を抱え、多くの余剰を生み、商業や交易のネットワークを維持し、町や都市を支えられる地域だった。とはいえ、国家やそれに付随するもののいっさいは、すべての農耕地域に登場したわけではない。ニューギニアやミシシッピ川流域のような場所では、農耕は大規模な村落とささやかな権力形態を生み出したが、大きな都市や国家を支えられるほどの生産力はなかった。

農耕の場合と同様に、さまざまなワールドゾーンでどのように農耕文明が拡がっていったのかは、感染症の伝播を追うのとほぼ同じようにたどることができる。

五〇〇〇年前には、国家は南メソポタミアとナイル川流域にしか見られなかった。だがすでに、その多様化は始まっていた。メソポタミアにおける最初期の国家は、単一の都市を基盤にしていて、絶えず戦争状態にあったようだ。一方ナイル川流域では、国家は最初からもっと規模が大きく、個々の都市の重要度は比較的低かった。続く一〇〇〇年間に人口が増加し、国政術が進化したのに伴って、南メソポタミアの国家はみな権力を拡大し、より広い領域を支配するようになった。四〇〇〇年前までには、エジプトの南、現在のスーダン領内のナイル川流域、さらにはインド亜大陸北部のインダス渓谷や中央アジア、中国北部の黄河流域にも国家が誕生していた。その一〇〇〇年後の紀元前一〇〇〇年には、地中海東岸の多くの地域や、長江流域を中心とする中国南部、東南アジアの一部地域にも国家が見られるようになった。また、ヨーロッパや西アフリカにも、後に成熟した国家制度へと発展することになる強力な首長制が登場した。二〇〇〇年前になると、アメリカ大陸のワールドゾーン、とくにメソアメリカとアンデスでも、国家と農耕文明が成立した。それらもまた、アフロ・ユーラシアの国家と同じ基本的な代謝機構を備えていた。

国家と帝国は、しだいに権力と富を蓄え始めた。その一方で統治術にも磨きをかけ、領土を拡大して、多様性に富んだより多くの人民を支配することになった。エストニアの政治学者レイン・ターゲペラは、国家の支配領域拡大の推移を算出しようと試みた。ターゲペラの推計によると、紀元前三〇〇〇年に最初期の諸国家が治めていた地域は、全世界のごく一部、わずか〇・一平方メガメートル程度だったかもしれないという（一平方メガメートルは一〇〇万平方キロメートルに当たり、現在のエジプトの面積にほぼ等しい）。紀元前二〇〇〇年からの一〇〇〇年間に、国家の支配領域は一〜一・五平方メガメートルまで拡大したと見られるが、それでも今日国家の支配下に置かれている領域の一パーセントほどにすぎない。世界の大部分には、相変わらず国家に属さない農村の住民や狩猟採集民が暮らしていたのだ。

紀元前二〇〇〇年からのこの一〇〇〇年間に注目すると、国家は興隆するばかりでなく滅亡もしうることを思い知らされる。現在のパキスタンにあるインダス渓谷では、国家という制度が完全に崩壊し、豊富な考古学的遺跡と碑文だけが残された（ただし、もどかしいことに、この文字はいまだ解読されていない）。だが紀元前一〇〇〇年以降になると、勢いが戻り、旧来型の国家制度が栄えて拡大するとともに、それまでとは異なる地域に新たな国家も出現し始めた。紀元前五六〇年頃にペルシア人の王キュロス二世によって、アッシリア帝国の遺構の上に北メソポタミアで樹立されたアケメネス朝は、最古の巨大帝国と考えていいだろう。最盛期には、この帝国は六平方メガメートルを支配下に置いていた可能性がある。その二世紀後には、北インドのマウリヤ朝が三平方メガメートルに勢力を拡大する一方、中国の漢王朝はアケメネス朝に匹敵するほどの規模を誇った。ローマ帝国と漢王朝が繁栄していた二〇〇〇年前には、メソアメリカとアンデスにも最初の国家制度が姿を現し始めるが、アフロ・ユーラシアのワールドゾーンにあった巨大帝国と比べると、規模が小さく、人口も少なかった。ターゲペラの推計によると、二〇〇〇年前に国家が支配していた領域は、地球の陸地面積の約一三パーセントに当たる一六平方メガメートルほどだったという。

国家と文明の拡がりは新しい形の集合的学習を促進し、より広大な各ワールドゾーンの内部では、技術や物品、アイデア、宗教、思想などが広い領域へ伝播した。人口の増加と交易システムや国家制度の拡大は、農業からの食料やエネルギーの流れの増大ばかりでなく、イノベーションによっても推し進められた。より多様な環境により多くの人々が暮らし始めると、情報とイノベーションはかつてないほどの勢いで蓄積していった。なかでもとくに影響力が大きかったのが、新しい形態の貨幣や改良が進んだ船や道路といった、交換を加速させる技術だ。アフロ・ユーラシアの帝国はどれも、精力的に道路を敷設した。道路とは要するに、帝国の動脈なのだ。支配者は自国の軍隊や商人がより速く、より遠くへ移動できるように道路を建設したが、それと並行して駅伝制も敷き、反乱や敵の脅威を遅滞なく察知できるような手も打った。アケメネス朝の王ダレイオス一世は、ペルシアのスサを起点に現在のエフェソス近郊のサルディスに至る「王の道」を建設した。これにはヘロドトスの著作も言及している。王の道は全長二七〇〇キロメートルにも及び、伝達使は元気の良い馬を乗り継いで、徒歩なら九〇日かかる道のりを七日間で駆け抜けた。

支配者は、書字のおかげで帝国や臣民に関する重要な情報を保存しておけるようになった。改良された馬具やラクダの鞍、威力を増した投石器、より速い二輪戦車といった新しい軍事技術が戦闘の様相を一変させる一方、陸海の連絡路の改善は通商の在り方を変え、農産物の輸送を容易にした。また古くシュメールの時代から、銅と錫の合金である青銅を始まりとして、新しい冶金術が登場するたびに、それがアフロ・ユーラシアのワールドゾーン全域に広まった。約三〇〇〇年前からは、炉の性能が向上して鉄を溶かせるようになった。鉄は青銅よりも強度に優る上、鉄鉱石は銅鉱石や錫鉱石よりもずっと広く分布し、手に入れやすいので安上がりだった。紀元前一〇〇〇年頃に始まる鉄器時代には、金属は武器や農具、馬具、荷車、馬車などだけでなく、鍋釜といったありふれた家庭用品にまで使われるようになった。

集合的学習は教育や哲学や科学の思想を形作り、主だった国家宗教の豊かな神学理論を裏打ちしていた。国家宗教はどれも、世界に関するそれぞれの物語にオリジン・ストーリーをしっかりと組み込んだ。ほとんどの国家が臣民の宗教概念を感化しようと試み、神殿を築いたり、公認の神官を支援したりした。また、非公認の信仰や宗教的慣習を守り続けているシャーマンや宗教家を処刑することも、よくあった。最初期の国家は、それぞれの地域に伝わる神々を崇拝していたが、国家の支配領域が拡大するにつれて、その神々もより大きな力と勢力圏を獲得していったようだ。強大な帝国には、さまざまな最高神が登場している。アケメネス朝で最高神として崇められた、ゾロアスター教のアフラ・マズダもその一例だ。そうした神々が信者たちに世界の支配者と見なされているそのかたわらで、帝国は、既知の世界を治めているのはその神々を崇拝する自分たちだと主張した。世界の主要な宗教には漏れなく、人間を超えた神という存在が取り入れられている。ユダヤ教、キリスト教、イスラム教だけでなく、ギリシアやローマの宗教伝統、ヒンドゥー教、仏教、儒教、さらにはアメリカ大陸の帝国における宗教伝統もそうだ。そして多くの場合、支配者と体制下に取り込まれた宗教伝統の指導者たちは、緊密に協力し合っていた。なぜなら、両者がともに恩恵に浴している制度に対する支持を喚起する手段として、信仰がどれほど有効であるかを理解していたからだ。

熟達した支配者は、自らの富を増やす方法をいくつも身につけていた。彼らは行き過ぎた搾取から農民たちを保護するように努めた。自分の富の大半が農村に由来していることを承知していたからだ。農民たちをあまり厳しく抑圧するのは危険であり、彼らを敵の軍隊や強欲な地主から守ったり、不作のときには貯蔵しておいた穀物を分け与えて彼らを支援したりするのは理に適っていた。『実利論』でも指摘されているように、農民は各国家の経済的基盤を成していたので、賢明な支配者は彼らの繁栄を願ったものだった。老練な支配者はさらに、国際的な交易も推進して、戦略的に重要で稀少かつ貴重な産品を手に入れようと画策した。たとえばそれは、富裕層向けの高価な宝石類や絹織物、青銅の原料となる錫、さらには都市住民を養うための穀物の場合さえあった。支配者の多くは人間の取引も手がけ、地中海東岸と中央アジアの草原地帯では、肉体労働者や使用人や兵士にするために、盛んに人間が捕まえられ、巨大な奴隷市場で奴隷として売買された。交易で最も大きな利益を得ていた支配者たちは、市場や隊商宿に投資し、商人を保護し、商品をより速く遠くまで運べるように、道路や運河や港を整備した。

国家が拡大するにつれて、交換ネットワークもまた伸展した。四〇〇〇年前にはすでに、メソポタミアの都市はインドやエジプトや中央アジアと交易があり、中央アジアの一部地域は中国と取引していた。二〇〇〇年前には、それらのネットワーク上を大量の商品が運ばれるようになっていた。絹織物や硬貨、ガラス製品、香辛料をはじめとするさまざまな品物が、シルクロードの名で知られる陸路やインド洋上の海路を通って、アフロ・ユーラシア全域を行き来した。こうした国際的な交換ネットワークは、天然痘や腺ペストといった病気をはじめ、誰も望まない積み荷も運んだ。二〇〇〇年前から一〇〇〇年前にかけて、アフロ・ユーラシアのなかでも定住者が密集していた地域で人口の増加が緩やかになったのは、約一五〇〇年前にビザンツ帝国皇帝ユスティニアヌス一世の治下で発生したもののような、疫病の流行によって説明できるかもしれない。

二〇〇〇年前には、アフロ・ユーラシア全土に大帝国がいくつも存在していた。ローマ帝国、ササン朝、クシャーナ朝、マウリヤ朝、漢王朝はその最たる例だ。そして、それらの大帝国に挟まれるようにして、半属国の数多くの小国があった。次の千年紀、すなわち、二〇〇〇年前から一〇〇〇年前までの期間には、最大だったローマ帝国と漢王朝を含む、大帝国の一部が滅亡した。疫病と帝国の崩壊のせいで、一〇〇〇年近くにわたって成長が鈍った。だが一〇〇〇年前までには、新たな成長の兆しが見え始めていた。中国南部や北ヨーロッパやアフリカの、それまであまり多くの人が住んでいなかった地域に、村や都市や交易ネットワークが拡大したのだ。なかでも最も驚嘆するべき変化は、新しい世界宗教であるイスラム教に関連して八世紀に誕生した、新たな政治制度の勃興かもしれない。

それから四〇〇年後の一三世紀初期に、チンギス＝ハン率いる遊牧民によって、モンゴル帝国が創始された。モンゴル帝国は一世紀と続かなかったものの、それまでに存在した帝国のなかで最大となり、史上初めて朝鮮半島から東ヨーロッパに至る、アフロ・ユーラシアを横断する広大な領土を築いた。アメリカ大陸では、約二〇〇〇年前にメソアメリカとアンデスで、厳密な意味で初めて国家制度と呼べるものが誕生した。マヤ族の国々をはじめ、アメリカの国家は単一の都市を基盤としているものが多く、それに三〇〇〇年先立つシュメールの都市国家によく似ていた。とはいえモンゴル帝国の時代までには、多くの都市と広大な領土を支配する帝国制度がアメリカ大陸にも出現していた。そこには、アステカ王国やインカ帝国の前身となる国家もあった。

農耕時代における変化を数字で評価する

農耕時代については、人間の歴史におけるいくつかの根本的な変化を数字で評価する試みがかろうじてできるぐらいの情報が、私たちに史上初めて残されている。私たちは人間社会がどのようにエネルギーを利用していたのか、そして、恒星や生物圏の歴史でと同様に、人間の歴史でもエネルギーと増大する複雑さがどう結びついているのかを、推測してみることができる。付表（三七四ページ）の数字は、人間の歴史におけるエネルギーの役割とそれが人々の生活に与えた影響を、ごく大まかに見積もったものだ。そこに示されている値は、もちろん不確かな要素も多いが、人間の歴史上の大規模な変化について現在手に入る最も慎重な推計値と言えるデータに基づいている。そして、それらの数字が告げる物語は重要な意味を持っており、人間の歴史のより幅広い形態を見て取るのに役立ちうる。

旧石器時代に人口が増加したことは前章で見たが、増加の速さは非常に緩やかで、最終氷期の最後の二万年間は、一〇〇〇年ごとに二五万人程度だったと思われる。付表のB列の数字からは、農業の導入後に人口増加が急激に加速したことがわかる。一万年前から五〇〇〇年前までの間に人口は四倍になり、その後五〇〇〇年前から二〇〇〇年前までの期間に、今度は一〇倍に増加している。ということは、一万年前から二〇〇〇年前までの全期間を通して見れば、人口は約四〇倍になり、平均で一〇〇〇年ごとに二五〇〇万人の割合、つまり、旧石器時代後期の平均成長率の約一〇〇倍のスピードで増加したことになる。

このような急激な人口増加を可能にしたのは、私たちの種が消費するエネルギーの大幅な増加だった（C列参照）。二〇〇〇年前には、人間は最終氷期末に消費していたエネルギー量の七〇倍ものエネルギーを使用するようになっていた。農業が掘り当てたこの途方もないエネルギーの大鉱脈は、人口増加を支え、エントロピーにさまざまな「複雑税」を支払い、さらには裕福な権力者の富となった。一方、エネルギーの増加が大多数の人々の生活を改善したことを窺わせる証拠は、ほとんど見当たらない。

大鉱脈の生んだエネルギーの多くは、増大する人口を養うために費やされた。だが、すべてがそれに充てられたわけではない。なぜなら、D列が示すように、一人当たりのエネルギー消費量は、五〇〇〇年前以降もわずかな増加しかしていないからだ。余剰エネルギーがどのように割り当てられたのかを正確に推測することはできないが、農耕社会の進化についてすでにわかっている事実を踏まえれば、エネルギーが最も多く注ぎ込まれた用途は察しがつく。それは何を差し置いても、しだいに増す複雑さの費用に充てられたのだ。各時代における都市の最大規模は、複雑な社会的・技術的構造を築き、維持し、その代償を支払う人間の能力の度合いを示しているという前提に立つと、付表のF列は、しだいに増す複雑さのごく大まかな指標となる。なにしろ、都市は文明全般と同じく、厖大な組織編成を行ない、建築物や大小さまざまな道路、灌漑用水路、宮殿や神殿、役人、警察、市場、兵士などに巨額の資金を投じなければ成り立たないのだ。そうした代償は、エントロピーに支払う「複雑税」の一部と見なすことができる。これと並んで、エントロピーに支払う一種の「廃物税」もあった。これは、まったく誰の利益にもならないエネルギーであり、戦争や自然災害や大規模な疫病の流行の際に浪費されたエネルギーが含まれる。

農業から得られた余剰エネルギーの一部が、エリート層の生活の改善に充てられていたこともわかっている。多くの農耕文明では、エリート層が人口に占めていた割合は一割というところだ。エリート層は莫大な富を掌握しており、平均寿命の緩やかな伸び（E列参照）についても、おおむね裕福な権力者たちに限られていた可能性が高い。ということは、農業がもたらしたエネルギーの大鉱脈の一部は、少なくとも一握りの人間の生活改善には役立ったわけだ。だが、以上のようなさまざまな費用を支払った後には、残りの人々の生活水準を向上させるための余剰はほとんど残らなかった。だからこそ、私たちの持てるすべての証拠からは、次のように考えることができる――ときに贅沢を楽しむ者もいるにはいたが、農耕時代を通して、大部分の人はほとんどの期間、最低水準に近い生活を送っていたのだ、と。フランスの経済学者トマ・ピケティは、ヨーロッパのたいていの国では一九〇〇年になっても、人口の一パーセントが国の富の約半分を所有し、人口の一割が国富の九割を押さえていたと推計している。残りの九割の人々は、国の富のたった一割でなんとかやりくりしなくてはならなかったわけだ。現代の意味における「中間層」などまるで存在していなかった。というのも、「富の分布における中間の四割は、下位五割とほぼ変わらぬほど貧しかった。人口の大部分は財産を所有していないも同然であるのに対して、社会の資産のほとんどが少数の者に属していた」[10]からだ。

この富の分布がほとんどの農耕文明で典型的だったとすれば、農耕がもたらしたエネルギーの大鉱脈は総じて、全人口のせいぜい一〇分の一の生活を改善したにすぎないと結論できそうだ。だがこの手の話は、一獲千金を狙うような場合には付き物に違いない。富をより広く行き渡らせるためには、さらにもう一つエネルギーの大鉱脈、農耕によるものよりも一段と目覚ましいエネルギー鉱脈が必要になる。次章では、臨界8に向けて地ならしをした変化の数々について述べていく。臨界8では、エネルギーに驚くほど恵まれた今日の世界の基礎が築かれることになる。

10 現代世界の前夜

アメリカの発見、そして喜望峰を経由して東インドに至る航路の発見は、人類史上、最も偉大で重要な出来事の双璧を成す。……遠く隔たった世界の土地どうしをある程度まで結びつけ、互いの不足を補ったり、互いの喜びを高めたり、互いの産業を促進したりできるようにするのだから、全般的な傾向としては有益なものに思える。しかし、東インド諸島であれ西インド諸島であれ、現地の地元民にしてみれば、これらの出来事によって生じえた商業的な利益はすべて、そうした出来事が引き起こした恐ろしい不運の中に没し、失われた。

——アダム・スミス『国富論』

私が売っているのは、全世界が喉から手が出るほど欲しがっているもの——動力なのです。

——マシュー・ボールトン（ジェイムズ・ワットの改良蒸気機関の大口出資者）

本書では、しだいに増す複雑さのこれまでの臨界を説明するにあたり、その臨界を超えることを可能にしたゴルディロックス条件について、知識に裏打ちされた推測を提示してきた。今日の世界に近づいた今、新しいゴルディロックス条件が積み重なって舞台が整い、ついにはイノベーションの驚くべき爆発が起こって、現在の世界、すなわち人新世の世界が生み出された経緯を、前より正確に知ることができる。

六〇〇年前の世界

一四〇〇年には、人間の数は最終氷期末の約五〇〇万人から、その一〇〇倍の五億人近くに増えていた。当時はまだ、オーストラレーシア、アフリカの一部、ユーラシア中央部、シベリア、アメリカ大陸の広大な地域では人口は少なく、ほとんどの人が狩猟、採集、牧畜、遊牧をして生活していた。だがこの頃になると、世界の大半の人は農耕文明の中で暮らし、直接的あるいは間接的に農業に依存していた。実際のところ、大多数の人が農耕民だった。その一万年前に一部の地域が狩猟採集民でいっぱいになったように、世界の多くの地域が農耕民でいっぱいになりつつあった。太平洋地域でさえ事情は同じだった。海の民のポリネシア人は、危険にさらされながら移住の旅に出て、太平洋の大半の場所にたどり着いた。太平洋地域で最後の大きな耕作可能地が残っていたアオテアロア（ニュージーランドの別名）には約七〇〇年前に定住した。

人口が増えると、新しい土地や新しい資源や新しい富の源泉を見つけなければならないという圧力も高まった。シベリアの狩猟採集民とトナカイ飼いは、税吏や毛皮商人、商人、遊牧民から、罠猟をして毛皮やセイウチの牙や森林の産品を売るようにという圧力を、しだいに強くかけられた。オーストラリアでは、より多くの資源を求める農業国家はなかったものの、人口増によって人々は生産量を増やさざるをえなかった。現在のシドニー周辺などの肥沃な地域では、人口が増えるにつれて狩猟採集部族の縄張りが縮小し、地元のコミュニティはより専門的で集約的な技術を発達させなければならなかった。近世には、シドニーの港では数世紀にわたって、女たちがアオギリ科の木の皮の釣り糸とサザエを削って作った特殊な釣り針で釣りをした。こうした道具を使えば、前より深い所の魚が釣れた。彼女たちは、木の皮でできた、「ナウイー」と呼ばれるカヌーに乗って夜釣りをした。カヌーの上で火を燃やし、胸に抱いた赤ん坊とともに暖を取った。一七七〇年、クック船長といっしょに航海していたジョゼフ・バンクスは、シドニーのボタニー湾で、ナウイーの上で揺れる炎がきらめいて海上を埋め尽くしている光景を目にした。[1] オーストラリアの一部の地域では、半永久的な村落と農業の始まりが見られた。

ハワイ、トンガ、ニュージーランドといった、太平洋でも大きな島々は、小さな町や国家を支えるだけの農業生産量があった。中央アメリカとアンデス山脈では、農業は広い地域に伝播して、大きな国家だけでなく、アメリカ大陸初の帝国制度をも支えた。一五世紀に急速に発展したアステカ王国の中核を成す地域は現在のメキシコに当たる。王国の都テノチティトランは今日メキシコシティとなっている場所にあった。アステカ王国と同時代のインカ帝国の中心部は、現在のエクアドルとペルーの、アンデス山脈の斜面に広がっていた。インカ帝国の都クスコは、現在のペルーの東南部にあった。

人口圧力と新しい資源をめぐる競争がいちばん激しかったのは、アフロ・ユーラシアだった。最も古く、最も大きく、最も人口が多く、最も多様性に富んでいたワールドゾーンだ。さらなるエネルギーと資源を探し求めていた支配者や起業家、土地が欲しい農民が、新たな耕作可能地と、毛皮や香辛料や鉱物といった新たな形の富を求めて争った(2)。そして彼らは、必要とあればいつでも狩猟採集民をかまわず押しのけた。これらの圧力のせいで農民は、かつてなら一笑に付していた土地に定住する羽目になった。たとえば、スカンディナヴィア北部や乾燥したユーラシアの草原地帯の縁に位置するウクライナとロシアの一部だ。徴集の圧力のせいで、アフロ・ユーラシア内のネットワークが高密で多様になり、ネットワークの規模や、ネットワークがシルクロードやインド洋航路経由でやりとりしている品物とアイデアの豊かさと多様性とが拡充した。

一四〇〇年には、人間と都市と耕地が集中した帯状の地域が、大西洋岸から始まり、地中海両岸沿いに延び、ペルシアと、中央アジアの一部を通り、インド、東南アジア、中国へと続いていた。一五〇〇年当時、最も豊かで人口の多い帝国は中国の明だった。一五世紀初期、明の永楽帝が、イスラム教徒だった宦官の鄭和《ていわ》が指揮する大船団を派遣した。この船団はインド洋を渡ってインドやペルシア、果ては東アフリカの豊かな港にまで遠征した。鄭和の船は、それまで建造されたなかでも群を抜いて大きくて高性能だった。何次にもわたる船団の遠征は、そのすぐ後に続くグローバル化の興味深い前触れとなった。だが一四三五年に宣徳帝が亡くなった後、明は遠征を中止した。明は豊かで十分に自給自足していたので、鄭和の遠征にはほとんど商業的価値がなかった。そのうえ、航海はとてつもなく高くついた。新皇帝とその顧問たちは、航海よりもっと有用な資金の使い途があると判断した。たとえば、明の北側の国境を遊牧民の侵攻から守るために使うのだ。

それに比べると、資源が乏しく、人口が少ない土地の支配者には、領土の外に富を探す理由がたっぷりあった。一五世紀と一六世紀にとりわけ急速に拡大したのが、まだ若いモスクワ大公国だった。延々と砦を建て連ね、南は黒海沿岸北部の肥沃だが乾燥した草原まで、南東は中央アジア各地のシルクロードの市場まで、東は毛皮と鉱物の宝庫であるシベリアまで勢力を拡大した。イスラム世界ではオスマン帝国が最も強大だった。一六世紀までには、その勢力はヨーロッパ南東部に達し、メソポタミアに拡がり、さらにはアフリカ北部にまで及んだ。オスマン帝国は、一五一七年にエジプトを征服すると、インド洋から地中海、そしてヨーロッパに至るまで、うまみの大きい交易も支配した。同じく一六世紀には、ライバルとなるイスラム教の国、ムガル帝国がインド亜大陸で台頭した。建国の祖はバーブルで、モンゴル帝国皇帝のチンギス＝ハンの末裔《まつえい》だ。アフリカでは、サハラ砂漠北部やナイル川沿岸や西アフリカに強力な国や帝国が存在した。このような国は、アフリカ東海岸沿岸にもあり、その一帯には裕福な交易都市が点在していた。ヨーロッパはユーラシア大陸の西端に位置していたので、インド洋と地中海を経由する商業上の富の豊かな流れからは遠く離れていた。ヴェネツィア共和国は、かろうじてこの交易の流れの恩恵に浴することができたが、それは容易ではなかった。一五〇〇年にヨーロッパ最強だったのは神聖ローマ帝国だ。婚姻と征服によって結びついた国家や司教領や公国の心もとない寄せ集めの帝国で、オーストリアから、ドイツを経て、オランダとスペインにまで拡がっていた。

一四〇〇年には、世界は依然として明確なワールドゾーンに分断されており、ワールドゾーンどうしの間では目立った接触はなかった。だが人口が増え、徴集の圧力が大きくなれば、遅かれ早かれワールドゾーンを隔てる海の膜が破られるのは確実だった。誰がいつ破るかはまだわからなかったが、アフロ・ユーラシア・ゾーンで強まる徴集の圧力からすると、膜が最初に破られるのは、このゾーンだろうことは、ほぼ間違いなかった。

一四九二年、ジェノヴァの航海者クリストファー・コロンブス率いる遠征隊が、二大ワールドゾーンの間の海をついに横断した。コロンブスはスペインの支配者を説得して、ヨーロッパから大西洋を越えて東アジアの豊かな市場に早く到着する航路があるという自分の直感を支援してもらっていた。その後三世紀で、オーストラレーシアと太平洋の島々のゾーンを隔てる膜も破られ、人間の歴史上初めて、人々が世界全体で、情報とアイデア、物、人間、技術、宗教、さらには疾病さえも交換し始めることとなる。

変化は目覚ましかった。二億五〇〇〇万年前、プレートテクトニクスによって単一の超大陸パンゲアが誕生して以降初めて、遺伝子、生物、情報、疾病が単一の世界規模のシステム内で移動可能になったのだ。世界史家アルフレッド・クロスビーは、この生態学的革命を「コロンブス交換」と称し、グローバル化は、人間の歴史を変貌させたようにやがて生態系をも変貌させることを示した。(3) マルクスとエンゲルスは『共産党宣言』で、これらの変化が近代の資本主義を始動させたと述べた。

アメリカ大陸発見、喜望峰周回が、有産階級《ブルジョアジー》台頭の道を拓いた。東インドと中国の市場、アメリカ大陸の植民地化、植民地との交易、交換手段と商品一般の増加が、通商と航海と産業に前代未聞の衝撃を与え、それによって、不安定な封建社会の革命要素を急激に発展させることとなった。

異なるワールドゾーンどうしが結ばれた衝撃はあまりに大きかったので、ほんの数世紀で、人間社会はしだいに増す複雑さの八番目の臨界を越えた。変化は迅速だった。グローバル化した世界で起こったからだ。かつて集合的学習は、局地的な規模あるいは地域的な規模でしか行なわれなかった。そのため、農耕民が世界全体に拡がるのに一万年かかった。グローバルなネットワークの世界では、地球の多くの部分をすっかり変えるのに、ほんの数世紀しかかからなかった。これは、四〇億年という生物圏全体の歴史で起こったあらゆる変化のうちでも際立って由々しい変化だった。人間は気がついたときには、単一のグローバルな思考圏域、すなわち人智圏の中で突如としてつながっていたのだ。二〇世紀までには、この人智圏が全生物圏の内部で変化を起こす破壊的な力となっていた。

単一の世界システムを創り出す

主要なワールドゾーンを最初に結びつけたのは、ヨーロッパの航海者たちだった。その単純な事実によって、ヨーロッパの支配者や起業家たちは、数世紀にわたって圧倒的な優位に立った。かつては富と権力が集中する場所から遠く離れていたヨーロッパが今や、人間の歴史上で最大の富と情報の流れの通り道を掌握したからだ。

ヨーロッパの航海者が他のワールドゾーンにまで進出していったのは、南アジアと東南アジアの豊かな市場に簡単に近づけなかったからだ。つまり、分け前に与ろうとするなら、危険を冒さざるをえなかったのだ。何よりも重要なのは、地中海沿岸地域を支配していたオスマン帝国の貿易商を避けることだった。それもあって一五世紀半ばにポルトガル政府は、大砲を装備し、操縦性に優れたカラベル船を派遣して、アフリカ西海岸周辺を探索し始めたのだ。イスラム世界のものにヒントを得た大三角帆と、中国の発明に由来するコンパスと大砲を備えたカラベル船は、それ自体がアフロ・ユーラシアのワールドゾーン内に蓄積されてきた知的な相乗効果の実例だった。一四五〇年代には、ポルトガルの航海者は、利益のあがる海上交易をマリ帝国と確立しており、以前はサハラ砂漠の陸上ルートでラクダの隊商によって運ばれていた黄金、綿、象牙、奴隷を手に入れていた。

こうしたまずまずの成功を目にした競争相手たちも、乗り気になった。ジェノヴァ生まれの航海者クリストファー・コロンブスも、そのうちの一人だった。コロンブスは、スペインを治めるフェルナンドとイサベルを説得して支援を仰ぎ、大西洋を西に向かって航海してアジアに到達する、より直接的な航路を発見しようとした。コロンブスは、大西洋を通って中国に至る距離は、多くの人が考えていたよりもずっと短いと、誤って信じていた。フェルナンドとイサベルは彼の考えに賭けた。コロンブスが正しかったとしたら、見返りは途方もないものになると知っていたからだ。一四九二年一〇月一二日、コロンブスの艦隊はバハマ諸島の島の一つに到着し、彼はその島をサンサルバドルと名づけた。彼は死ぬまで、自分はアジア、つまりインドに到着したと信じていた。だから、自分が出会った人々をインディアンと呼んだのだし、彼らが裸で、見たところ貧しく、(4)キモノも絹の上衣も着ていないことを不思議がってもいたのだ。捕虜たちは彼をキューバまで案内し、そこで彼は少量の金《きん》を発見した。それだけでもフェルナンドとイサベルを説得して、さらなる航海のために資金を出してもらうのには十分だった。コロンブスの航海によって、アメリカとアフロ・ユーラシアのワールドゾーンは、初めて頻繁に接触するようになった。コロンブスの最初の大西洋横断の航海からわずか六年後の一四九八年、ポルトガルの航海者ヴァスコ・ダ・ガマは、アフリカの最南端を回航して東南アジアに到達するのも可能であることを示した。インド洋は、多くの人が考えていたような広大な閉じた湖ではなかったのだ。

異なるワールドゾーンの人どうしの初期の出会いの多く、ことによると大半は、暴力的で無秩序で、破壊的だった。見知らぬ人たちに対する疑念が、その一因だった。だが他にも、人口密度や技術や、社会組織や軍事組織のパターンや、何千年にもわたって蓄積されてきた病気への抵抗力にさえ、多くの違いがあることも要因となった。勝者がいれば敗者もいて、敗者にとって結果は壊滅的になりえた。酸素が大気中に初めて出現したことや、恐竜が突然絶滅したことと同じように、これはオーストリア出身の経済学者ヨーゼフ・シュンペーターが「創造的破壊」と呼んだものの一例だった。それは、古いものが新しいものに、しばしば暴力的に、絶えず取って代わられることで、シュンペーターはこれを、近代の資本主義の中核と見ていた。多くの社会が滅ぼされ、多くの生命が奪われた。だが、創造もあった。最初のグローバルな交換ネットワークの圧倒的なスケールが、地球規模での集合的学習の作用を助け、情報、エネルギー、富、力の厖大な流れを解き放ち、それが最終的には世界中の人間社会を一変させることになったからだ。

ほぼすべての点で優位に立っていたのが、アフロ・ユーラシアの西端に位置し、資源を渇望する国や帝国で、自国の船がワールドゾーン間の障壁を最初に突破していた。それらの国はそうした利点をうまく活用して、情け容赦ない手際の良さで嬉々として略奪していった。コロンブスの最初の航海から五〇年とたたないうちに、ポルトガルは大砲を備えたカラベル船を使って各地に要塞化した拠点を築き、それを基盤としてインド洋で一大交易帝国を成していた。商人や船乗りにとって、危険は途方もなかったが、手に入るかもしれない利益も莫大だった。アメリカ大陸では、エルナン・コルテス、フランシスコ・ピサロといったスペインの征服者《コンキスタドール》が、アステカ族やインカ族の豊かな文明の支配権を握った。彼らが小勢でも征服できたのは、両帝国の政治的な内部分裂を利用したからだ。だが、さらに追い風になったのは、ヨーロッパの疾病の壊滅的な影響だ。たとえば天然痘は、アメリカ大陸の主な帝国の人口の八割までを死に至らしめ、古来の社会構造と伝統を破壊した。他国の人々に多大な犠牲を払わせつつ、コンキスタドールたちは本当に黄金を掘り当て、自身と故国の社会を豊かにした。

アメリカ大陸でスペイン人の征服者が発見したのは、金銀にとどまらなかった。サトウキビのような植物を栽培するのに適した土地も発見したのだ。ヨーロッパ人の砂糖に対する欲求ははなはだ大きく、増すばかりだった。コロンブスその人の親族をはじめとするスペイン人は、砂糖を安く生産する方法を、カナリア諸島で実証済みだった。そこでは、奴隷をプランテーションで働かせて、サトウキビを栽培していた。こうして成功したプランテーションは、やがてアメリカ大陸に出現するプランテーションの前触れであり、後者はしばしば残酷そのものの暴力を使って莫大な利益をあげるようになる。

一五四〇年代に現在のボリビアにあるポトシで、スペインの商人が銀山を発見した。彼らは当初その銀山を開発するにあたって、インカ族から引き継いだ強制労働の伝統的なシステムを使った。だが、死亡率がとても高かったので、間もなく、アフリカから連れてきた奴隷を働かせるようになった。ラバの引く荷車の列がメキシコの港湾都市アカプルコまで銀を運び、そこでペソ銀貨を鋳造した。それは、世界初の国際通貨だった。多くのペソが大西洋を越えてヨーロッパまで渡った。ペソはヨーロッパ各地の経済を押し上げた。スペイン政府がオランダやドイツの貸主への借金をペソで払ったからだ。ペソはまたマニラ・ガレオン船で太平洋を越えて、スペインの植民地だったマニラにまで渡った。そこでスペインの商人と役人は、ペソを中国の商人から供給された中国産の絹や磁器などの品物と交換し、その品物をアメリカやヨーロッパで転売して莫大な利益を得た。これは典型的なサヤ取り貿易だった。商人は品物を最安値の場所で買って、最高値の場所で売り、大儲けした。生産コストと販売価格との差が、世界初のグローバル市場では途方もなく大きくなりえたからだ。急成長する中国経済は銀を必要とし、銀の価値を高く評価したので、銀は中国ではヨーロッパでの二倍の値打ちがあり、その生産コストはアメリカ大陸での奴隷労働によって低く保たれた。一方、上質の絹は中国ではありふれたものだったが、ヨーロッパでは稀少で、途方もなく価値が高かった。

船が沈没したり海賊に略奪されたりしないかぎり、ヨーロッパの商人とその支援者は、最初のグローバルな交換ネットワークにおける急な「価格勾配」を利用して莫大な利益をあげることができた。一七世紀になると、オランダとイギリスが、アジアにおけるポルトガルの要塞を奪取し、カリブ海と北アメリカにおけるスペインとポルトガルの植民地を少しずつ侵蝕し始め、両国が始めたものを引き継ぐことになった。

こうした勾配に沿って、富とともに情報も流れた。そして、やがて情報は富に劣らず重要であることが判明する。一五世紀半ばにヨハネス・グーテンベルクが効率的な新しい印刷術を発明すると、新たな情報の流れの影響は増大した。一四五〇年から一五〇〇年にかけて出版された本の数は一三〇〇万冊ほどだったが、一七〇〇年から一七五〇年にかけては、その数は三億冊を超えた[5]。書籍とその中に蓄えられた情報は、稀少で高価な贅沢品ではなくなり、教育のある人にとって日常的に入手するものとなった。そして、サヤ取り売買の利益がヨーロッパの商業を盛り上げたのと同じように、大量の情報の新たな流れはヨーロッパの科学と技術とを刺激した。

　ヨーロッパの航海者は新たな大陸と島々を発見し、南の空に初めて見る星座を観測し、古代の文書には記述されていなかった民族や宗教、国家、動植物に遭遇した。新たな情報の津波はヨーロッパ中で、教育や科学、そして宗教さえも揺り動かした。ヨーロッパは、新たな情報が最初に最速で流れた地域だったからだ。その情報によってヨーロッパの学者は、古来の科学や、聖書でさえ、疑問視せざるをえなくなった。それまでのオリジン・ストーリーが崩れ始めた。一六世紀のイングランドでフランシス・ベーコンは、もはや科学と哲学は主として古い文書に頼るのではなく、ヨーロッパの航海者のように、新たな知識を積極的に探究するべきだと主張し、「我々の時代には頻繁に行なわれるようになっている、海路と陸路の長距離移動によって、自然界の多くの事柄が明らかにされ、発見されている。それによって哲学に新たな光が差し込むかもしれない」と述べた[6]。ジョセフ・グランビルは一六六一年に、「神秘のアメリカや、未知なる自然のペルーがあり」、発見されるのを待っている、と書いた[7]。

　科学革命を研究する現代の歴史家デイヴィッド・ウートンが述べているように、「発見という考え方は……科学の発明にとっての前提条件だ[8]」。世界について言われてきたことではなく、世界そのものを研究せよ。ベーコンの言葉を借りれば、「自然に従うことによって自然を制する」方法を学べ、だ。これこそまさに、近代の科学と技術に顕著に見られる、物事を積極的に操作する精神だった。一七世紀には多くの学者が、自分は地理的・商業的革命の時代だけでなく、知的革命の時代のさなかに生きていること、新たな知識によって人間が自然界に及ぼす力が増していることを、理解し始めた。一六七四年に王立協会のある会員は、「我々がなすべきことについては、誰もがみな同じ考えを持っている……古い家の壁を白くするのではなく、新しい家を建てるのである」と書いている。[9] 一八世紀になると啓蒙時代のヨーロッパの思想家は、新たな知識の中に、目的や、意味や、「進歩」を見るようになった。人間は世界を変容させて「向上させる」べきだという考え方が、科学や倫理、経済、哲学、商業、政治を方向づけ始めた。

思考の世界は一変した。デイヴィッド・ウートンはその変化を、次のように鮮やかに記述している。シェイクスピアの時代には、最高の教育を受けたヨーロッパ人でさえ、魔術や妖術、狼人間やユニコーンの存在をたいがい信じていた。地球は静止していて、天が地球の周囲を回っていると信じていた。彗星は災害の前兆だ、植物の形は薬効を知らせるものであり、それはそうわかるように神がデザインしたからだ、『オデュッセイア』〔訳注　ホメロス作と伝えられる古代ギリシアの英雄叙事詩〕は史実だ、と信じていた。[10] 一世紀半後、ヴォルテールが活躍していた頃には、教養のあるヨーロッパ人はまったく違う考え方をしていた。彼らの多くが望遠鏡や顕微鏡や空気ポンプのような実験道具を集めたり、それらについて読んだりし、ニュートンを最も偉大な科学者だと考え、地球が太陽の周りを回っていることを知っていた。魔術や、古代の伝説で語られた歴史や、ユニコーンについての物語、奇跡に関する物語（のほとんど）を、真剣に受け止めてはいなかった。そして、知識の増進や、進歩のようなものの価値を信じていた。

新たな情報は新しい種類の知識のための知的な基本材料を供給した。アイザック・ニュートンは万有引力の法則をまとめ上げるとき、先例のないほど幅広い情報を利用できた。たとえば、振り子がパリで揺れるときの揺れ方と、アメリカやアフリカで揺れるときの揺れ方を比較できた。それまでの世代の科学者で、自分の考えをこれほど徹底的に、これほど広くて多様な情報のネットワーク内で試すことのできた人はいなかった。

ニュートンの偉業は、海外での交易や探検がヨーロッパ人にもたらした全般的な知識の著しい増加と結びつけることができる。自然界について一般化しよう、普遍的なものに到達しようとする勇気は、ヨーロッパ人が大海を征服することでアイザック・ニュートンのような陸地に縛られた思想家に与えた、厖大な量の知識（と自信）に負うところが大きい[11]。

目が眩むほどの富と情報の新しい流れにはもう一つ強力な効果があった。富と情報の両方の勾配を原動力とし、しばしば「資本主義」と称される商業的な形態の徴集を、その流れが奨励したことだ。従来の支配者はたいてい、強制的な力をちらつかせて威嚇したり、保護を約束したり、宗教や法律の威信に訴えたりして、富を徴集してきた。だがすべての文明で、商人も交易を通して多くの富を徴集してきた。商業による徴集は、ある地域で安く買い、それを別の地域で高く売るサヤ取り売買に頼っていた。成功するために、商人には投資する富と、それを何に投資するべきかについての情報が必要だった。最初のグローバルな交換ネットワークにおける富と情報の急勾配がヨーロッパの商人と起業家にもたらした商業的な機会は非常に大きかったので、彼らの富と政治的影響力は増大の一途をたどり、神聖ローマ帝国皇帝カール五世らの皇帝さえもが商人から借金をし始めるほどだった。

ヨーロッパの支配者は一般に、中国の明王朝の皇帝たちのような従来の支配者と比べて、商人と提携することに熱心だった。ヨーロッパのほとんどの国家は資源が限られており、絶えず戦争をしていて、常に資金に事欠いていたからだ。そして、商人から借金する支配者は当然、熱心に商業を支援した。こうしてヨーロッパの商人と支配者の間には密接な共生関係が生まれた。支配者は商業を保護し支援し、その代わり、商業から生まれる富に課税して利益を得る権利を得た。これはアダム・スミスからカール・マルクスまで、ヨーロッパの経済学者たちに称賛されたシステムである資本主義の最も初期の未熟な形態だった。

ヨーロッパの政府と起業家の間に新たに現れてきた提携関係にはさまざまな形があった。ロシアのウォッカ取引はその代表例だ[12]。ウォッカの蒸留は一六世紀のロシアで始まった。すぐにロシア帝国の最初の皇帝（彼の通称「イワン雷帝」は、貴族に対する残虐な扱いに由来する〔訳注　もともとロシア語ではこの通称は「厳格な／恐ろしい皇帝」の意〕）の政府の役人は、農民たちに家庭で蒸留するのをやめさせることができたら（これは難しくはなかった。蒸留には技能と道具がたっぷり必要だったからだ）、大儲けできると考えた。酒は農民たちが他人から買う必要のあるわずかな品の一つになるからだ。酒は人の心に影響を与える強力な物質だったので、あっという間に農民にとって欠かせないものになった。

彼らはそれを宗教的な祝祭や親族の冠婚葬祭のような大切な行事の折に使った。だが、広大な地域に分散する何千もの村にウォッカを行き渡らせるのは大仕事であり、商人に任せるのが一番だった。そこで、ロシア政府は商人と提携して、ウォッカ販売業を確立した。非常に利益があがったので、一九世紀には、当時世界最大級だったロシア軍の費用の大半を賄うことができるまでになっていた。ロシアの政府と社会は、ウォッカ販売業という複雑な歳入ポンプにはかなりのエントロピー税を支払った。やがて、アルコール依存症の割合が危険なほどに高まってしまったのだ。

資本主義は新たな形態の不平等を生み出したものの、富とイノベーションの両方を生み出すことにも長けているため、経済学者はそれを称賛した。初期の経済学者の多くは、資本家が取引し、生み出す富が、じつは、生物圏を通るエネルギーの流れである圧縮された太陽光の統制を意味していることを、完璧に理解していた。あれほど多くの経済学者が労働価値説に賛同したのはそのためだ。けっきょく、労働とはエネルギーなのだ。だが彼らはまた、資本主義がエネルギーを統制する上でイノベーションをとりわけうまく促進できることも理解していた。従来の支配者とは違い、商人が稀にしかあからさまに力を使えなくても(機会があれば彼らも喜んで使っていただろうが)富を徴集できたのもそのためだ。たいてい商人は力よりも悪知恵を使わなければならなかった。それはつまり、新しい情報を探し求めるということだ。彼らは新たな商品と市場を見つける必要があったし、効率よく売買し、コストを削減しなければならなかった。そして何より、競争相手を出し抜きたければ、イノベーションを起こさなければならなかった。エネルギーと資源の流れを活用し、制御する新しい方法を見つけなければならなかった。コロンブスが最初に大西洋を渡ってからの数百年間に、しだいに資本主義の色合いを強めるヨーロッパの社会がより裕福でイノベーションに富むようになった理由も、これで説明がつきやすくなる。

オランダやヴェネツィアのもののように商人が支配する政府もあった。そうした政府は商業を非常に重視した。イギリス人はオランダ人から多くを学び、一七世紀後期には一時的に、オランダ人のウィリアム三世を王に戴きさえした。イギリス政府は海軍に莫大な費用を注ぎ込み、カリブ海や北アメリカの、そしてやがてはインドの、要塞化した商業基地と植民地を保護できるようにした。海軍の保護のもと、イギリスの政府と商人は途方もない利益をあげた。たとえば彼らはアフリカの支配者に、奴隷と交換で武器を売り、その奴隷を劣悪な条件下でアメリカ大陸に運んだ。そしてその奴隷を、砂糖やタバコやその他のプランテーションの産品と交換した。そうした産品の価格は抑えられていた。奴隷労働のコストが安かったからだ。そのため、プランテーションの産品は、イギリスやヨーロッパの急速に拡大していた消費者市場で安く売られ、大きな収益をもたらした。イギリス政府はオランダ政府のように、関税収入を含め、貿易収入にますます頼るようになっていった。これを踏まえれば、一六九四年に政府が、イギリスの商人や起業家や地主が低金利のローンを利用できるように、イングランド銀行を設立したこともうなずける。一八世紀には、低金利のローンは農業のイノベーションを促進し、運河の建設や馬車による広範な輸送システムの確立の手助けとなった。ロンドンは世界でも最大規模の都市へと成長し、イギリスの商業は急激に発展した。

富と情報の新しい流れと新たな形態の科学知識は、農業、鉱業、造船業、航海学、運河建設をはじめ、多くの分野のイノベーションを奨励した。とくに西ヨーロッパでその傾向が顕著だった。一五〇〇年以降、富と権力は急速に移動し始め、それまで時代に取り残されていたヨーロッパや大西洋の地域は、たちまち新しいハブ、すなわち、富と情報と権力の最初のグローバルな流れの中心地になった。

化石燃料――メガ・イノベーション

グローバル化された世界と、地元の支配者に援助されてますます裕福で強力になっていく起業家階級は、商業とイノベーションを促した。大西洋地域では、それがとりわけ目覚ましかった。だが、すでに見たとおり、物事を変える力に関しては、イノベーションにも優劣がある。ヨーロッパの増大する富、起業家のダイナミズム、情報の流れを考えれば、現代世界を創造することになるメガ・イノベーションが、地中海からイスラム世界を通って中国へと連なる、ユーラシアのより古い中心地域の数々ではなく、ここヨーロッパに出現したのは驚くまでもない。

最も重要なメガ・イノベーションはたいてい、核融合や光合成のように、新しいエネルギーの流れを解き放つものだった。農耕はメガ・イノベーションと見なせる。起こったばかりの光合成によるエネルギーの流れのより大きな分け前を農耕民が利用できるようにしてくれるからだ。そうした増大する流れが農耕時代の激しい変化を推し進めた。だが、農耕がもたらすエネルギーの流れには限度があった。短い期間に取り込んだ太陽光しか利用していないからだ。木を燃やしたり、ニンジンを食べたり、馬を犂《すき》につないだりするときには、人は過去一年間あるいは長くても最近の数十年間に太陽光から取り入れたエネルギーの流れを利用している。一八世紀後期までには、西ヨーロッパの経済学者のなかにはヨーロッパ社会がこれらのエネルギーの流れをめいっぱい利用しているのではないかと思い始めた者もいた。彼らの計算は単純だった。人間の社会に動力を供給するエネルギーの流れは、雨や風からのわずかな恩恵に加えて、主に耕作地や森林からもたらされた。そのため、成長とは耕作が可能な土地や森林をさらに見つけ出すことだった。ところが、一八〇〇年には、農業に適した土地の大半ではすでに農業が営まれているように見えた。近代経済学の父アダム・スミスは、社会は間もなく利用可能なエネルギーをすべて消費する段階に至るだろうと主張した。その時点で成長は失速する。賃金は下落し、他のどんな生物もニッチを埋め尽くしたときに直面するように、農耕社会がエネルギーの流れの限度に直面したとき、人口もまた減少する[13]。オランダやイングランドのような社会のなかでは、すでにこれらの限界に近づきつつあるように見えるものもあった。オランダでは農民は海から農地をえぐり出さなければならなかった。一方、イングランドでは暖房や住宅建設や造船のための木材がしだいに不足するようになった。アダム・スミスの時代には、アルフレッド・クロスビーが言うように、「人間は太陽エネルギー利用の限度に達してしまっていた[14]」。

新たなエネルギー源を見つけなければならないという圧力が、ついには、今日私たちが「化石燃料革命」と呼ぶメガ・イノベーションを生み出した。そうしたイノベーションが、農耕が供給するものよりはるかに大きなエネルギー（化石燃料に閉じ込められていたエネルギーで、数十年どころか、三億六〇〇〇万年以上も昔の石炭紀以来蓄積してきたエネルギー）の流れを人間が利用できるようにしてくれた。数億年分の太陽光に相当するものが、固体、液体、気体となって埋蔵されていたのだ。化石燃料の中にどれほど多くのエネルギーが閉じ込められているのかの目安として、石炭や石油や天然ガスの層に、乗客を詰め込んだ自動車を頭の上に載せ、とても大きな速度で何時間も走るところを想像してほしい。

次に、ほんの数リットルのガソリンには、その仕事をこなすのと同等以上のエネルギーが詰まっている（多くのエネルギーが無駄になるから）ことを思い出してほしい。金の鉱脈と同じで、このエネルギーの大鉱脈は熱狂的な、そしてしばしば混沌とした新しい形の変化を生み出し、個人や国や地域全体に隆盛と衰退をもたらした。チャールズ・ディケンズやフリードリヒ・エンゲルスらは、多くの人がこれらの変化のせいで多大な代償を支払うのを目撃した。だがその狂乱からは、まったく新しい世界が生まれることになる。

変化は、石炭のエネルギーを工場や機関車、汽船、タービンの動力にできる安価な力学的エネルギーに変換するという技術上の大躍進から始まった。石炭はすでに多くの社会で知られていたが、掘り出して輸送するのが大変だったし、燃やすと煙や煤《すす》が出て悪臭がした。そのため農耕社会では、ほとんどの人は熱エネルギーを木材から得るのを好んだ。とはいえ、木材が乏しい地域もあった。イングランドでは、人口が増加し、都市が拡張し（とくにロンドン）、商業が盛んになるにつれ、エネルギーの需要が供給を上回り始めた。イングランドは世界でも早くからエネルギー不足を痛感した国の一つだった。だが多くの国と違い、イングランドには頼みの綱があった。この国には地表にごく近い所に大量の石炭が埋蔵されていて、その多くは河川や海の近くにあったので、海や運河を利用して安く簡単にロンドンのような大都市に運搬することができた。イングランドの製造業と家庭は石炭に転換し始めた。一七世紀までにはイングランドの醸造業者やレンガ製造業者やパン職人は石炭を使い、ロンドン市民たちは市内の大気汚染に文句を言うようになっていた。一七〇〇年には石炭はイングランドのエネルギーの五割を生み出していた。一七五〇年には、四〇〇万ヘクタールの森林（イングランドとウェールズの面積の一五パーセント近く）に相当するエネルギーを供給していた。[15] 石炭への依存が高まると、石炭の採掘や輸送や販売に携わる人たちは、より多くの石炭をより安く生産するように促された。

だが、一つ問題があった。石炭の需要が増すにつれ、炭鉱夫たちは鉱脈をより深く掘り進めなくてはならなくなったが、坑道がすぐに水であふれるので、より多くの石炭を掘り出すには、炭鉱から水を吸い上げるための効率の良いポンプを製造することが必須だった。イングランドでは、この技術的問題を解決しようという動機がどこよりも強かったので、安くて効率的なポンプの考案は起業家や発明家の大きな目標になった。新しい科学と広く普及した機械関連の技能が相まって、この問題の解決に必要な知的背景が整った。一七世紀の科学者たちは大気圧がどのように働くのかを理解し始めていた。そして一八世紀初期には、その知識は炭鉱から水を汲み出すためのニューコメンの蒸気機関で活用されることになった。[16] だが、ニューコメンの蒸気機関は効率が悪い上に、大量の石炭を消費したので、石炭が安く手に入る炭鉱でしか採算が取れなかった。投資家や発明家や技術者は、ポンプを改良すれば大儲けでき、またイギリスの家庭や産業への石炭供給に大改革をもたらせることを理解していた。

最終的にこの技術的問題を解決したジェイムズ・ワットはスコットランドの機器製作者で、技術者や科学者や実業家の間に広い人脈を持っていた。一七六五年、ある日曜の午後の散歩中、ワットは突然、復水器として機能する二つ目のシリンダーを加えれば、ニューコメンの蒸気機関をより効率的にできることに気づいた。だが、改良型の蒸気機関を建造するには、最先端の科学と技術、そして、高圧に耐えうるピストンを設計し、精密に製造する能力が必要だった。それには手もかかればお金もかかった。それでも、ワットの主要な支援者マシュー・ボールトンは、好機だと感じてワットの研究に巨費を投じた。彼は石炭エネルギーを手頃なコストで力学的エネルギーに変換する機械がどれほど巨大な利益を生み出せるか、よく承知していた。一七六九年、ワットが自分の設計に最初の特許を取得した頃には、競争は熾烈になっていたので、ボールトンがワットの試作品をロンドン駐在のロシア大使に自慢した後、ワットはロシア政府から高給の働き口を提示された。ワットは受諾しようかと真剣に考えたが、ボールトンに思いとどまるよう説得され、一七七六年には仕事は完了した。

ジェイムズ・ワットの蒸気機関が先駆けとなってもたらしたエネルギーの流れはじつに厖大で、人間社会をわずか二〇〇年間で一変させることになる。化学反応を促す活性化エネルギーに似て、化石燃料から生じるエネルギーは発端となるエネルギーを提供し、それが技術面でグローバルな連鎖反応とも言えるものを引き起こした。二五年のうちにワットの新型機械五〇〇台がイングランドで稼働し、一八三〇年代までには石炭を燃料とする蒸気機関はイギリスの産業の主要動力源となっていた。イングランドのエネルギー消費量は急上昇した。一八五〇年には、イングランドとウェールズはイタリアの九倍のエネルギーを消費し、イングランドの起業家と工場は巨大な力の原動力を手にしていた。蒸気機関車は二〇万ワットのエネルギー（そう、ジェイムズ・ワットの名前が単位になった）を生み出すことができた。これは、農耕時代の重要な原動力の一つだった、馬二頭引きの犂で耕作するときに生み出されるエネルギーの約二〇〇倍に相当した。安価なエネルギーが、これまでなかったほど多く利用できるようになった。イングランドの産業は急成長した。石炭はイングランドとウェールズの面積の一・五倍に相当する森林から得られるのと同じだけのエネルギーを生み出していた[17]。

初期の産業化

イギリスは化石燃料というエネルギーの大鉱脈の恩恵を受けた最初の国で、その生産力は一気に高まっていった。一九世紀半ばには、イギリスのＧＤＰ（国内総生産）は世界ＧＤＰ合計の五分の一、化石燃料排出ガスの量は世界全体の排出量の約半分に達していた。驚くまでもないが、世界の大気中の二酸化炭素濃度は一九世紀半ば頃から上昇し始めた。そして早くも一八九六年には、スウェーデンの化学者スヴァンテ・アレニウスが、二酸化炭素は温室効果ガスであり、それが地球の気候を変え始めるほど多く排出されているということを認識していた。

だが、それが危惧されるのはまだ先のことだった（じつのところアレニウスは、地球温暖化は新しい氷河時代の到来を食い止めるかもしれないので、好ましい展開だと考えていた）。一方、他国の起業家や政府は自分たちも安価なエネルギーの大鉱脈の分け前にありつきたいと考え、この新しいテクノロジーを分けてもらうか借りるか盗むかしようとした。ほどなく、蒸気機関はヨーロッパと独立したばかりのアメリカ合衆国で製造が始まった。そして、広まるにつれ、蒸気機関車や汽船のような新しい画期的なテクノロジーの波を次々に起こし、そのたびに輸送費が安くなり、関連するイノベーションが派生した。とくに目覚ましかったのが、車両や船体や線路用の鉄鋼製造の分野だ。起業家と技術者と科学者は、蒸気機関からの安価なエネルギーを、建設業や紡績業で利用するための新しい方法を探求した。

強力なフィードバックループがいくつも誕生していた。蒸気機関が改良されたおかげで、より深く炭鉱を掘ることができるようになり、その結果、石炭採掘のコストが下がり、掘り出される石炭の量は一八〇〇年から一九〇〇年にかけての一〇〇年間に五五倍に増加した。石炭の値が下がると、蒸気機関はより経済的になり、その一方で、汽船や機関車によって海路と陸路で家畜、石炭、農産物、人を輸送するコストは大幅に減少し、おかげで世界貿易は活性化した。鉄道事業で鉄鋼の需要は増し、鉄鋼生産のイノベーションが進んだおかげで、鉄鋼を使ったブリキの缶詰（食料品を入れて保存する新しい方法）のような大量生産品も採算が取れるようになった。予想外の効果もいろいろ派生した。糸を紡いで織物を織るのに蒸気を使うようになって綿花の需要が高まり、アメリカ合衆国や中央アジアやエジプトで綿花栽培が盛んになった。織物製品の工業生産のおかげで人造染料や漂白剤のような副次的製品の需要も高まり、近代化学工業が始動した。そして、その製品の多くは石炭を原料としていた。

安価なエネルギーは多くの新しいテクノロジーを使った実験や、そうしたテクノロジーへの投資を促進した。なかでも重要なテクノロジーは電気だった。一八二〇年代にマイケル・ファラデーは、電場の中で金属コイルを動かすことによって電流を生じさせられることに気がついた。一八六〇年代には蒸気機関を動力とする発電機の発明によって、大規模な発電が可能になった。電気と電動機は、最も原始的な原核生物のプロトンポンプとＡＴＰ分子のように、動力を供給する新しい効率的な方法を提供した。電気に姿を変えた動力は、工場と家庭の両方に安く送れるようになった。電球は、夜を昼間のように明るくすることで家庭生活と工場労働を一変させた。そして、都市や幹線道路や港が夜間に照明で照らし出され始めた。電気は通信にも革命をもたらした。一九世紀の初めには、陸上における最速の通信手段はまだ馬による配達だった。一八三七年に発明された電報は、光速に近い通信を実現した。一九世紀の終わりには、電話と無線通信によって、実際の会話をほぼ瞬時にはるか彼方まで送信することが可能になった。

新しいテクノロジーは戦争と兵器にも革命をもたらした。鉄道と汽船は軍隊と武器をかつてないほど迅速に運んだ。一八六六年、アルフレッド・ノーベルが、新しい強力な爆薬であるダイナマイトを発明した。改良された拳銃と機関銃とともに、爆薬は兵士一人ひとりの殺傷能力を増大させた。工業生産された兵器の破壊力は、化石燃料を本格的に使った最初の戦争であるアメリカの南北戦争のときに明らかになった。そして、蒸気を動力とし、船体が鉄で、近代兵器を装備した船が海上戦を変え、アヘン戦争においてイギリスが清王朝の海軍を打破するのを可能にした。一九世紀後期の帝国主義の時代には、かつては遅れていたヨーロッパの国々が、富とテクノロジーと産業革命のエネルギーの流れの助けを得て、世界の多くを征服し始めた。

ほとんどが元をたどれば安価なエネルギーの新しい流れを源とする、多様なフィードバックループがあったからこそ、産業革命の並外れたダイナミズムが生じ、最初に工業化した地域で富と力が急速に増加したと言える。安価なエネルギーのおかげで、さまざまな国や製造業と工業の多くの分野で、イノベーションと投資が可能になり、促進された。最終的には、石炭から得られる安価なエネルギーがイノベーションを推し進め、石油から得られる新しい形の化石燃料を活用することになった。

石油は石炭と同じくよく知られていた。地表に沁み出る所ならどこでも採取され、ビチューメン

1862年頃のタイタスヴィル

（瀝青《れきせい》）や薬、さらには焼夷《しょうい》兵器としてまで使われた(18)。

一九世紀半ばにはクジラの乱獲によって鯨油の価格が高騰したため、その代替品として石油は灯油という形で照明用燃料として使われ始めた。だが、石油の供給量は限られていた。地中深くには大量の石油があるから、中国から持ち込んだ掘削技術を使って採掘することができるのではないかと考える者もいた。中国には、岩塩を掘り出すために設計された特別なドリルがあったのだ。たしかに、そうした岩塩の採掘によって、ときどき石油が発見されることも知られていた。ドリルを使って石油を採掘しようという最初の真剣な試みは、一八五七年から、エドウィン・ドレイクによってアメリカのペンシルヴェニア州のタイタスヴィルというさびれた町で始められた。一八五九年八月二七日、まさに資金が尽きる寸前に、ドレイクの掘削隊は石油を掘り当てた。一儲けを狙う者たちが押し寄せて土地を買い占め、一年三か月のうちにタイタスヴィルとその周辺に七五か所の油井ができた。そこを訪れた人が、こう書いている。「彼らは所有権や分け前の金額を交渉し、土地を売ったり買ったりし、油井の深度や兆候や産出量等の情報を伝え合う。今日去る人は他の人たちに、自分が見た油井は一日当たり五〇バレルの純正な石油を産出していると言う。……その話で翌日にはさらに多くの人がやって来る。……巣分かれするときのミツバチの群れでさえ、これほどせわしなく、やかましいことはなかった」[19]。一八六一年、採掘者たちは最初の噴出油井、つまり自らの圧力で石油を噴出させる油井を掘り当てた。石油とともに噴き上がる天然ガスに火がついたときには死者が出るほどの大爆発さえ起こった。産出量は一日当たり三〇〇〇バレルまで増加した。

多くの者たちが石油で大儲けしたが、エドウィン・ドレイクはそのなかにいなかった。彼は化石燃料革命の次の章を始める手助けをしたにもかかわらず、一八八〇年に貧困のうちに生涯を閉じた。

11 人新世――臨界8

もはや完新世ではない。人新世だ。
――パウル・クルッツェン、二〇〇〇年のある会議での突発的な主張

おかしなことだが、人間という食料採集者は情報採集者として再び現れる。この役割において、電子時代の人間は旧石器時代の祖先と変わらぬ移動民だ。

――マーシャル・マクルーハン『メディア論――人間の拡張の諸相』

二〇世紀に、私たち人間は環境や社会、さらには自分自身さえも変え始めた。とくに意図したわけではないが、非常に急速で大規模な変化を導入したので、私たちの種は新しい地質学的な力と見なせるまでになった。そのため、多くの学者が地球は新しい地質年代である「人新世」、つまり「人間の時代」に入ったと主張し始めている。生物圏の四〇億年の歴史において、単一の生物学的な種が変化をもたらす最大の要因となったのはこれが初めてだ。私たち人間はたった一世紀か二世紀で、巨大な

エネルギーの流れと化石燃料革命の驚くべきイノベーションを頼りに、地球のパイロットの役割を思いがけず担うようになった——どの計器を見るべきかも、どのボタンを押すべきかも、どこに着陸しようとしているのかもよくわからないまま。これは人類にとって、そして生物圏全体にとって、前代未聞の状況だ。

グレート・アクセラレーション

詳細を抜きにして考えれば、人新世はこれまでのところ第三幕まで進んだ劇のようなものであり、この先まだ多くの変化が起ころうとしている。

第一幕は、化石燃料テクノロジーが全世界を変え始めた一九世紀半ばに始まった。大西洋地域の数か国が莫大な富と力と恐ろしい新兵器を手にした。最初の化石燃料技術大国とその他の世界との間に巨大な溝ができた。力と富におけるその溝は一世紀以上なくならず、二〇世紀後期になってようやく埋まり始めた。

このような格差によって、帝国が支配する一九世紀後期と二〇世紀初期の偏った世界が生まれた。農耕時代の大半を通して取るに足りない存在でしかなかった大西洋地域の少数の国が、突然、世界の大部分（アフリカのほとんどと、かつてインドや中国といった巨大なアジアの帝国によって支配された領域の多く）で優位に立ち、ときにはそうした地域を支配し始めた。新しい大西洋の中心地帯の外側では、化石燃料テクノロジーによる最初の影響は主に破壊的なものだった。新しいテクノロジーが、外国からの侵略軍の装備に使われていたからだ。ネメシス号は最初の鉄製の蒸気砲艦で、一七門の大砲を搭載し、浅瀬で速く進むことができたため、一八三九年から四二年にかけてのアヘン戦争でイギリスが中国の港の支配権を握るのに役立った。かつて世界で最も強大だった中国海軍には、そのような兵器に対する防御手段がなかった。

数十年のうちに、ヨーロッパの商業と軍事の力によって、古い国家は弱体化し、それまでの生活様式は崩れた。蒸気機関を動力とする紡績機や製織機を使う繊維生産によって、農耕時代に綿布の主な生産者だったインドの職人による繊維生産は衰退した。イギリスはインド亜大陸を政治的・軍事的に支配するようになると、インドの織物をイギリスの市場から締め出したので、このような不均衡が定着した。インドの主要な鉄道の建設でさえ、インドよりもイギリスに大きな利益をもたらした。線路や車両のほとんどはイギリスで作られた。インドの巨大な鉄道網は、主にイギリスの軍隊を速く安く移動させ、安価なインドの原料を輸出し、イギリスの製品を輸入するために設計された。砂糖、綿、ゴム、茶などの原料に対する需要が増えたので、アメリカ大陸とアフリカとアジアでは、環境に有害なプランテーションが発達した。そこでは奴隷のような待遇の労働者が作業を行なうことが多かった。機関銃と槍や投げ槍が戦った戦争で、ヨーロッパの大国がアフリカを分割し、ほぼ一世紀の間支配した。

ヨーロッパの経済的・政治的・軍事的征服はヨーロッパあるいは西洋の優越感を助長し、多くのヨーロッパ人が、自分たちが他国を征服するのは、世界の残りの国々を文明化し近代化するというヨーロッパや西洋の使命の一部だと考え始めた。彼らにとって産業化は、進歩のしるしだ。最初に啓蒙運動で主張されたように、世界を「進歩させる」こと、世界を人間にとってより良く、豊かで文明化された場所にすることは、変革を起こすという使命の一部だった。

人新世の第二幕は並外れて荒々しかった。それは、一九世紀後期に始まり、二〇世紀半ばまで続いた。この幕では、最初の化石燃料技術大国どうしが競い合った。一九世紀後期、アメリカ、フランス、ドイツ、ロシア、日本は、産業面での覇権を握るイギリスに挑み始めた。競争が激化するにつれて、主要な大国は自国の市場と供給源を守り、競争相手を締め出そうとした。国際貿易は減少した。一九一四年に、競争は全面戦争に変わった。二度にわたる破壊的な世界規模の戦争は、三〇年の間、新しいテクノロジーと近代の増加する富と国民を動員した。

世界の他の地域は、これらの戦争に巻き込まれた。中国や日本でも、ロシアやドイツでと同じぐらい残虐な戦いが繰り広げられた。戦争の血の靄がヨーロッパ、アフリカ、アジア、太平洋地域にかかり、戦時中の各国政府は、より破壊的な兵器を競って開発した。科学は交戦国に恐ろしい新兵器をもたらした。なかには、原子核内に潜んでいるエネルギーを利用するものもあった。一九四五年八月六日、アメリカのB29爆撃機が太平洋のマリアナ諸島から飛来し、日本の広島市に原子爆弾を落とした。市の大半が破壊され、八万人が死亡した（一年以内に、さらに七万人が怪我や放射能のせいで亡くなった）。同年八月九日には、長崎市に同様の爆弾が落とされた。

第三幕は二〇世紀後半と二一世紀初頭で構成される。二度の世界大戦での大虐殺の後、アメリカとソ連が最初のグローバルな超大国として浮上した。多くの局地戦争があり、そのほとんどがヨーロッパの植民地支配の転覆を目的としていた。だが、冷戦時代には大きな国際戦争はもうなかった。その頃には、核戦争には勝者はいないことを、すべての大国が理解していたからだ。だが、何度か危機一髪のときがあった。一九六二年のキューバ・ミサイル危機の直後、ジョン・F・ケネディ大統領は、全面的な核戦争が「三分の一から二分の一」の確率で起こる可能性があったことを認めた[1]。

第二次世界大戦後の四〇年間に、人間の歴史上最も目覚ましい経済の急成長が見られた。これが「グレート・アクセラレーション（大加速）」の時代だ。

グローバルな交易が再開し、規模が拡大した。ある有力な推定では、第一次世界大戦前の四〇年間、国際貿易は金額ベースで年間に平均約三・四パーセントの割合で増えた。一九一四年から五〇年まで、その割合はたった〇・九パーセントに落ちた。その後、一九五〇年から七三年までは、年間約七・九パーセントまで上がり、一九七三年から九八年までは少し落ちて約五・一パーセントになった[2]。一九四七年に、二三か国が「関税及び貿易に関する一般協定（GATT）」に調印し、それによって、国際貿易の障壁が低くなった。戦時中のテクノロジーは、今度は平和的に利用されるようになった。石油や天然ガスが、一九世紀のエネルギーの大鉱脈をさらに豊かにし、核兵器の平和利用版とも言える原子力発電も同様だった。生産性が急上昇した。まず主要な化石燃料経済圏で、その後、他の地域で。消費も急増した。生産高が上がり、生産者が国内だけでなく国外にも新しい市場を探し求めたからだ。裕福な国々では、自動車やテレビや郊外の夢の住宅を持つ時代となり、やがてコンピューターやスマートフォンやインターネットの時代となった。新しい中間層が現れ始めた。またこの頃、古い産業中心地帯の外側に産業革命が拡がり始めた。二一世紀初頭には、産業テクノロジーが、かつてヨーロッパ社会を変化させたときと同じぐらい完全に、そして素早く、アジアの多くと、南アメリカと、アフリカの一部を変えた。世界のその他の地域が産業化すると、そこに住む人々の富と権力が増大した。

再び、権力と富の複数の中心地を持つ世界が現れ始めた。最初の近代的な蒸気機関ができてから二五〇年の間に、化石燃料テクノロジーは地球全体を変えた。

グレート・アクセラレーションの間に、人類はエネルギーと資源をそれまでにないほどの規模で活用して、生物圏を変え始めた。そのため、多くの学者が人新世の夜明けを二〇世紀の半ばだと考えている。

変わりゆく世界――テクノロジーと科学

安価なエネルギーによって推進されたイノベーションは変化の原動力だった。イノベーションは富と権力の勾配を急にして競争を促し、その競争がイノベーションを推進し、強力なフィードバックサイクルが誕生した。起業家や政府は、産業や軍事の面で優位に立てるようなイノベーションを探し求め、新しいテクノロジーや技能を生み出して広められる企業や科学者、学校、大学、研究機関に投資した。

二〇世紀初期の戦争は、イノベーションを否応なく推し進めた。第一次世界大戦中、ドイツで天然肥料が不足したので、フリッツ・ハーバーとカール・ボッシュが率いるドイツ人科学者たちが、大気中の窒素を取り出して人工肥料を作る方法を考案した。窒素は化学反応を起こしにくいので、これは簡単なことではなかった。何十億年も前に原核生物がこの問題を解決していたが、ハーバーとボッシュは大気中の窒素からうまく窒素化合物を合成した最初の多細胞生物となった。ハーバー＝ボッシュ法は、化学的に結合しにくい窒素の化合物を合成するために厖大なエネルギーを使うので、化石燃料のある世界でだけ実行できた。だが、窒素を基にした人工肥料によって農業は一変し、世界中で耕作地の生産性が高まり、さらに数十億人分の食料を賄うことが可能になった。人工肥料は、化石燃料エネルギーを食物に変えたのだ。

液体の化石燃料である石油は、一九世紀後期に初めは照明用鯨油の代わりに使われた。一八六〇年代と七〇年代に開発された最初の内燃機関によって、石油から機械的な力を生み出す方法が示された。熱源がエンジンの可動部分の外にある蒸気機関と違い、内燃機関では化石燃料から得られる熱はピストンやロータ―やタービンのブレードを直接駆動した。内燃機関は、二〇世紀後期に急速に広まった。それは主に、戦時中に兵士と装備の輸送に使われたり、最初の戦車の動力源として利用されたりしたからだ。また、最初の軍用機にも搭載され、空中から爆発物を落とすという邪悪な戦術をもたらした。ひとたび戦争が終わると、自動車や飛行機の製造業者は民間の市場に目を向け、より多くの個人が自動車を所有して使用したり、飛行機で移動したりする世界を創り出した。世界貿易は石油タンカーやコンテナ船や大型飛行機によって様変わりした。

情報は人新世のテクノロジーの中心に位置している。政府が教育と研究を大規模に拡大するための投資をし、企業が新しい製品とサービスを開発して広めるための研究に資金を供給すると、情報テクノロジーは一変した。戦時中の政府は敵の暗号を解読するために情報数学と計算数学の研究に資金を提供した。この研究は一九四〇年代後期のトランジスターの発明と相まって、二〇世紀後半の科学、ビジネス、政治、金融、日常生活のコンピューター化の基礎を築いた。同じく戦争中に発展したロケット工学は、やがて人間を宇宙空間に送り込むことになる。戦時中の政府は核兵器の開発という大規模な研究プログラムに着手した。アメリカ政府のマンハッタン計画によって最初の原子爆弾（一九四五年に広島と長崎に落とされたものも含む）が開発された。これらは、分裂するウランやプルトニウムの生み出す核エネルギーを放出した。間もなく、ソ連も独自の原子力兵器を開発した。それには、スパイがマンハッタン計画から漏らした情報が役に立った。その後一〇年以内に、アメリカとソ連は水素爆弾も製造した。水素爆弾は、核融合が生み出すはるかに大きなエネルギーを解き放った。すべての恒星がエネルギーを得るのと同じメカニズムだ。一九五二年に最初の水素爆弾の実験が行なわれた。

こうしたイノベーションのほとんどは、近代・現代科学の盛んな集合的学習の環境における数々の飛躍的発展に触発されたものだ。アルベルト・アインシュタインは自分の相対性理論を二〇世紀初めの二〇年間で練り上げた。物質とエネルギーが空間と時間を歪ませ、この歪みが重力の真の源であることを示して、ニュートンによる宇宙の解釈を改善したのだ。アインシュタインは物質をエネルギーに転換できることも示した。その見識によって核兵器と原子力発電の科学的な基礎がもたらされた。同時期に発展した量子物理学は、奇妙で確率的な原子核の世界に対する深い見識をもたらした。そのような理解がなければ、今日、核兵器も、トランジスターも、GPSも、コンピューターも存在していないだろう。一九二〇年代に、エドウィン・ハッブルなどの天文学者は、私たちの宇宙がビッグバンで始まったという最初の証拠を発見した。生物学では、ダーウィンの自然選択という考えが、メンデルの遺伝に関する見解やR・A・フィッシャーが改良した統計学の方法と組み合わさり、現代の遺伝学の基礎を築いた。

これらと他の多くの新しい見識とテクノロジーが、グレート・アクセラレーションの間のイノベーションと成長を推進した。生産性が向上すると、かつてないほど速い人口増加が可能になった。一八〇〇年には、地球には九億の人がいた。一九〇〇年の人口は一五億人だった。私が子供だった一九五〇年には、二度の世界戦争という巨大な惨事の後だったにもかかわらず、二五億の人がいた。私が歳を重ねる間に、人口はさらに五〇億人増えた。そのような厖大な数について考えると頭が麻痺するかもしれないので、その意味するところを把握するために、ここで少し時間をかけよう。一八〇〇年からの二〇〇年間で、人口は六〇億人以上増えた。増えた人間の一人ひとりに衣食住と仕事を与え、大部分に教育を受けさせなければならなかった。たった二〇〇年で増えた六〇億の人を支えるために十分な資源を生産するのは、とてつもなく大きな難問だった。

驚くべきことに、近代以降のテクノロジーと化石燃料と管理能力のおかげで、この難問は解決された。農業と製造業と輸送における生産性が急激に向上した。食料やその他の生活必需品が、それらを必要とする人に常に行き渡ったわけではないが、七〇億を超える人を養うのに十分な食料が生産された。決定的な変化をもたらしたのは、人工肥料や殺虫剤の生産、化石燃料で動く農業機械の使用、何千もの灌漑ダムの建設、そして新しい遺伝子組み換え作物の生産だった。近代以降の農業テクノロジーによって新たな農地が開拓され、一八六〇年には五億ヘクタールだった耕作地が、一九六〇年にはほぼその三倍にまで増大した。(3) 強力なディーゼルエンジンと音波探知機と巨大な網を装備したトロール漁船は、操業海域内にいるほぼすべての生き物をすくい上げた。漁獲高は、一九五〇年から二〇〇〇年までの間に一九〇〇万トンから九四〇〇万トンに増加した。だが魚の乱獲のせいで、多くの漁場は今や崩壊の危機にある。

情報テクノロジーが進歩したおかげで、イノベーションを推進したり、この上なく複雑な現代社会を維持していくための厖大な量の情報の蓄積、保存、管理、利用が以前より容易になった。通信テクノロジーと輸送テクノロジーは、集合的学習を一変させた。世界中に拡がり、人々の頭脳を結びつけ、電子的に保存された厖大な情報のなかの新しい情報を管理して検索することが可能な、単一のネットワークを初めて創出したからだ。人間の頭脳の圏域である人智圏が、生物圏内の変化の原動力となった。ネットワーク化された、安価だが高性能のコンピューターのおかげで、近代以前なら世界中の図書館からかき集めても得られなかったほど多くの情報に、何十億もの人がアクセスできるようになった。数学的に高度な現代の統計分析の技術とコンピューターが結びついたおかげで、政府や銀行、企業、個人は資源の巨大な流れを把握できるようになった。また、人は世界中どこにいても、電報や電話やインターネットを介して、瞬時に通信できるようになった。もし情報共有が私たち人間に大きな力を与えるのだとしたら、コンピューターはその力をさらに何倍にも大きくした。だが世の常とは言え、私たちが失ったものもある。書字の普及によっておそらく記憶力が衰えたのと同様、コンピューターや計算機が普及したことにより、計算力も低下した。

二〇〇〇年までに、化石燃料革命は、古くからの中心地域の多くも含め、世界の大部分に及んだ。一九世紀後期に見られた国富と国力における国家間の大きな隔たりは、埋まり始めた。二度の世界大戦によってかつての勢いを失ったヨーロッパ列強は、支配していた植民地を不本意ながら手放す一方、アジアや地中海東岸、北アフリカ、アメリカ大陸の古くからの中心地域は、テクノロジーや富や権力の面でヨーロッパの大国に追いつき始めた。

こうした変化のどれを取っても、その背景には化石燃料から得られる安価なエネルギーの大鉱脈があった。石炭生産は至る所で増加したが、それは石油や天然ガスの生産についても同様だった。アラビア半島、イラン、ソ連、さらには各地の大陸棚沿いでも新たな油田が開発された。中東だけでさえ、一九四八年に二八〇億バレルだった石油生産高は、そのたった二四年後の一九七二年には三六七〇億バレルにまで増加した。天然ガスも、グレート・アクセラレーションの間に大量に生産されるようになった。エネルギーの総消費量は一九世紀に倍増し、二〇世紀には一〇倍に膨れ上がった。人間のエネルギー消費量の増加速度は、人口の増加速度をはるかに上回っていた。

変わりゆく世界――統治と社会

統治と社会の性質そのものが、人新世の新しいエネルギーの流れとテクノロジーによって変容した。かつて、人間はみな狩猟採集民だった。そして統治とは、じつは家族内の人間関係を意味した。農耕が登場して農村に住む人の数が増えていき、人々は農耕で暮らしを立てるようになった。農耕社会では、統治とは何よりも、農民からエネルギーや資源を徴集することを意味した。今日、大部分の人は食料や他の生活必需品を生み出すために、もう狩猟採集や農耕に勤しんではいない。人々は賃金労働者になった。古代シュメールの陶工たちのように、専門化した仕事をして賃金を稼ぎ、それで生活する。そしてそのせいで、統治の性質が一変した。なぜなら、今や政府はすべての国民の日常生活に関与せざるをえなくなったからだ。それは、農民と違って賃金労働者は政府なしには生きていけないためだ。農村は、巨大な農耕文明の枠の外でも問題なく存在できたが、賃金労働者は、法律、市場、雇い主、店舗、通貨などの存在なくしてはやっていけない。専門職の賃金労働者は、神経細胞と同じで、単独では生きていけない。だからこそ、農民の世界よりも賃金労働者の世界のほうがはるかに強固に統合されている。現代の政府は市場や通貨を統制し、雇用を提供する企業を保護し、国民のほとんどに識字能力を広めることのできる大衆教育制度を創出し、商品や労働者の移動のためのインフラを整える。これをすべて行なうために、ますます多くの国民を統治や行政の仕事に取り込む必要がある。

近代型の統治への転換は、一九世紀に見て取れる。この頃に工業化が始まり、農民がどんどん賃金労働者になり、政府はしだいに多くの国民を動員し始めた。革命によって変容し、ヨーロッパ諸国の大半から攻撃を受けた革命期のフランスは、国民全体から組織的に兵士を召集した最初の近代国家の一つだった。アメリカ合衆国政府も戦時に形成された。戦争中は国民の多くを動員しなくてはならなかった。そのためには、国民の数、健康状態、教育、技能、富、忠誠心などに関する詳細な記録が必要だった。従来の政府のほとんどは、こうした問題を無視することができた。革命期のフランスとアメリカの政府は、民主化とナショナリズムを通じて国民の忠誠心を結集し始めた。民主化によりさらに多くの人が政府の活動に取り込まれ、ナショナリズムは人々の国民共同体としての感覚に訴えかけた。政府はしだいに多くの国民に対して（富裕な男性、それ以外の男性、女性の順番で）、選挙を通して政府内で何らかの役割を提供した。学校や急速に発達するニュースメディアを通して、政府は自国民の心を摑んで新たな形の忠誠心を生み出そうとした。伝統や宗教、さらには言語さえ異なる人々を一つにまとめるのに、ナショナリズムは強力な手段であることが判明した。ナショナリズムは、厖大な数の人から成る想像上の巨大な家族を国民の心の中に構築することで、親族の絆という昔ながらの本能を活用して国民を感化し、その家族に忠誠を尽くし、奉仕し、戦争という究極の非常時に際しては命までも差し出すべきだと考えさせた。

二〇世紀前期の全面戦争は、政府を経済の管理者へと変えた。政府は、国民と近代の産業経済の人員と資源をすべて動員しようとしたからだ。経済管理において政府の役割がどのように増大していったかは、ざっとたどることができる。一九世紀後期には、フランス政府の支出は、国内の総生産量の大まかな尺度であるGDPの約一五パーセントを占めていた。当時、その割合はかなり多いと思われた。同時期に、イギリスとアメリカの政府支出が自国のGDPに占める割合は一割に満たなかった。二〇世紀前期の戦争によって、各国政府は経済管理にもっと積極的にかかわらざるをえなくなり、二〇世紀半ばまでには、政府の経済的な役割は至る所で増加していた。二一世紀初頭には、OECD（経済協力開発機構、一九六一年に設立）に加盟している国々の政府が統制または管理する政府支出がGDPに占める平均的なシェアは四五パーセントで、富裕国の大半では三〇パーセントから五五パーセントの範囲に収まっていた。[4] ソ連や中国の共産主義政権など、一部の政府は、国家経済全体を細かい点まで管理しようとした。現代の政府はまた、近代兵器を備えた軍隊や警察を通して、旧来の政府よりもはるかに大規模に、威圧的な力を振るった。そのような権力は、国政術に関する古代インドの著作『実利論』の書き手には想像もできなかっただろう。現代の政府は、農耕時代の最も強大な政府でさえ影が薄くなるほどの規模や勢力範囲、権力や影響力を伴っている。

相互のつながりがますます強まる世界では、統治もよりグローバルな形を取るようになった。二〇世紀後期には、グローバルな規模で管理や勧告や統治を行なう多くの政治的な組織（まだ政府にはなっていないもの）が存在するようになった。そのなかには国際連合、国際通貨基金、数多くの企業や、赤十字のような非政府組織（ＮＧＯ）などが含まれており、いずれも多くの国々で活動している。こうした機関は、まだ初期の形態ではあるが、ほんの数世紀前には想像もできなかったような、新たなグローバルなレベルでの統治を体現している。

新しい生き方と在り方

技術的な変化や政治的な変化に伴い、人間の生活様式（人生における経験）も同じように根本的に変化してきた。

現代の人間は、私たちの祖先なら困惑し、混乱し、恐れさえ抱きかねないような生き方をしている。田畑を耕し、種を蒔き、収穫し、家畜に餌をやり、牛の乳を搾り、薪を割り、キノコやハーブを採集し、子を産み育て、食べ物を調理し、栽培した植物の繊維を使って機《はた》を織りといった、農民の世帯におけるさまざまな活動のすべてが、何千年にもわたって大多数の人の人生の大半を占めていた。一方、今日ではほとんどの農民が起業家や賃金労働者だ。彼らは、遺伝子組み換え品種を含む数種類の作物だけを専門に扱う、工業化された巨大な農場で働いている。多量の化学肥料と殺虫剤、エネルギーを大量に消費する収穫機やトラクターやトラックを使って、作物を育て、運搬する。現代の農民は、食べるためにではなく売るために作物を育てる。事業を経営する。銀行からお金を借り、種子や化学肥料やトラクターを大企業から買う。

大部分の人はもう農村ではなく、町や都市で暮らす。農村に付き物の野や小川や森を離れて、ほぼすべてが人間の活動によって形成された環境で暮らす。さまざまな仕事や技能や専門知識の形態が急増するにつれて、人々はますます学習に時間を割くようになる。価値があるのは、農民の汎用的技能ではなく情報（専門知識）だ。現代農業の生産性と現代医療の進歩のおかげで、ますます多くの人が、一世紀前でさえ稀だった水準の栄養と健康状態に恵まれている。現代の麻酔技術によって、苦痛を伴う従来の医学的処置のほとんどは過去のものとなった（一杯のアルコールしか、切断術や抜歯の痛みを和らげる術のない時代はもう終わった）。何よりも特筆するべきなのは、たった一世紀の間に、こうした変化によって人間の平均余命が二倍以上に伸びたことかもしれない。

二〇世紀には多くの戦争があったものの、対人関係でもおおむね暴力が減った。この変化にはいかにももっともな理由がある。ここ一、二世紀の間に、強制によって人の行動を意のままにするのはあまり効果的な方法ではなくなり（あなたが最後に公開鞭打ち刑を目にしたのはいつのことだろう？）、経済的な見返りや制裁がしだいにそれに取って代わるようになったからだ（あなたはおそらく、昇給を要求したことがあるはずだ）。今日、奴隷制度や家庭内暴力は間違っているとほとんどの人が当然のように考えているが、一八世紀になってもなお、ほぼ世界中で奴隷売買は真っ当な行為だったことを忘れてはならない。拷問や処刑は軽い罪に対してさえ標準的な刑罰だったし、大衆向けの娯楽と一般に受け止められていた。また、殴打や体罰は学校や家庭内での秩序を保つためには当たり前であり、何ら問題のない方法だと見なされていた。個人的暴力は依然として目に余るが、世界全体の人口を考えれば、以前に比べて格段に少なくなっており、行動を制御するための方法としてはもう容認できないとほぼ世界中で考えられている。

農民の世界ではほとんどの人がぎりぎりの生活をしていた。物が不足している状態は日常茶飯事で、大多数の人にとって豊かさとは、頑丈な家、借金のない生活、税金を払い家族の衣食を賄うのに十分なお金を意味した。今日の大量消費社会はそれとはまったく違う。社会を活気づけているのは経済制度で、世界の裕福な地域ではその制度がじつに大きな物質的な富を生み出すから、急速に成長するグローバルな中間層による継続した大量消費が、まさにその制度の存続の鍵を握っている。私たちの多くが当然だと思っている進歩という考え方も、新しいものだ。人間の歴史の大半を通して、大惨事が起こらなければ、子供は親とほぼ同じような生活を送るものと思われていた。

家族や子供に対する考え方は根底から変わった。ここ数世紀、栄養状態や医療が進歩したおかげで、子供の死亡率が下がり始め、昔に比べて多くの子供が成人するまで生きるようになった。それにもかかわらず伝統的な考え方のせいで、農民の家庭は相変わらずできるだけ多く子供を持とうとし続けた。そうした傾向に加え、食糧生産の増加、死亡率の低下などによって、ここ一、二世紀は凄まじい勢いで人口が増えた。とはいえ、多くの家族が町に移り住み、子供の教育や養育に費用がかさみ、以前より多くの子供が成人するまで生きるようになると、伝統的な考え方がついに変わり始めた。都会に暮らす家庭では子供の数が減り始め、出生率が低下に向かった。最初に死亡率が低下し、出生率の低下がそれに続く現象は、人口統計学者が言う「人口転換」だ。つまり少産少死という、人口統計における新たな形態の出現だ。なぜ二〇世紀に、まず豊かな国から、続いて世界中で人口増加率が低下し始めたのかは、これで説明できる。また、ジェンダー（社会的・文化的性別）に基づく役割分担に起こった根本的な変化も、これで説明しやすくなる。成人期のすべてを、子供を生み育てることだけに費やさなければならないという女性へのプレッシャーが減ったことで、従来あった男性と女性の役割の境界線が曖昧になり、農耕時代のほぼ全般にわたって男性にしか許されていなかった役割を女性が務められるようになったのだ。

今の時代に生きている人なら誰でも、こうした現代の生活様式の側面には馴染みがあるが、今では消滅してしまった農民の世界との差異を十分に理解するのはもっと難しいかもしれない。それよりさらに理解が困難なのは、現代社会の複雑性が驚くほど増大していることだ。私たちの生活のありとあらゆる詳細が、食糧や雇用、医療、教育、電気、自動車の燃料、衣服などを供給する何百万もの他の人間がかかわるネットワークに取り込まれている。こうした一連のつながりの一つひとつには、信じられないほど複雑なネットワークで結ばれた他の何千あるいは何百万という人間が含まれていることもある。私は空港で暇な時間があると、よく計算してみる。エアバス380を製造・維持し、シドニーからロンドンまで飛ばす作業にどれだけ多くの人がかかわっているのか？　このような相互関係のどれか一つでも弱まったなら、私たちの世界は恐ろしいほど短い時間で機能停止に陥りかねない。今日、世界の中で国家の構造が崩壊してしまった地域を見れば明らかだ。『実利論』を著したカウティリヤなら、こう言っただろう。こうした地域に住む人間は、「魚の道理」の下に生きている、と〔訳注　二七五ページ参照〕。

変わりゆく生物圏

化石燃料革命とグレート・アクセラレーションは、人間社会を一変させただけでなく、生物圏もすっかり変えつつある。人間の活動が生物の分布や数を変化させ、海洋や大気の化学的性質を変え、地形や河川を配置し直し、生物圏内で窒素、炭素、酸素、リンを循環させる太古からの化学循環のバランスを崩している。

ずいぶん時間がかかったが、研究者たちがようやく気づいたように、今や、人間の活動の影響は生物圏の安定を維持する主要な生化学的プロセスの数々の影響と同じぐらい大きい。私たちは自らのしていることをよく理解もしないまま、四〇億年にわたって地表を生命に適した温度に保ってきた生物圏のサーモスタットをもてあそび続けている。

炭素は生命の化学作用の中核を成しており、大気や海洋や地殻の中の炭素の分布が、地球の歴史を通して地表の温度を決定するのに一役買ってきた。今日私たちは、化石燃料のエネルギーを利用することによって、大量の二酸化炭素を大気中に送り返している。だが、それが炭素循環に与えているかもしれない影響を科学者が真剣に考えだしたのは、一九五〇年代に入ってからだった。チャールズ・キーリングは、一九五八年にハワイで大気中の二酸化炭素濃度を測定し始めた。そして数年のうちに、この濃度が急激に増していることを突き止めた。化石燃料革命以前は、人間の排出する二酸化炭素は大気中の二酸化炭素濃度に影響を及ぼすほど多くはなかった。ところが今日、人間の活動によって毎年約一万メガトンの二酸化炭素が大気中に放出されており、産業革命以降の二酸化炭素の総排出量は約四〇万メガトンに達すると推定されている。[5] この変化がいかに重大であるかが明らかになったのは、過去数十万年にわたる二酸化炭素濃度を測定するさまざまな方法を研究者が見つけ出したときだった。その方法の一つは、氷床コアを調べるというものだ。氷床コアには細かい気泡が含まれており、気泡は年々閉じ込められていくため、この気泡から地質学的時間スケールで大気の組成がわかる。こうして測定した結果、産業革命以後の二〇〇年間に大気中の二酸化炭素濃度が、それ以前のほぼ一〇〇万年間に一度も見られなかった水準まで上昇したことが明らかになった。

キーリングが気づいた変化は現実のもので、はなはだしかった。そして、炭素循環を変えていた。二酸化炭素濃度の増加は気候の温暖化を意味し、気候の温暖化は、ハリケーンや嵐や気流の勢いが増し、海面が上昇して低地の都市が浸水することを意味する。その影響は何世代にもわたって続くだろう。二酸化炭素はいったん大気中に放出されると、長期間そこにとどまるからだ。だが、人間の活動によって大気中の濃度が増加した主要な温室効果ガスは、二酸化炭素だけではない。この二世紀、メタンの濃度は二酸化炭素の濃度よりもさらに速いペースで増加した。これは主に水田での稲作の普及や、家畜数の増加による。メタンはいっそう強力な温室効果ガスではあるが、分解も速い。

二〇世紀後期には、このような変化が大気に与えると予測される影響について、気象科学者はコンピューターを使ってしだいに高度なモデルを作成できるようになった。そうしたモデルは次のようなことを示唆している。数十年以内に、温室効果ガスの排出によって世界の気温が上昇し、氷河や氷冠が解けて海面が上昇するため、多くの沿岸都市が水没するだろう。また、熱エネルギーや水の蒸発量が増加することで、ますます不安定で予測の難しい異常な気象パターンが確実に生じ、農業が今より難しくなる。数十年のうちに、地球の気候は完新世の比較的安定した気象パターンとまったく違って見えるようになるだろう。あるアメリカの気象科学者が述べたように、「気候は怒れる獣であり、私たちはそれを棒で突《つつ》いている」[6]のだ。

窒素は炭素と並んで生命にとって不可欠だ。一八九〇年には、窒素循環に与える人間の影響は取るに足りないものだった。毎年、人間は主に農業を通じて大気中の窒素を約一五メガトン取り込んでいたが、野生植物が取り込む窒素の量は約一〇〇メガトンで、人間のほぼ七倍だった。一〇〇年後には、人間と野生植物の立場が逆転した。一九九〇年までには耕作地の面積の割合が増加したため、野生植物が取り込む窒素の量が約八九メガトンに減ったのに対して、農業や肥料生産を通じて人間が取り込む窒素は一一八メガトンに増加していた。

人間が他の大型哺乳動物に与える影響も深刻になってきている。一九〇〇年には、野生の陸棲哺乳動物の炭素生物量は約一〇メガトンに相当した。人間の炭素生物量はすでに約一三メガトン相当だったが、人間の飼っている牛、馬、ヒツジ、ヤギといった家畜哺乳動物は三五メガトンという驚くべき量に相当していた。その後の一世紀の間に、この不均衡はさらに増すことになる。二〇〇〇年までには、野生の陸棲哺乳動物の総炭素生物量が約五メガトンにまで落ち込んだのに対して、人間の炭素生物量は約五五メガトンにまで急増し（人口増加についてわかっていることを考えれば意外ではない）、家畜哺乳動物の炭素生物量は驚異的な一二九メガトンにまで上昇した。これは、人間の活動が拡大して生物圏の資源をますます多く利用するようになったために、どれだけ他の大型動物を締め出しているかをはっきり示している。

この問題は全体に及んでいる。人間にとって直接的な価値のない動植物は、ほとんどの種が減少している。そのペースがあまりにも速いため、私たちは新たな大量絶滅イベントの初期段階を目にしているのではないか、と推測する者もいる。現在の絶滅の割合は過去数百万年と比べて何百倍も速く、六五〇〇万年前の最後の大量絶滅イベント以来見られなかった割合に近づいている。私たち人間はこれまで、おそらくネアンデルタール人のようなホミニン（ヒト亜族）の親戚なども含め、自分に最も近い種まで絶滅に追い込んでしまった。現生している最も近い種のチンパンジーとゴリラとオランウータンは、野生では絶滅の危機に瀕している。

化石燃料革命によって、他の多くの領域でも人間の影響は規模を拡大してきた。今では採鉱や道路の敷設や都市の拡がりが、浸蝕や氷河作用以上に土を移動させている。ディーゼルポンプが帯水層から淡水を吸い上げるペースは、自然の流水が帯水層を補充できるペースより一〇倍速い。私たちは、かつては目にしなかった鉱物や岩石や物質形態を生み出している。これにはプラスティック（石油から作られ、現在、都市の埋立地や海中に蓄積している）、純アルミニウム、ステンレス鋼、大量のコンクリート、人工岩などがあり、現在その製造が炭素排出の大きな要因となっている。およそ二四億年前に大気中の酸素量が増えてからこのかた、新しい物質が地球上にこれほど蔓延したことはなかった。[7]

これらの変化のうちでもとりわけ恐ろしいのは、人間の兵器生産力が増していることだ。ほんの数世紀前は、最も殺傷力のある武器は槍か、もしかしたら投石機だった。中国が先駆けとなった火薬革命によって、中世後期以降にマスケット銃やライフル銃、大砲、手榴弾がもたらされた。第二次世界大戦末期以降、わずか数時間で生物圏全体を破壊しうる武器、恐竜を全滅させた小惑星のような破壊力を持つ武器が量産された。

人新世における変化を測定する

情報やエネルギーの新しい流れによって、人間と動植物だけでなく、土壌や海洋や大気の中の化学物質も、主に私たち自身の種のために構築された単一のシステムの中に組み込まれた。このシステムは化石燃料から得られる、巨大なエネルギーの流れに依存している。人新世におけるこのエネルギーの流れの影響は、付表（三七四ページ）の数字を使って大まかに測定することができる。

真っ先に目を引くのは、ここ数世紀の変化の途方もない規模だ。過去二〇〇年で、人口（B列）は九億人から六〇億人を超えるまでに増加した。これを一〇〇〇年に換算すると二六〇億人の増加となり、一〇〇〇年ごとに平均で約二五〇〇万人が増加していた農耕時代の一〇〇〇倍の増加ペースだ。このような増加ペースは持続不可能であり、この数十年は減速し続けている。それでもなお、この数字は化石燃料革命が人口増加に与えた影響の凄まじさを物語っている。

急激な人口増加を支えていたのは私たちの種が利用できるエネルギーの大幅な増加だ（C列）。最終氷期の終わりから二〇〇〇年前までの八〇〇〇年間で、人間のエネルギー消費量は約七〇倍増えた。一八〇〇年から二〇〇〇年までのわずか二〇〇年間で、エネルギー総消費量は約二二倍増加し、二〇七億ギガジュール（二〇・七エクサジュール）から四五七五億ギガジュール（四五七・五エクサジュール）になった。これは一〇〇〇年ごとに二一八四エクサジュールの割合での増加であり、農耕時代の二万倍のペースで増えたということだ。

化石燃料のエネルギーの大鉱脈は、農耕のエネルギーの大鉱脈と同じように、人口増加や、エントロピーが要求する「複雑税」、ひいては生活水準の向上を賄うために使われたが、規模は農耕時代よりはるかに大きかった。さらに今度は、生活水準の向上は世界人口の一〇分の一にとどまらず、新たに出現してきたはるかに多くの中間層にまで拡がった。

化石燃料というエネルギーの大鉱脈の多くは、人口増加の代価を払うために使われた。この二世紀で世界人口に加わった五〇億〜六〇億人に衣食住を提供するためだ。だが、化石燃料の大鉱脈は農業の大鉱脈とは比べ物にならないほど巨大だったので、ずっと多くが残り、それが他の目的に利用された。D列を見るとそれがわかる。一人当たりのエネルギー利用量が過去一〇〇〇〇年間でほぼ八倍になったのに対して、最終氷期の終わりから二〇〇〇年前までの八〇〇〇年間全体でも、増加は二倍足らずだった。過去二〇〇年間で人口は猛烈な勢いで増えたが、エネルギーの流れの増加ペースはそれさえ上回った。

複雑さを増していく社会に対してエントロピーが要求する税金のために、余剰エネルギーの多くが払われてきたに違いない。そのエネルギーの多くは生産的な仕事をしなかった。あるいは、熱として放散したり、公害や廃棄物や戦争による破壊の形で浪費されたりした。それは、複雑な構造を劣化させるというエントロピーの仕事をしていたのだ。それがどれほどの量に上るかを適切に表す基準はないが、相当多いに違いない。そして、今日のグローバル社会におけるインフラを賄うために支払ったエネルギーや富という、別の「複雑税」もある。この二〇〇年で、最大級の都市の規模は人口にして約一〇〇万人（二〇〇〇年間ほとんど変わらなかった水準）から二〇〇〇万人を超えるまでに拡大した（F列参照）。現代の都市に必要な電力、下水道、道路、公共交通機関などのインフラ、そして、狭い地域に密集する二〇〇〇万という人々の活動を規制し取り締まる難しさを考えると、社会やテクノロジーが飛躍的に複雑になったのは明らかだ。複雑税は、建物やバス、電車、フェリー、下水道、道路の建設・建造や維持の代価を支払う。ゴミの収集、電力供給網、法体系、警察活動、刑務所、裁判所、そして世界中の都市を単一のネットワークとして結びつける船舶、飛行機、電車、インターネットのつながりの代価を支払う。すべてがエネルギーの巨大な流れによって動くこういったさまざまなシステムがなければ、現代の都市の複雑な構造はたちまち崩壊するだろう。都市自体は、幹線道路や法律や電子通信などから成る複雑なインフラによって、何十万という小さい町や村や隔絶した集落とつながる。それを正確に測る術はないが、「複雑税」が化石燃料のエネルギーの大きな部分を占めているのは間違いないだろう。

だが、化石燃料の大鉱脈があまりにも巨大だったため、多くのエネルギーが残り、さらに別の課題に使われた。人間の福祉を向上させることだ。農耕時代と同じで、不釣り合いなまでに多くの富が相変わらずごくわずかなエリート層を支えている。つまり、過去と同様に、エネルギーの大鉱脈のうち、かなりの部分をエリート層の消費に割り当てられるわけだ。だが、エネルギーや富の増加量があまりにも多かったため、人間の歴史上初めて、世界で増え続ける何十億という中間層の人々の消費水準が向上し始めた。その人数は、農耕時代の終わりの世界総人口をはるかに上回っていた。トマ・ピケティの推定によると、現代のヨーロッパ諸国では人口の四割が国富の二五~四五パーセントを支配しているという。これほどの中間層の出現は人間の歴史における新たな現象だった。そして、この新しい中間層に加わる人々がますます増えており、それとともに、極貧生活を送る人の割合が減っている。

矛盾するようだが、富の増加は不平等の増加も意味し、最低生活水準より上の暮らしをしている人の数が増えているにもかかわらず、極貧生活を送る人の数は人間の歴史上、かつてなかったほど多い。トマ・ピケティの推定では、ほとんどの現代国家で、豊かさで国民を順位付けしたときに、上位一割が二五~六〇パーセントの国富を支配しているのに対し、下位の五割が支配する国富はわずか一五~三〇パーセントだという。この数値から、第一次世界大戦直前の時代と比較すると不平等が減少していることがわかる。だが二一世紀初頭には、不平等は再び拡大しているように見え、今や厖大な数の人が生きていることを考えると、絶対数としては、極貧生活を送る人々は過去と比べてはるかに多い。二〇〇五年には、三〇億以上の人(一九〇〇年の世界総人口より多い人々)が、一日二・五ドル未満で暮らしていた。この集団に属する人のほとんどが、化石燃料革命の恩恵をろくに享受したことがなく、ディケンズやエンゲルスが活写した、かつての産業革命初期のもののような、不健康で非衛生的で不安定な生活状況に苦しんでいる。

それでも、増大し続けるエネルギーや富の流れから恩恵を受け、最低生活水準よりずっと上の暮らしをする人の割合がしだいに増えている。この流れによって何十億という人の消費水準が上がり、栄養や健康状態の水準も改善してきた。この変化を最もよく捉えている尺度が、おそらく平均余命だ(E列)。人間の歴史の大半を通じて、出生時の平均余命は三〇年に満たなかった。これは人が六〇代や七〇代まで生きなかったからではなく、あまりにも多くの子供が幼くして亡くなり、あまりにも多くの大人が今日なら命を落とさないような外傷や感染で亡くなったからだ。平均余命は一〇万年間ほとんど変わらなかった。その後、わずかこの一〇〇年のうちに平均寿命は世界中でほぼ二倍になった。子供や老人をはるかにうまく世話し、より多くの人に食物を与え、病人や怪我人の治療や介護を改善するのに必要な情報や資源を、人間が獲得したためだ。

化石燃料と農業のエネルギーの大鉱脈を比べると、著しい差がある。化石燃料のエネルギーの大鉱脈はあまりにも大きかったので、子孫を残し、エリート層を富ませ、浪費をし、複雑なインフラを構築・維持する費用に加えて、人口のしだいに多くの割合の消費水準や生活水準を上げるための余剰が十分にあった。これは革命的な変化だった。ほとんどがわずかこの一〇〇年間、それも主に二〇世紀後半のグレート・アクセラレーションの間に起こったのだ。

これは人新世の良い（人間の観点からすると良い）面だ。良い人新世は、人間の歴史上初めて、何十億もの一般人のためにより良い生活を生み出した（このような改善が起こったかどうか疑問に思う人は、近代的な麻酔を使わずに外科手術することをもう一度考えてみてほしい）。

だが、人新世には悪い面もある。悪い人新世は良い人新世が達成したことを脅かす多くの変化から成る。まず、悪い人新世は途方もない不平等を生み出した。莫大な富の増加があったにもかかわらず、じつに多くの人がひどい貧困生活を送り続けている。また、現代の世界では奴隷制度は廃止されたと考えたくなるが、二〇一六年の世界奴隷指数の推定によると、今日、四五〇〇万を超える人が奴隷として暮らしているという。悪い人新世は道義的に受け容れ難いだけでなく、危険でもある。争いを避けられず、核兵器のある世界では大規模な争いが起これば、ほとんどの人間にとって壊滅的な結果になりかねないからだ。

悪い人新世はまた、生物多様性を低下させ、過去一万年間続いてきた安定した気候システムを蝕む恐れがある。増加する人間の消費を支えるエネルギーや資源の流れは、今やあまりに巨大で、他の種を疲弊させ、現代社会が拠って立つ生態学的基盤を危うくしている。かつて炭鉱作業員はカナリアを連れて坑道に入り、一酸化炭素を検知した。今日では、二酸化炭素濃度の増加や生物多様性の劣化や氷河の融解が、何か危険な事態が起こっていることを私たちに告げている。私たちは、それを自覚するべきだ。

私たちが種として直面している難題は明白そのものだ。良い人新世の長所を維持し、悪い人新世の危険を避けることはできるだろうか？　人新世のエネルギーや資源の大鉱脈をもっと公平に分配して、壊滅的な争いを回避できるだろうか？　そして私たちはそうするために、最初の生物のように、もっと穏やかで小さい資源の流れを利用する方法を学べるだろうか？　今日すべての生細胞を駆動するために使われている繊細なプロトンポンプに、グローバルなレベルで相当するものを見つけられるだろうか？　それとも、あまりに巨大なために、過去二〇〇年間に私たちが築き上げてきた途方もなく複雑な社会を、ついには揺るがし崩壊させてしまうだろうエネルギーと資源の流れに、依存し続けるのだろうか？

第Ⅳ部
未来

12　すべてはどこへ向かおうとしているのか？

予測をするのは難しい。とくに、未来については。
——ヨギ・ベラ（の言葉とされる）

人類が与えられたのは地球の使用権だけであって、消費する権利、まして不道徳な浪費をする権利など与えられていないことを、我々はとうに忘れている。

——ジョージ・パーキンス・マーシュ『人間と自然（*Man and Nature*）』

未来予測ゲーム

序章で私たちは、途方もなく多様な行列に出会った。そこには星々、ヘビ、クォークや携帯電話などが連なり、瞬き一つしないもののうんざりした眼差しのエントロピーにじっと見つめられながら、超新星の遠い雷鳴に合わせて揃って歩みを進めている。行列はどこへ向かおうとしているのか？　妙なことに、未来についてじっくりと体系的に教える現代の教育制度はほとんどない。この無関心には驚く。未来について考えるというのは、脳が発達した生物ならみなやることであり、しかも私たち人間は他のどの種よりもそれを得意とするからだ。人間のものであれチンパンジーのものであれ、脳は今この瞬間の世界を単純化したモデルを生み出す。また、世界はどのように変化しうるか、というモデルも作る。脳は、株の仲買人や気候学者と同じで、未来をモデル化するのが仕事だ。そうすることで、迫りつつある可能性や危険を、自分の主《あるじ》に告げる。

今日、私たち人間はとてつもない技能と規模で未来予測ゲームに取り組める。私たちのモデルは多彩で強力だ。なぜなら、人間の言語と情報共有のおかげで、何十億もの個人のモデルを組み合わせることが可能だからだ。それは私たちが、自分のモデルを練り上げ、豊かにし、改良できることを意味する。幾世代にもわたる厖大な数の人々のモデルに加えたり、そうしたモデルからのフィードバックや新情報によって調整したり、修正したりできるからだ。世界についての今日のモデルの数々は、地球のあらゆる箇所からの情報を盛り込んでいる。私たちはそうしたモデルを、最高水準の現代科学を駆使して作り、複数のコンピューターネットワークで処理し、何百万通りもの異なる筋書きをシミュレーションできる。「グリーンランドの氷河が全部解けて海面が上昇したら、マイアミやダッカは水没するか？」一〇〇年前なら、私たちはそんなことを真剣に問うわけにはいかなかっただろう。今日この種の問いに対しては、慎重に試算を重ねて充実した答えを出し、それに基づいて、何十億もの人に影響を及ぼす政策上の決定を下すことが可能だ。影響を受ける人の多くは今日幼いか、まだ生まれてもいない（ちなみに、先程の問いに対する答えは、イエスで、マイアミとダッカは水没するだろう）。

また、私たちは遠い未来に関するもっと壮大な問いを発することもできるだろう。たとえば、「エントロピーは勝利するか？　エントロピーは最終的に、構造や形態をことごとく壊すのか？」というような。たまたま、私たちはそうした問いに対しては、かなり自信を持って答えられる。宇宙論的規模で見れば、それは比較的単純な種類の変化についての問いだからだ。私たちは初期宇宙における複雑な物理系に立ち戻ったことになる。未来についての宇宙論的な問いに対する答えは、時間的にはるか先の出来事についてのものだから、今日、現実的な指針は提供してくれない。だがその答えは、私たちの現代版のオリジン・ストーリーに形を与えることはできる。なぜなら、すべてがいったいどこへ向かっているのかについての、思わせぶりの手掛かりを与えてくれるからだ。ひょっとしたら深遠な理解を提示し、この物語の終幕を実感させてくれさえするかもしれない。だが、けっして指針にはならない。

人間の時間スケールと宇宙論の時間スケールとの間には、二〇〇〇~三〇〇〇年という別の時間スケールが存在する。二〇〇〇年後には、地球はどんなふうになっているだろう? さらに言えば、人間はどうなっているだろう? あるいは火星のトウモロコシや都市や植民地は?[1] 奇妙なことに、人間のものと宇宙論のものとの間にあるこの時間スケールは、モデル化するのが最も難しい。このスケールでの興味深い問題は、生物圏のような途方もなく複雑なシステムについてのもので、二〇〇〇年たてば可能性の樹形図はあまりに多く枝分かれしているだろうから、最強のコンピューターモデルでさえ最も有力なものを選ぶことができない。だが、私たちの前に立ちはだかるのは枝の数だけではない。量子物理学が立証したとおり、極小のスケールでは宇宙は決定論的ではない。思いもよらない出来事が現に起こり、それが一匹のチョウの羽ばたきのように、次々に連鎖反応を引き起こし、じつに多くの方向へと未来を導きうる。だから、ごくありきたりの不確実性がたっぷり存在しているのだ。

私たちの脳も、最良のコンピューターモデルも、ウイルスの中でのたった一つの遺伝子の突然変異が引き起こす感染症の世界的大流行や、近くの超新星の爆発の影響をまだ計算に入れられない。もっとも、私たちは小惑星の衝突の可能性（恐竜たちなら、どれほど知りたがったことだろう）なら、もう少しで予測できるところまで来ているかもしれないが。この中程の時間スケールでは、私たちはSFの領域に足を踏み入れる。今後の数千年について私たちが語るさまざまな物語は、魅力的で印象的で重要だ。だが、どれを本気で選び出すべきか判断する術はない。

人間の未来、それは冒険である

私たち人間にとって、次の一〇〇年はじつに重大だ。物事は猛烈な速さで起こっているため、この先数十年に私たちのなす行為の一つひとつが、何千年というスケールで私たち自身や生物圏に途方もない結果をもたらすだろう。それは、事故が起こる寸前のスローモーション映像を見ているようなものだ。好むと好まざるとにかかわらず、今や私たちは生物圏全体を管理しており、それに成功することも、失敗することもありうる。

私たちは、予測不可能な未来にどう向き合うべきかについて、あらゆる種類の神話から多くを学びうる。それらは、危機一髪の出来事、壊滅的な失敗、成功を収めた冒険などについての物語に満ちているからだ。では、今日何が新しいかと言えば、それは、七〇億の人間が巻き込まれる破綻の可能性であり、他の無数の生物がそれを傍観したり、その道連れとなったりするだろう。だから現代の人間は、優れた神話に必ず登場するヒーローやヒロインのように、ある任務を帯びている。それはその破綻を未然に防ぎ、人間と生物圏の両方にとって地球を居心地の良い場所にする、という任務だ。なぜなら、生物圏が破壊されれば、そこは人間にとって好ましくない場所であることがわかっているからだ。

だが、どんなに優れた神話も何かを保証してくれるわけではない。その破綻は現実に起こりうる。私たちは、人間自らが築いてきた複雑でグローバルな機械の操縦を誤り、良い人新世の恩恵を失うことがあるかもしれない。もしそれぞれの操縦者がこの機械を別々の方向に進ませようとしたら、あるいはもし制御盤に点灯している赤い警告灯を無視したら、事故が起こる可能性はきわめて高い。その機械が壊れて生産力が激減すれば、七〇億もの人を養えなくなる。私たちは、社会の混乱、戦争、飢饉、病気の蔓延という恐ろしい時代に直面するだろう。それこそ『実利論』の「魚の道理」の世だ。その後、もし物事がしかるべき状態に落ち着けば、そのときはごく少数の生存者が、再び農耕時代のエネルギーの範囲内で生きていくだろう。そこでは、最低生活水準より豊かな生活を楽しめる人は、ごくわずかだ。また気候システムに深刻な打撃を与えれば、世界の大部分ではもう農業さえままならなくなるかもしれない。つまるところ、農耕は完新世の安定した気候に依存してきたのだから。

とはいえ、先のことなど誰にわかるだろう？　SFにも見られるように、生存者たちは、私たちの世界に似たようなものを少しずつ再建するかもしれない。記憶と、焼け焦げた書物や原稿、あるいは町や工場、機械、マイクロチップなどの残骸を手掛かりにして。それとも一部の人が言ってきたように、私たち人間が扱える複雑さには限りがある、ということがありうるのだろうか？　私たちは、人間には絶対超えられない複雑さの水準に達してしまったのか？　もしかして、複雑さの壁にぶつかるのは、集合的学習ができるすべての種の宿命であって、その時点で彼らの社会は崩壊するのか？　だからこそ私たちは、集合的学習のできる他の種にまだ接触したことがないのか？　ギリシア神話で神々がコリントスの王シーシュポスを罰するのは、シーシュポスがあまりに賢く野心的であるためだ。まるでエントロピーの助言でも受けたかのように、神々はシーシュポスに、ある宿命を負わせる。大岩を山の上に押し上げ、それが転がり落ちるさまを眺めることを永遠に繰り返す、という宿命を。

これは希望のない筋書きだが、それから顔を背けるわけにはいかない。宇宙にとって私たちの運命など、本当にどうでもいいのだ。宇宙はエネルギーの大海であり、そこでは私たちのような個々のさざなみは儚い一時的な現象でしかない。ジョーゼフ・キャンベルはこう述べている。「[あらゆる偉大な神話の]厳しさは、私たちが目にするものはみな、痛みをものともせずに持ちこたえる力の表れであるという確信によって埋め合わされる。それゆえ、それらの物語には憐れみも恐怖もない。そこには、生まれてやがて死んでゆく、自己中心的で奮闘するあらゆるエゴの中に自らを見ている超越的な匿名者の喜びが満ちている(2)」と。現代の科学は熱力学の第一、第二法則の中に、宇宙の恐ろしい無関心を捉えている。

だが私たち人間は、あらゆる生物と同様に目的を持ち、宇宙の無関心をよそに、その目的を果たすために長い旅に出る。そして、どんな文化から生まれた物語にも、こうした危険な旅が描かれる。旅は常にうまくいくわけではないとはいえ、成功に終わることもある。旅人は万事休すと思われる時期や、艱難辛苦《かんなんしんく》の時期を耐え忍ぶ。そうした冒険には、不意に思いがけない邪魔が入る。神や友といった助っ人が現れることもある。また、幸運に恵まれることもある。このように、あらゆる神話的伝統において、冒険は成功しうるし、実際に成功する。油断しないこと、固い決意を持つこと、希望を失わないこと——これらは冒険をする者なら誰にとっても必須の美徳だ。なぜなら、好機を逃す旅人、簡単に諦める旅人、絶望する旅人はきまって失敗するからだ。かつてそうした伝統を伝えていた語り手なら誰もが、これらの美徳は、危機と好機の両方に満ちた、予測不可能の未来に遭遇したとき、人間に欠かせない資質だ、と私たちに教えることができただろう。

良い人新世と悪い人新世の考察からは、今現在、人間が行なっている探求の冒険目的が何であるかがわかる。まず、破綻を避けることだ。それを果たすことができたら、その先に二つの目標がある。第一に、良い人新世がもたらす恩恵をすべての人が享受できるようにすること。第二に、生物圏が繁栄し続けるようにすることで、それは、もし生物圏が衰退すれば、どんな探求も成功しえないからだ。私たちの課題は、こうした目標を達成することだ。たとえそれらがしばしば異なる方向を指し示し、ときに無節操へ、ときに自制へと向かうように見えても。

これが大言壮語だと思われないよう、ここに二〇一五年に国際連合で採択された「我々の世界を変革する（Transforming Our World）」という文書の前文に、この人間の探求がどう述べられているかを示そう。

協働的な提携関係のうちに行動するすべての国と利害関係者は、この案を実行に移すものとする。我々は人類を非人道的な貧困や欠乏から解放し、地球を癒し守ることを決意する。我々は世界を持続可能で回復力に富む路線へと方向転換させるために早急に必要となる、大胆な変革の手順を踏むことを決意する。この集団的な旅に乗り出すにあたり、我々は誰も置き去りにしないことを誓う。

文書はさらに続く。

人間――我々は、あらゆる形態と規模の貧困と飢餓に終止符を打ち、すべての人間が尊厳のある平等な形で健全な環境の下に、その持てる能力を発揮できるよう保証することを決意する。
地球――我々は、地球が現在および将来の世代の需要を賄えるように、持続可能な消費と生産や、持続可能な形での地球の天然資源の管理や、気候変動に対する緊急行動などを通して、地球を劣化から守ることを決意する。
繁栄――我々は、すべての人間が豊かで満たされた生活を享受できるよう、また、経済的・社会的・技術的な進歩が自然と調和する形で起こるよう保証することを決意する。

このあとに一七の持続可能な開発目標と、すべてが順調に進めば今後の一五年間で達成されるべき一六九の具体的な項目が続く。

実効性を疑うのは易しい。そして、ある程度の皮肉な見方が出てくるのも妥当だ。とはいえ、悪い人新世の危険がほとんど理解されていなかった二〇世紀の半ばに育った私のような人間にとっては、地球上の大多数の国を代表する機関が発した、そのような声明を読むのは驚嘆するべきことだ。

持続可能な開発目標が発表されてから間もなく、画期的な文書がもう一つ世に出た。それは気候変動に関するパリ協定だ。これは二〇一五年一二月一二日に、一九五か国が出席した国際連合の会議の場で採択された。そして、十分な数の国が正式に批准した二〇一六年一一月四日に発効した。その目標は以下のとおりだ。

(a) 産業革命以前を基準として、世界の平均気温の上昇を二度よりかなり低く抑えると同時に、一・五度の上昇を限度とするよう努力する。これによって気候変動の危険性と影響がかなり減ることを認識する。

(b) 食料生産を脅かさない形で、気候変動による有害な影響への適応力を高め、気候の回復力を育み、温室効果ガスの排出量が少ない開発を促進する。

(c) 温室効果ガスの排出量が少なく、気候の回復力を維持した開発へ向かう道筋に沿った資金の流れを作る。

これら二つの文書の間の緊張感は、より良い世界の探求に伴う幾多の難題を表している。というのも、化石燃料の使用を大幅に削減せずに、二酸化炭素の排出量を公表された目標内に抑えられるかどうか、あまりはっきりわからないからだ。そのような削減は、持続的な成長と両立できるのか？　もし再生可能エネルギーの生産が急速に増えれば、おそらく両立できるだろう。だが、もし再分配により多くの尽力をし、低い経済成長率を進んで受け容れるならば、その課題はきっと達成しやすくなるだろう。

私たちの現代版のオリジン・ストーリーには、化学的な活性化エネルギーというわかりやすい類例がある。活性化エネルギーは、重要な化学反応を引き起こす起爆剤だ。だが、いったん化学反応が始まれば、必要となるエネルギーは少なくて済む。化石燃料は今日の世界を始動させるために必要だった活性化エネルギーと考えられるのかもしれない。この輝かしい新世界はもう動きだしたのだから、もっと小さく繊細なエネルギーの流れでその動きを維持できるだろうか？　酵素によって管理され、生細胞にエネルギーを与える、電子一個ずつ、陽子一個ずつ、というような小さな流れで。大きな生物の呼吸（繊細で、破壊的ではない火に相当するもの）を模倣できるだろうか？

化石燃料を活性化エネルギーと見なす考え方は、今日の世界に関する別の点も示唆している。ここ何世紀かの凄まじいダイナミズムは、創造的破壊が起こった時代のすべてに、きまって見られる。それは恒星を創造する重力エネルギーの人間版だ。だが、猛烈な創造のエネルギーがいったん役目を終えると、何か新しいものが宇宙の中に座を占めるので、前とは違う安定したダイナミズムが見込める。私たちが新しい臨界点を超え、良い人新世の最高の部分を維持する新しい世界社会を築いたら、太陽のように動的な安定期に落ち着けるかもしれない。ことによると、終わりのない成長という考え方は完全に間違っている可能性がある。ここ数世紀の破壊的なダイナミズムは、一時的な現象かもしれない。なにしろ、人間の歴史の大半を通して、ほとんどの人間社会にとって、社会的にも文化的にも安定した枠組みの中で生活を送るのが標準的だったのだ。だからこそ、変化の少ない世界で豊かに動的に生きることの意味が、現代の数ある先住民のコミュニティの文化の中で今なお理解され続けているなしているのだ。

のであって、そうしたコミュニティの住人は自らを主に、自分よりも大きくて古い世界の管理人と見

継続的成長のない未来という考え方は現時点でははやらないが、哲学的な志向を持つ経済学者の議論にはしばしば登場してきた。アダム・スミスをはじめ、一八世紀の多くの経済学者は、成長のない未来を進歩の終焉と見なして恐れた。だがジョン・スチュアート・ミルはそのような未来を、産業革命期の一攫千金を狙う狂乱した世界とは爽快な対比を成すものとして歓迎した。一八四八年にミルは次のように述べている。「告白するが、私は人間の標準的状態とは競い合って生きることだと考える人々が掲げる理想の生き方には惹かれない。それは、相手を踏みにじり、打ち負かし、肘で押しのけ、間を詰めて追いかけること（それは社会生活でよく目にする光景だ）こそ人間の最も望ましい定めであり、産業発展の一段階に見られる不快な徴候ではけっしてない、というものだ」[3]

そうではなく、「人間の本性にとって最も望ましい状態とは、貧しい人がいない一方で、もっと豊かになりたがる人もおらず、また抜きんでようとする他人に引き戻されはしないかと気を揉まなくてもよい状態だ」とミルは主張した。多くの貧しい国では依然として経済成長は必要だが、豊かな国々ではより良い富の配分のほうが必要となる、とも述べた。生活の基本的な必需品の心配がなくなったのだから、豊かな国の人がなすべきなのは、物質的な富をさらに手に入れ続けることではなく、より充実した人生を送ることなのだ。

資本と人口の変動がなくなったからといって、人間の進歩が止まるわけではない。人が暮らしを

立てる術に心を奪われることがなくなったとき、あらゆる種類の精神的文化や、道徳と社会の進歩の余地は、以前と変わらぬほど存在する。また、生きる術を改善する余地も十分にあり、改善がなされる見込みはさらに大きい。

変動のない状態は、嫌がる人々に悪条件の下で強いられる前に、好条件の下で慎重に選び取られるべきだ、とミルは警告した。「後世の人々が、変動のない状況を必要に迫られて受け容れるのではなく、納得して受け容れることを切に願う」と。

経済的成長が良い生活と同じではないことに気づいた人は他にも大勢いる。一九三〇年に、「孫世代の経済的可能性（Economic Possibilities for Our Grandchildren）」と題する評論で、イギリスの経済学者ジョン・メイナード・ケインズは、一世紀のうちには生活必需品がすべての人に行き渡るほど生産性は高くなるだろうと主張した。その時点で人々はがむしゃらに働くのをやめ、どう生きるかについてもっと考えるようになるだろうと彼は期待した。ロバート・ケネディは暗殺される直前の一九六八年三月、国民総生産（ＧＮＰ）の止めどない成長に捧げられた経済の限界について述べた。

国民総生産には、大気汚染の対策費用、タバコの広告代、交通事故による大勢の死者を片づける救急車の出動費も含まれている。……レッドウッドの樹林の破壊、無秩序に広がる都市化で失われる自然の素晴らしさも含まれている。……ところがＧＮＰは、我々の子供たちの健康や教育の質、遊ぶ喜びは考慮に入れていない。さらに詩の美しさも……公開討論に見られる知性も、役人の品格も計算に入れない。……要するに、国民総生産はすべてを算定するようでいて、人生に価値をもたらすものを排除しているのだ。

私たちは生物圏への理解を深めるにつれ、生物圏をもっと大切に扱わなければならない理由を学んでいる。けっきょくのところ、生物圏にはどれだけの回復力があるのか？　私たちにはよくわからない。どこかに臨界点があって、それを超えると危険な正のフィードバックサイクルが回り出し、破壊的な変化を加速させるのかもしれない。たとえば、グリーンランドの大部分を覆うような氷河は、太陽光を反射する。氷河が解ければ地表の色が濃くなり、光を反射せずに熱を吸収するようになる。すると、大気の保持する熱量が増すからさらに氷河が解け、そのせいで地球の反射光が減るから温暖化がいっそう進む。こうしたメカニズムからは、私たちが生物圏の限界についてしっかり考える必要があることが窺える。

ストックホルム・レジリエンス・センターは長年、「プラネタリー・バウンダリー（地球の限界）」を突き止めることに取り組んできた。プラネタリー・バウンダリーとは、人間がそれを超えると必ず自分たちの未来を深刻な危機に陥れてしまう限界のことだ[4]。同センターは、九つの重要な限界を特定したが、そのうち気候変動と生物多様性の減少の二つはきわめて重要だ。どちらか一方でも著しく限界を超えれば、生物圏を安定した範囲から逸脱させかねないからだ[5]。もちろん、グローバルな規模で起こる変化のモデル化は、まだ粗削りの段階にある。その限界を超えたところで警鐘が鳴るわけではない。だが同センターの研究者たちは、十分慎重な立場を守りつつも、次のように結論している。私たちは生物多様性の点では、すでにプラネタリー・バウンダリーを完全に超えており、気候変動の点では、このバウンダリーに近づきつつある。リンと窒素の流れへの影響では、すでに決定的な限界を超え、土地、とくに森林の利用でもこのバウンダリーに迫っている。私たちは、自分たち人間が作ったグローバルな機械の制御盤上の赤い警告灯が点灯するのを目にし始めている。

こうした難題を抱えていながら、私たち人間が自らの探求に成功したら、「成熟した人新世」はどのようなものになるだろうか?[6] むろん、完璧な世界ではないだろう。だがそういう世界を作ろうというなら、その世界を想像してみようとすることが肝心だ。その際、私たちにはまったく見当もつかず、どんな青写真も思い描けないことが数え切れないほどある。それでも、悪い人新世の危険を避けながら良い人新世の最善の面を保持する世界の主な特徴を、いくつか挙げることはできる。

人口の増加は緩やかになり、いずれ止まり、ひょっとすると減少に転じるかもしれない。人口の増加率は世界の大半の地域ですでに下がりつつあり、人間の絶対数が減り始めている地域もある。この過程を加速しうる手順は多くあり、貧困家庭を対象とする医療の向上や、開発途上国における成年・未成年女性の教育の向上もそれに含まれる。人口増加が緩慢になる危うさを警告する経済学者は多いが、生物圏の視点に立てば、止めどない人口増加が持続可能でないのは明らかだ。成熟した人新世には、主として福祉体制を改善したり、極端な財産の蓄積を阻止したりすることで、貧困は解消される。すでに見たとおり、相対的に見れば、極貧状態はすでに世界の大部分で減少している。やがて経済成長が政府の主目標でなくなれば、個人は収入の増加よりも生活の質や余暇を重視するようになる。また、政府の後押しがあれば、極端な形の競争社会から抜け出す人がますます多くなる。そうした人々の必要に応えると、有形財ではなくサービスを提供する経済部門が活性化する。有形財に代わって知識が富や幸福の源となり始めるから、政府にとっては教育や科学がさらに重要になる。考え方――良い人生のありようや、良い政府の目標に関する考え方――も変わる。

世界の経済は、今世紀のうちに化石燃料への依存状態から脱却するだろう。再生可能エネルギーの生産はすでに急速に増えているから、これは非現実的な目標ではない。もっともそれには、今見て取れる以上に精力的な政府の介入が求められるだろう。グローバルなエネルギー体制を改善し、大気中の二酸化炭素を回収する手段と組み合わせれば、産業革命以前の水準から二度以下の上昇に地球温暖化を抑えられるかもしれない。また、エネルギーや材料の使用効率を上げることで、やがてエネルギー消費の総量が減り、既存の材料を再利用することで、新たな鉱物や資源の消費はほとんどゼロになる。

消費パターンにイノベーションや変化が起これば、それも広い意味での農業の変革の一環になり、農業は資源の需要が減ってもっと効率的になるだろう。これに関して、科学のイノベーションが大きな役割を担うのは間違いない。また、生物多様性や湿原を守ったり、サンゴ礁やツンドラ環境といった脆弱な地域を保護したりすることに大量の投資が行なわれる。

ミルが書いたように、より安定した世界は静的な世界である必要はない。それどころか、そういう世界は、新しい形態の芸術を発展させ、社会生活を拡張・改善し、人間があまり操作しない新しい形で自然界と付き合うための豊富な機会を与えてくれるだろう。その点で現代社会は、昔ながらの伝統を保持してきた人々や、環境とより安定した関係を保って何千年も暮らしてきた社会から、学ぶべきことが山ほどあるだろう。そしてそういう安定した世界では、たとえ資源の平均的な消費が増えなくても、大勢の人々の生活の質が向上することを期待するのは、できない相談だろうか？

この新しい臨界を超えるためのゴルディロックス条件の多くは、すでに現れつつある。現代の科学的学識という圧倒的な知的財産があること、生物圏の仕組みに対する理解が格段に進んだこと、私たち人間は地球という一つの故郷で同じ運命にあるという意識が高まってきたことなどだ。今すぐ行動を起こす意欲を掻き立てるには、より良い未来を鮮明に思い描くことも必要になる。より良い世界を築こうというなら、けっきょく希望は不可欠な美徳だ。用心深さ（真っ当な科学がたっぷりあると助けになる）や決意（これに関しては、政治が重要な役割を果たす）も然《しか》りだ。

本書を執筆している二〇一七年の時点で、いちばん足りないと思われる美徳が決意だ。今や世界中の政府が、私が述べてきた探求のようなものに表面的にでも賛同しているのは、驚くべきことだ。だがこの探求についてはまだ、確固としたグローバルな合意ができていない。多くの人々は相変わらず、警告灯が点滅しているのはスイッチの欠陥や誤った科学のせいだと決め込んでいる。それに、近い将来を真剣に思い描くのに必要な、壮大なスケールでの思考という贅沢が許される人は少ない。たいていの人、とくにごく貧しい人は、個人的な必要や目的を満たすことに専念しなければならない。また、おおかたの政治家や企業家は、もっと差し迫った問題に集中しなければならない。政府は国の代表であり、他の政府と競合している。それは、政治的打算においては、自国の富や権力のほうが、世界全体としての必要よりも重大と見なされがちだということだ。政府の役人は選抜されたり選出されたりするため、その方法によっても、大半の政府は目先の目標に縛られている。今後二〇年あるいは三〇年のためのしっかりした現実的な目標を立てられる人はなかなかいないが、こうした年数こそが、より良い世界の探求の成否を決めることになる時間幅だ。最後に、資本主義の世界では、ほとんどの企業にとっては利潤をあげることが最優先であり、今のところ、利潤の追求は持続可能性の追求とは異なる方向を指し示すことがあまりに多い。

では、この探求の重要性に関してグローバルな合意が生まれる可能性はどれぐらいあるのか？　とりわけ幸先の良い兆しは、国際連合の持続可能な開発目標や気候変動に関するパリ協定のような文書に反映される、科学的合意に達するまでがじつに迅速だったことだ。三〇年前なら、そうした宣言は考えられなかっただろう。私たちは、この探求自体が利益を生み、発展するグローバルな資本主義と両立するようになる、経済の転換点にも差しかかっているのかもしれない。もしその転換点に達したら、現代資本主義のイノベーションと商業の厖大なエネルギーと、資本主義が生む富に依存する政府の権力が、その探求の後ろ盾になり、資本主義政府が産業革命に与えたような弾みを与えてくれるかもしれない。だが今日、このもっと複雑な世界では、政府の振る舞いはその探求を真剣に受け止める有権者がどれだけいるかにも左右されることになる。そのような有権者の数は、人々がどれだけうまく、どれだけ説得力を持ってその探求そのものを説明できるかに、ある程度かかっている。

もし私たちが、いわば臨界9を超え、持続可能性の高い世界へ首尾良く移行できれば、人間の歴史がじつは、しだいに増す複雑さの単一の臨界を成し、それがついには生物圏全体の意識的な管理に至ることが明らかになるだろう。私たちは人間の歴史を部分ごとに見るが、それは私たちがあまりにもその間近にいるからにすぎない。その一体化した大きな臨界は、集合的学習で始まった。初期の宇宙で、物質の雲を重力が凝集させたのとちょうど同じように、集合的学習は、より高密で複雑な人間社会を生み出し、変化を加速させ、生物圏の支配権をしだいに人間に与えることで、新しい形のダイナミズムを創り出した。変化はひたすら加速を続け、超新星爆発の人間版とでも呼べる壊滅的な大爆発に至っていたとしてもおかしくなかった。だがもし私たちが持続可能な世界への移行をうまく成し遂げたら、後の時代に振り返れば、まるで私たち人間が新しくより安定した形の複雑さを生み出したかのように見えるだろう。核融合が重力収縮を押し戻し、新しくより安定した恒星の構造を生じさせたのとちょうど同じように。そのときには、私たちは臨界6から臨界9までが、地球に新しい種類の生物圏を創り出したことを見て取るだろう。人間の頭脳の圏域である人智圏の中に、新しいサーモスタットと新しくもっと意識的な形の調節機構を組み込んだ生物圏が。その臨界を私たちは何と呼ぶべきか？　人智革命だろうか？

人間を超えて——数千年後の未来と宇宙論上の未来

ここで楽観的になり、私たちの探求の冒険が成功した世界を想像してみよう。臨界9を無事に乗り切り、大半の人間は、生物圏との持続可能性がより高い関係に基づく安定したグローバル社会で繁栄している。それは、人間社会が数千年後も、ひょっとすると数十万年後にさえ存続しているかもしれないということだ。

次はどのような時代がやって来るかを推測すると、近い未来と遠い未来の中間の未来の、空恐ろしくて予測不可能ではあるが、ひょっとしたらユートピア的な世界を考えることになる。この時間スケールでは、私たちのモデルはまさしく憶測だ。それは、格子縞の背広を着た貴族が月で自転車を漕ぐ一九世紀の絵画と同じで、現実のものとなる可能性はないに等しい。私たちにできることと言えば、すでに見られる傾向に基づいて、可能性をいくつか検討するのがせいぜいだろう。

部分的に国民国家に取って代わり、最終的に核戦争の脅威をなくすグローバルな統治機構の出現を、私たちは目にするだろうか？ 核融合の力は、新しいエネルギーの大鉱脈を提供してくれるだろうか？ もし提供してくれたら、私たちは生物圏に破壊的な影響を与えないように十二分に配慮しながら、あらゆる人間が上質な人生を送るための基盤を築くツールとしてそれを使うだろうか？ それとも、それ以上に大きなエネルギーの流れを制御する方法を見つけ、想像を絶する複雑さを持った文明を創り上げるだろうか？ ロシアの天文学者ニコライ・カルダシェフはこう論じている。もし集合的学習のようなことができる文明が他にもあるとしたら、多くはその文明が起こった惑星の利用可能なエネルギーをすべて捉えることを学習しているだろうし、それが所属する惑星系の全エネルギーを管理することを学習している文明や、銀河全体のエネルギーを活用することを学習している文明さえあるかもしれない、と。

私たちの子孫は地球を離れて移住するだろうか？ 彼らは小惑星の採掘を始めたり、月や火星で植民地の建設を始めたりするだろうか？ それとも（はるか先を見越すなら）、その場所は近くの恒星を回る、生命の存在に適した惑星だろうか？ 私たちは、新しい生物や、エネルギー効率の良い新しい食用作物や、病気の治療や癌《がん》の抑制ができる微生物を遺伝子工学で創るだろうか？ ナノサイズの外科医よろしく、人間の体内に入って傷んだ臓器を治したり、人間が監督しなくてもコンピューターの設計に従ってビルを建てたりする極小の機械を、工学技術を駆使して製作するだろうか？　私たちは人間よりはるかに賢い機械を作り上げるだろうか？　もし作り上げたら、確実にそれを制御し続けられるだろうか？

私たちは新しい人間を作るだろうか？　私たちはミクロのレベルでもマクロのレベルでも機能を強化してバイオニック人間になり、もっと長く健康的な人生を送り、いずれ人間とは違う、超人的存在に変わるのだろうか？　人間は新しいテクノロジーを使ってアイデアや思考、情動、心象を瞬時に、そして継続的に交換できるようになり、広大でグローバルな単一の頭脳のようなものを創り出すのだろうか？　人智圏は、私たち人間から部分的に分離し、統合された頭脳の薄い層となって生物圏の上に漂うのだろうか？　こうした変化が起これば、人間という種はもうホモ・サピエンスとは呼べないから、（今日私たちが理解しているような）人間の歴史は終わったと、私たちはどの時点で判断するだろう？

新しい科学によって自分自身や宇宙に対する私たちの理解が一変し、今日のオリジン・ストーリーは根本から覆されるだろうか？　今日と一〇〇年前のオリジン・ストーリーを照らし合わせれば、そういうことが早々に、しかも何度も起こりうることがわかる。

そしてもちろん、未来への道筋をほんの一瞬で変えうる計り知れない未知の事物もいろいろある。私たちの科学やテクノロジーは、小惑星との衝突を予見して、それに対して何らかの措置が取れるほど、すでに発達しているかもしれない。だが他にも予想不可能の大惨事が起こる可能性はある。たとえば……他の生命体との遭遇だ。万が一にも彼らと出会うことがあれば、私たちは顕微鏡（あるいは生体工学で強化された目）で彼らを凝視することになるだろうか？　それとも、彼らが私たちを巨大なピンセットでつまみ上げ、広大なシャーレに入れ、顕微鏡でこちらに目を凝らすだろうか？

このへんで、はるかに大きな時間スケールに目を移すと、ほっとする。惑星や恒星、銀河、宇宙そのものといった、比較的単純なものに再び的を絞れるのだから。

私たちは構造プレートの動きを追えるから、各大陸が一億年後にどこにあるかを大まかに推測できる。今のところ、大陸プレートは再集結して新たな超大陸になるように見え、その超大陸にはすでに「アメイジア」という呼び名がついている。アジアとアメリカ大陸が合わさったものだからだ。地球の究極の運命は太陽の進化で決まるだろう。私たちの太陽は、あと約九〇億年生き続ける。だが他の似たような恒星と同様に進化するとすれば、数十億年後には膨張し始め、赤色巨星になる。このとき地球は太陽の外層の内側に入ることになる。地球の温度が上がるにつれ、大型生物には生きていけない環境になり、存続しているのは強靭な古細菌（アメリカのイエローストーン国立公園の熱水泉で生き残っているようなもの）だけという時代が長く続くかもしれない。やがてその古細菌さえ死滅すると、地球は不毛の地となり、その後、ますます不安定で予測不可能になる赤色巨星の外層内で貪られて蒸発する。それが地球の終焉であり、それまで存続していた子孫がいたとしても、最期を迎える――太陽系の辺縁や他の恒星系へ移動していなければ。太陽はと言えば、赤色巨星として長い年月を経た後、いずれ自らの外層部分を吹き飛ばして白色矮星になる。そしてヘルツシュプルング＝ラッセル図〔訳注　七二ページ参照〕の下部に移動してから、そこに何千億年もとどまり、冷えていく。

太陽が悪さをし始める頃、私たちの天の川銀河は隣のアンドロメダ銀河と衝突するだろう。それは、二つの雲がぶつかるような、静かにゆっくり進む出来事のはずだ。だがそれぞれの銀河内では、恒星どうしが予想もつかない形で引っ張り合うので、大荒れになる。そして新たにできた天の川・アンドロメダ銀河は、前の二つの美しい渦巻銀河よりずっと乱雑な姿を見せることだろう。

宇宙全体はどうなるのか？　今日、大半の宇宙論学者は、その筋書きを語ることができると、かなり自信を持っている。宇宙の未来は少数の変数で定まると思われるからだ。決め手となる変数は、膨張の速度と、宇宙にある物質とエネルギーの量だ。かつては、宇宙にある物質の重力がいつかは膨張に歯止めをかけ、それを逆転させ、再び宇宙を収縮させて新たな原初の原子にすると考えられていた。それからその原初の原子が爆発し、膨張して新しい宇宙を生み出す。そして、その繰り返しが無限に続くかもしれない、と。だが一九九〇年代後期に、膨張速度が上がっていることが発見されて以来、宇宙のあらゆる質量やエネルギーの重力を凌ぐほど強力な、何らかの暗黒エネルギーが存在するに違いないと思われている。それなら宇宙は永遠に膨張し続け、しかも膨張の速さはどんどん増していくことになる。

宇宙の遠い未来について述べていると、これまで語ってきた物語が前置きにすぎなかったことがわかってくる。万物の大行列には、長く、ときには困難な旅が待っている。私たち人間は宇宙の歴史のまさに冒頭部分に生きており、その物語は進み始めたばかりだ。私たちの宇宙はまだ若く、活力に満ちている。これからたっぷり生き、新しい複雑な構造を数多く築いていけるのだ。

だがごく遠い将来、私たちが誰一人いなくなってから厖大な年月を経た後、この物語は文字どおりの意味でも、比喩的にも暗くなる。宇宙はますます速度を上げて膨張し、水平線の向こうに消える船のように、遠くの銀河は時空の彼方に姿を消すだろう。そしてやがて私たちの銀河に残った者あるいは物は、深刻な孤独感を覚えることになる。[7] 恒星は形成されては燃え尽き、それが今後一〇の一五乗年先まで続く。その頃には、宇宙は今より一万倍も年老いている。それまでに宇宙は本当に衰えを見せているだろう。最後に残った恒星が燃焼を終え、光が消えてしまっているからだ。私たちの銀河は、冷めていく恒星や惑星の燃え殻に満ちた墓場と化す。

それでもまだ、その墓場で動いているものがあるだろう。無数のブラックホールが、恒星や惑星の残骸を吸い込んでいる。それが済んだら、ブラックホールは共食いのような内戦状態に陥り、互いに襲いかかり、やがては肥大したブラックホールが数個残るだけになる。それらは一〇の一〇〇乗年ぐらいだろうか、想像もつかないほど長い間そこにとどまり、エネルギーを発散し続ける。そして最終的には、それらもしだいに縮小し、薄れ、消失する。私たちの宇宙で永遠に見えたもののいっさいが、じつは儚い存在だったことがわかるだろう。時間や空間でさえ、たんなる形態であり、もっと大きな多元宇宙のさざなみにすぎないことが明らかになるかもしれない。エントロピーは、ついにあらゆる構造や秩序を破壊し終えたのだ。

少なくとも一つの宇宙では。だが、まだまだ仕事は残っているかもしれない。

謝辞

本書を執筆する手助けをしてくれた方々全員にお礼を申し上げることはとうてい不可能だ。知識を授けてくれた人、草稿を読んでくれた人、重要な文献や著者を挙げてくれた人、講義を論評してくれた人、聴講した講演を行なってくれた人など、その数は限りない。私たち人間は、さまざまな考えの海を泳いでおり、本書のような書物は、そばを漂い過ぎていく考えを摑み取り、他の考えと結びつけ、押し曲げ、ことによると歪めたり新たなつながりを見つけたりして、まとめ上げるものだ。特定の個人や、特定の会話にさえ元をたどれる考えもあるが、多くは私の頭のどこかに、（ときには何年間も）引っかかったままになって発酵し、それから新しい形で頭の別の場所に浮かび上がってきたが、そのときには身元を示すレッテルが剝がれ落ちてしまっていた。だから、本書に出てくる考え方の多くについては、誰に感謝していいか見当もつかない。したがって私にできることと言えば、大勢の同業者や友人に、そして、今日の驚嘆するべき豊かな世界の無数の考えを私の頭に詰め込んでくれた集合的学習の濃密なプロセスに対して、漠然と、ありがとうと言うのがせいぜいだ。

だが、直接感謝できる人々もいる。意見を同じくする学者の小グループがビッグヒストリーという考えやそれに類するものを中心に集まり、ビッグヒストリーの教育と研究を進めるべく努力してきた。

そのなかには、天体物理学者のエリック・チェイソンや社会学者のヨハン・ハウツブロムらの先駆者や、国際ビッグヒストリー学会の設立と発展に尽力してくれた方全員が含まれる。（以下、アルファベット順に）ウォルター・アルバレス、モジュガン・ベマド（とドミニカン大学の彼女の大勢の同僚）、クレイグ・ベンジャミンとパメラ・ベンジャミン、シンシア・ブラウン、レオニド・グリニン、ローウェル・グスタフソン、アンドレイ・コロタエフ、ルーシー・ルフィット、ジョナサン・マークリー、（私と同じ頃にビッグヒストリーを教え始めた）ジョン・ミアーズ、アレッサンドロ・モンタナーリ、エステル・クアーダカース、バリー・ロドリーグ、フレッド・スピール、ジョー・ヴォロス、孫岳（スン・ユエ）。そして、ビッグヒストリーの物語を構築するのを手伝ってくれた他の大勢の方々。ビッグヒストリーの最初の大学生用教科書を執筆するにあたっては、クレイグ・ベンジャミンとシンシア・ブラウンとは、驚くほど友好的で実りの多い協働作業を行ない、とりわけ緊密に仕事を進めた。悲しいことに、シンシアとの交友は、彼女が二〇一七年一〇月一五日に亡くなったために幕を下ろした。ビッグヒストリーの先駆者の一人だった彼女のことを、この分野の人間なら誰一人忘れないだろう。長年の間には、フェリペ・フェルナンデス＝アルメスト、ボブ・ベイン、テリー・バーク、ロス・ダン、パット・マニング、メリー・ワイズナー＝ハンクスら、多くの世界史家がビッグヒストリーの考え方を支持してくれた。また、二人の卓越した世界史家がこの新しい分野に多大な威信を与えてくれた。ビッグヒストリーを、論理的に世界史の先にある次の段階と見ていたウィリアム・H・マクニール、そして、ビッグヒストリーと世界史の関係について出版するように初めて私に声をかけてくれたジェリー・ベントリーだ。ザ・ティーチング・カンパニーは、ビッグヒストリーについて一連の講演を行なう機会を与えてくれ、それを聴いたビル・ゲイツは、高校用のビッグヒストリーの無料オンライン・シラバス作成を支援し、二〇一一年にビッグヒストリーについてTEDトークで講演するように私を誘うことによって、この分野におおいに弾みをつけてくれた。彼の支援は、ビッグヒストリー・プロジェクトとして結実した。このプロジェクトは、当初はマイケル・ディックスとインテンショナル・フューチャーズの同僚たちがじつに巧みに運営し、今はアンディ・クックとボブ・リーガンが率いるチームがその後を見事に継いでいる。ビッグヒストリー・プロジェクトの共同創始者には、過去へのこの新しい野心的なアプローチを教えたり学んだりするという勇敢な賭けに出た、何百もの教師や学校や生徒が含まれる。世界経済フォーラムは、グローバルなプロジェクトとしてビッグヒストリーについて講演させてくれ、私はダヴォスでの年次総会では、アメリカの元副大統領アル・ゴアとオーストラリアの天体物理学者ブライアン・シュミットという、二人のノーベル賞受賞者に紹介されるという栄誉に浴した。さらに、マンゴ湖を訪れ、「マンゴ1」と「マンゴ3」の化石が故郷に返還されるときに決定的な役割を果たした家族に属するマティマティの長老メアリー・パピンと会う機会にも恵まれた。

私は自分のキャリアのほとんどを、シドニーのマッコーリー大学で過ごしてきた。そして、同大学は、一九八九年に学内のさまざまな同僚たちと私がビッグヒストリーを最初に教え始めて以来、ビッグヒストリーという発想をずっと支持してくれている。ブルース・ダウトンと彼の同僚たちには、ビッグヒストリーと、マッコーリー大学ビッグヒストリー研究所の創設を支えてくれたことに、とりわけ感謝したい。同研究所は、アンドルー・マッケンナとトレーシー・サリヴァンとデイヴィッド・ベイカーが素晴らしい手腕を発揮して運営している（ちなみに、デイヴィッドは私の知るかぎりでは、ビッグヒストリーの分野で博士号を取得した最初の学者だ）。長年の間に、近代史学科の同僚たちは、歴史についてのこの新しい考え方に多大な支援をしてくれ、その多くが、私とともにビッグヒストリーを教えてきた。彼ら全員、とくにマーニー・ヒューズ＝ウォリントンとピーター・エドウェルとショーン・ロスに、謝意を表したい。また、ビッグヒストリーを受講した大勢の学生諸君にも感謝している。彼らはいつも、最も単純で最も深遠な疑問へと私を引き戻すことによって、私が道を踏み外すのを防いでくれた。サンディエゴ州立大学では、なんとも楽しい八年間を過ごすことができた。同大学の歴史家たちは、支援を惜しまず、アメリカの多様な学究コミュニティの数々で、歴史へのこの新しいアプローチがどのように展開するかについて、賢明な見識を提供してくれたし、大学院生たちは、ビッグヒストリーのじつに自制心のある熟達した講師役を務めてくれた。

多種多様な分野の多くの専門家が新たな見識や講座の修正案を出してくれた。ローレンス・クラウス、チャールズ・ラインウィーヴァー、スチュアート・カウフマン、アン・マグラス、イアン・マッカルマン、ウィル・ステッフェン、ヤン・ザラシーヴィッチをはじめ、じつに多数の方々だ。リトル・ブラウンとペンギンの両出版社の担当編集者であるトレーシー・ベーハー、チャーリー・コンラッド、ローラ・スティックニーからは、計り知れない支援と、豊富なフィードバックをもらった。緻密で何一つ見逃さない校閲をしてくれたトレーシー・ローにもお礼を言いたい。また、私が初めて提案した瞬間から、本書を刊行するという考えを支持してくれたジョン・ブロックマンには、大変お世話になった。

友人が何人も、親切に本書の草稿に目を通して意見をくれた。クレイグ・ベンジャミン、シンシア・ブラウン、ニコラス・ドゥーマニス、コニー・エルウッド、ルーシー・ルフィット、アン・マグラス、ロブ・リーガン、トレーシー・サリヴァン、イアン・ウィルキンソンらだ。

私の家族にとっては、ビッグヒストリーは家内工業のようなものになった。チャーディとエミリーとジョシュアはみな、本書の草稿を見てくれた。長年の間、彼らの意見やアイデアのおかげで、私はしばしば新しい方向に進むことができた。ビッグヒストリーはじつは現代版のオリジン・ストーリーであるという深遠な見識は、チャーディからもらった。この三人と、親族（私の最初の先生だった母を含む）に対しては、最も身近な人々からの優しさと愛に恵まれた人生を送ってきた人間として、深い感謝の念を抱いている。私は本書を、家族、孫のダニエル・リチャードとエヴィー・ローズ・モリー、より良い世界を築くという重大な課題に取り組む旅に乗り出す、世界中の学生・生徒諸君全員に捧げる。

付表　人間の歴史に関する統計

完新世から人新世にかけての人間の歴史に関する統計*

時代	A　年代 紀元2000年を0年とする	B　人口 単位：100万人	C　総エネルギー消費量 単位：10^{15}ジュール／年 （＝B×D）	D　人口1人当たりのエネルギー消費量 単位：10^{9}ジュール／人／年 （最初の3期間は最大推計値）	E　平均寿命 単位：年 （最初の3期間は最大推計値）	F　集落の最大規模 単位：1000人 （最初の1期間は最大推計値）
完新世	−10,000	5	15	3	20	1
	−8,000					3
	−6,000					5
	−5,000	20	60	3	20	45
	−2,000	200	1,000	5	25	1,000
	−1,000	300	3,000	10	30	1,000
人新世	−200	900	20,700	23	35	1,100
	−100	1,600	43,200	27	40	1,750
	0	6,100	475,500	75	67	27,000
	10	6,900	517,500	75	69	

*　A列からE列は、Vaclav Smil, *Harvesting the Biosphere*, loc. 4528, Kindleに基づく。F列は、Ian Morris, *Why the West Rules—for Now*, 148-49［邦訳：『人類5万年　文明の興亡――なぜ西洋が世界を支配しているのか　上・下』北川知子訳、筑摩書房、2014年］に基づき、1万年前のデータについては補間した。

解説　現代の起源譚としてのビッグヒストリー

辻村伸雄

一　ビッグヒストリーとは何か――起源譚の再建

ビッグヒストリーは「現代の起源譚《たん》（オリジン・ストーリー）」である――本書の著者である歴史家のデイヴィッド・クリスチャンはそう言う。

世界はどのようにして始まったのか、私たちはどこから来たのかを語る起源譚は人間の歴史とともに古い。年長者から子どもたちへ、祖先から子孫へと語り継がれてきた古《いにしえ》の起源譚は、アボリジニの物語であれ、あるいは旧約聖書の創世記であれ、世界の来し方とその全体像を示し、その中で自分たちが占める位置を照らし出すたしかな根拠であった。それはある共同体が世界をどう理解しているかを要約したものであり、あなたは誰か、あなたがその一部である全体とは何か、あなたの役割とは何かを教えてくれた。長い間、世界各地で起源譚が教育の中心に据えられてきたのはこのためである。

それらはそれぞれの地にあって、人びとの生きるよすがであったのだ。ところが近代に入ると、地球規模の交流がそうした伝統的起源譚を相対化するとともに、科学はその虚構性を指摘して、それらへの信頼を掘り崩していく。これは西欧の中心地においても、植民地化された辺境にあっても（長い目で見れば）同じことであった。

こうして起源譚に取って代わった近代科学は、とりわけディシプリン（専門分野）ごとに研究・教育をおこなうドイツ型の近代大学が普及した二〇世紀初頭以降、いっそう精緻なものになるとともに細切れになっていく。そのことは、現代の大学では一般に、宇宙史なら天文学や宇宙論、地球史なら地質学、生命史なら生物学、人類史なら人類学や考古学や歴史学というように、時期や対象ごとに別々に学ばなくてはならないことからもわかるだろう。

現代の人びとは世界の全体像も、その中での自分の立ち位置も、容易にはつかめない状況に置かれている。それは頼れる地図もないまま、自分の現在地も、進むべき方角もわからない樹海の中に放り出されたようなものだ。ビッグヒストリーは以上のようにして失われた〈全体の物語〉を、現代科学にもとづき再建しようとする試みである。

とはいえ伝統的起源譚は、一部の地域や宗教の限られた知見にもとづいていた。これに対し、現代科学の知見は世界のあらゆる地域からもたらされ、数多《あまた》の人びとによって長期間、批判的・実証的に検証・修正されてきたものだ。だから現代科学にもとづき、宇宙の始まりから現代まで、あるいは宇宙の終わりまでをも語るビッグヒストリーは、いわば起源譚の現代科学版であり、人類が共通して分かち合える初の普遍的起源譚なのだ。これが本書のタイトルの由来である。

ところでそうした起源譚を描くには、宇宙史に始まり、地球史、生命史、人類史のすべてにわたる広範な知識が必要となる。おのずとビッグヒストリーは、あらゆる学問を包摂する総合学問とならざるを得ない。[1] したがってビッグヒストリーを単に歴史学の一領域や新潮流としてイメージしておられる方がいるとすれば、それは実態とは異なっている。

事実、国際ビッグヒストリー学会の現会長ローウェル・グスタフソンは政治学者であり、ビッグヒストリーの代表的理論家であるエリック・チェイソンは宇宙物理学者、フレッド・スピールは生化学者・文化人類学者であり、邦訳もある斯界《しかい》の重鎮ウォルター・アルバレスは地質学者である。ビッグヒストリーは様々な専門家が集う学際統合型のプロジェクトなのだ。

こうした統合知としてのビッグヒストリーの創始者はプロイセンの博物学者アレクサンダー・フォン・フンボルト（一七六九─一八五九年）であろうとも言われている。[2] しかし個人的には、ビッグヒストリーこそ人類の集合的学習（地域と世代を超えて学んだことを共有・蓄積していくこと）の産物であり、特定の地域の一個人にのみその究極的始源を求めるのはナンセンスだと考えている。一方、クリスチャンがビッグヒストリーの先駆者としてよく挙げるのは、英国の作家H・G・ウェルズ（一八六六─一九四六年）だ。

したがってクリスチャン自身は、彼らを含む先人たちの後進に当たるが、ビッグヒストリーというこの分野の名称は、一九九一年にクリスチャンによって初めて提唱されたものである。[3] この名称はその後広く普及したが、「宇宙進化論」「宇宙の物語」「メガヒストリー」「宇宙学」など別の名称を用いる人びともいる。

まとめよう。ビッグヒストリーとは何か。ビッグヒストリーは宇宙の始まりから終わりまでを扱う総合学問であり、それを基礎とした現代の起源譚である。それはフンボルトを含む先駆者たちによって始められ、のちにクリスチャンによって名づけられた。

二　本書の背景——クリスチャンの原点

とはいえ、本書の背景となる問題意識をつかむには、著者デイヴィッド・クリスチャンの前半生を振り返るのが一番だろう。

クリスチャンがビッグヒストリーに取り組みはじめた直接のきっかけは、三〇年ほど前、彼が勤務先のマッコーリー大学で、史学科（現在の近代史・政治学・国際関係学科）の新入生に何を教えるべきかを同僚らと話し合っていた際に訪れる。

〝どうして歴史学は、他の学問のようにはじめから教えないのだろう？〟

彼の脳裏にふとそうした疑問が浮かんだのだ。歴史にとってのはじめ——それはこれ以上さかのぼれない時点、ビッグバンを意味した。かくして彼はビッグバンから現代にいたる歴史のすべてを教えることを提案し、一九八九年に「世界史入門」という名のビッグバンから始まるビッグヒストリーの講座を開始する（既にふれたように、ビッグヒストリーという言葉が生まれるのは、それから二年後のことである）。天文学、地質学、古生物学、生物学、人類学、先史学、古代史、近代史の講師陣からなるリレー講義はまたたく間に人気を博した。

クリスチャンは同講座の間、自分の担当回以外はいすに座って同僚の講義に学び、関連書籍を読みあさるうち、徐々に自分一人で講義ができるようになっていった。[4] 彼が「理論というよりむしろ教えることによってビッグヒストリーに到達した」と言われるゆえんである。[5] そこには多分に偶然の要素が含まれていたものの、[6] 彼にはそこへ行き着くだけの下地があった。

一つ目は幼い頃から世界各地を渡り歩き、英国・米国・豪州の三重国籍となったことだ。彼は一九四六年に米国ニューヨークでイングランド人の父、アメリカ人の母のもとに生まれ、幼少期をナイジェリアで過ごし、その後は大学まで英国で暮らし、大学卒業後に留学したカナダでアメリカ人チャーディと結婚してロシア史を専門と定め、ロシアへの留学を経て、ロシア皇帝アレクサンドル一世（一七七七―一八二五年）の行政改革についての論文で一九七四年に英国のオックスフォード大学にてロシア史の博士号を取得した。翌年、彼は豪州のマッコーリー大学に職を得て、二〇〇〇年までロシア史、ヨーロッパ史、世界史を教えることになる。これが彼の前半生だ。

二つ目は一六歳という多感な時期に英国でキューバ・ミサイル危機（一九六二年）を体験したことだ。米国とソ連を中心とする「部族対立」が引き起こした核戦争の危機は、クリスチャンに鮮烈な印象を残した。後年大学でロシア史を教えていく中で、彼が歴史を競い合う部族の物語として教えていていいのだろうかという違和感を抱くようになるのも、このときの体験があったからだ。

三つ目はフランスの歴史家フェルナン・ブローデル（一九〇二―八五年）から歴史を複数のスケールから眺めるという方法を学んだことだ。ブローデルは歴史を①短期（個別の出来事）、②中期（景気や物価などの変動）、③長期（地理的条件や宇宙観などの変化）という変化のペースが異なる三つのスケールからとらえた。クリスチャンはこれを宇宙史のスケールにまで押し広げたのだ。[7]

一国史（ナショナルヒストリー）への違和感とそれを超えた人類共通の物語の希求、歴史を複数の時間のスケールから眺めるというクリスチャンの態度は、このようにして醸成された。それらがビッグヒストリーを教えていくうちに実を結ぶのである。

三　本書の特徴と魅力――現代の起源譚が教えてくれるもの

本書は、以上のようにして始まったクリスチャンのおよそ三〇年におよぶビッグヒストリーの教育と研究の集大成にして、ビッグヒストリーの最良の入門書である。

本書の原書である *Origin Story: A Big History of Everything*（二〇一八年）は、クリスチャンが単独であらわした本格的なビッグヒストリーの著作物としては、世界史家ウィリアム・H・マクニール（一九一七―二〇一六年）が絶賛した *Maps of Time: An Introduction to Big History*（初版二〇〇四年、第二版二〇一一年、未邦訳）、ビル・ゲイツが感嘆したＤＶＤ講座 *Big History: The Big Bang, Life on Earth, and the Rise of Humanity*（二〇〇八年、未邦訳）に次ぐ一〇年ぶりの大作となる。この間に共著としてビッグヒストリーの初の大学生向け教科書 *Big History: Between Nothing and Everything*（二〇一三年、邦訳『ビッグヒストリー　われわれはどこから来て、どこへ行くのか』明石書店、二〇一六年）が作られた。

Maps of Time では、ビッグヒストリーを宇宙史のスケールまで含む様々なスケールの「時間の地図」（歴史の見取り図）を包括したものと見るコンセプトが前面に出ていた。続くＤＶＤ講座と教科書では、*Maps of Time* では巻末の付録（裏設定）扱いだった「複雑さの増大」というあらすじが、宇

宙の歴史すべてをつらぬく時代区分である「複雑さ増大の敷居」とともに前面に押し出される。

本書の最大の特徴は、それらを引き継いだ上で、エネルギーと情報に重点が置かれ、それらが軸となって歴史が動いていくさまをこれまでになく鮮やかに描いていることである。それを一言で要約するならば、「エネルギーは変化を起こし、情報は変化を方向づける」となる。

とはいえこの本を手にとった多くの方にとっては、そうした過去作との違いよりも、今作を読むことで一体何が見えてくるのかというのがもっとも気になる点だろう。

そこで結論から言えば、本書の一番の魅力は、〈われわれはどこから来たのか、われわれは何者か、われわれはどこへ行くのか〉というかつて古の起源譚が答えた問いに、宇宙の歴史すべてをつらぬく見通しを与えてくれるところにある。

第一に、本書は〈**われわれはどこから来たのか**〉を宇宙・地球・生命・人間の歴史すべてをつらぬく①時代区分と②あらすじと③パターンを示すことによって答える。

本書の骨格は一三八億年の歴史すべてをつらぬく時代区分である「複雑さ増大の敷居」である。宇宙の歴史とは、単純だった宇宙に恒星や惑星や生命のような「複雑なもの」が現れ、それがもととなっていっそう複雑なものが生じてくるという過程だった。

その節目を「敷居」と呼ぶ。英語では threshold だ。本書ではこれが「臨界」と訳されているが、敷居であれ臨界であれ、その意味するところは境目である。要は宇宙の歴史においてそれを境にしてそれまで存在しなかったレベルの複雑なものが現れる節目となった出来事のことだ。敷居をまたぐたび、複雑さの宇宙新記録が更新された。したがって、そこに「複雑さの増大」というあらすじを見てとることができる。

だが複雑さが増大したといっても、それは「ゴルディロックス条件」(ちょうどいい条件)を満たす一部の場所に限られる。複雑なものが現れるにはその原材料だけあってもだめで、それらがゴルディロックス条件のもとで合わさる必要があるからだ。こうして現れた複雑なものは「創発特性」(それまで宇宙に存在しなかった新たな性質)をそなえている。このように「複雑なもの」の創発(出現)には「原材料+ゴルディロックス条件=新しい複雑さ(創発特性)」という共通のパターンが見られる[8]。

ここで注意してもらいたいのは、これは複雑であればあるほど良いとか優れているといった進歩史観ではないということである。複雑なものほどもろく短命だからだ。これは複雑なものほど「複雑税」(存続するために必要なエネルギー)が割高になるためだ。

エリック・チェイソンの概算では、複雑なものがみずからを維持するために一グラムにつき一秒間に消費しているエネルギー量は、天の川銀河で約〇・五エルグ毎秒毎グラム(erg/s/g)であり、太陽、地球表面、生物圏、人間の体、人間の脳、現代社会(地球文明)はそれぞれその四倍、一五〇倍、一八〇〇倍、四万倍、三〇万倍、一〇〇万倍のエネルギーを一グラムにつき一秒間で消費している[9]。時間当たり・体重当たりのエネルギーの必要量は、複雑になればなるだけ桁違いに増えていく。

第二に、本書を読めば〈**われわれは何者か**〉——つまり人間の特徴を、恒星や他の生物と比較して理解することができる。

恒星は形成時に蓄えたエネルギーを使い切ると、そこでおしまいだ。生物は生きるために必要なエネルギーをたえずチャージし、それを恒星よりもはるかに繊細に管理する。

恒星はみずから情報を求めることはしない。対して、あらゆる生物は生きるために体内・体外の環境から必要な情報を得る「情報食者」でもあった。

しかも生物は恒星と違い、みずから増殖(繁殖)していく。

生物はエネルギーを調達して生き延び、身の回りの情報に適応していく中で「生物圏」を形成し、太陽や地球とのつきあい方を工夫すること(光合成や呼吸)によって莫大なエネルギーを手にする。この過程で生物圏は地球のサーモスタット(気温調節機構)を一時的に狂わせるが、のちにはそれを補完し、安定した気候の一因となる。

人間もまた生きるために食べ物や酸素を補給し、情報を読み解き、繁殖してきた生き物だ。だが人間は情報を集めて読み解くだけでなく、それを言葉で伝え合うことによって、幾多の地域や世代を超えて共有し、蓄積していく「集合的学習」をおこなうことができる。これこそが人間を人間たらしめるものであるというのがクリスチャンの長年の持論である。

人間は集合的学習によって環境に適応していく中で「人智圏」(思考・精神・文化の領域)を形成し、地球や他の生物とのつきあい方を工夫すること(農耕畜産と化石燃料革命)によって莫大なエネルギーを手にする。この結果、人間は地球と生物が何十億年もかけてつくり上げたサーモスタットをわずか数百年で乱しはじめている。

人間は操縦の仕方もわからないのに「地球のパイロット」になってしまった。それが、人智圏が生物圏を支配する「人新世」という時代である。しかし同時に、人間は今や宇宙の謎を科学によって解明しはじめている。人間は宇宙が自身の姿を見ようとして開きかけている「宇宙の目」でもあるのだ。最後に、本書は〈**われわれはどこへ行くのか**〉を複数の時間のスケールから描くことで、私たちがいま生きてあることの意義を考えるよすがとなる。

古の起源譚の英雄たちのように、現代の私たちにも乗り出すべき「冒険」が課せられている。それは庶民の生活水準のかつてない改善という「良い人新世」をさらに押し広げながら、それを脅かす格差や紛争や環境危機などの「悪い人新世」を避けることで、持続可能な世界秩序を実現することだ。

この九つ目の敷居をまたいだ暁には、敷居6~9までが「人智革命」とも呼ぶべきひとまとまりの大きな敷居（節目）と見なされうる。というのも、これは約二〇万年前に現れた人間が、集合的学習と人智圏によって地球を統御することに成功するまでのひとつながりの出来事と見なせるからだ。

それでも、宇宙に永遠はない。気が遠くなるほど先の未来においては、あらゆる複雑なものが朽ち果て、私たちの宇宙は終わりを迎える。この時点から振り返ってみれば、私たちが生きていたのは、宇宙が活力に満ち、その中から星々や花々といった複雑なものが続々と現れる絶好の時期だったのだ。クリスチャンはかつてこれを「宇宙の春」と呼んだ。[10] 春ならば謳歌《おうか》しない手はないだろう。

（つじむら・のぶお　国際ビッグヒストリー学会理事）

注

（1） David Christian, "What is Big History?," *Journal of Big History* I (1), 2017; *idem*, "'The keen longing for unified, all-embracing knowledge': Big History, Cosmic Evolution, and New Research Agendas," *Journal of Big History* III (3), 2019.

（2） Fred Spier, *Big History and the Future of Humanity*, 2nd ed., Chichester: Wiley Blackwell, 2015, pp. 18–21.

（3） David Christian, "The Case for 'Big History'," *Journal of World History* 2 (2), 1991.

（4） Christian, "The Case for 'Big History'," pp. 234–238; *idem*, "What's the Use of Big History?," *World History Connected* 3 (1) Oct. 2005: <http://www.history.cooperative.org/journals/whc/3.1/christian.html>; *idem*, "Big History: The longest 'durée'," *ÖZG* 20, Feb. 2009, pp. 98–102; *idem*, "Big History," in Kenneth R. Curtis & Jerry H. Bentley eds., *Architects of World History*, Chichester: Wiley Blackwell, 2014, pp. 195–201.

（5） Marnie Hughes-Warrington, "Big History," *Social Evolution & History* 4 (1) , 2005, p. 8.

（6） Christian, "Big History: The longest 'durée'," p. 98.

（7） David Christian, *Big History: The Big Bang, Life on Earth, and the Rise of Humanity*, 8 DVDs, Chantilly: The Teaching Company, 2008, Disc 1, Lecture 1; "We Need A Modern Origin Story: A Big History—A Conversation With David Christian," *Edge*, May 21, 2015: <http://edge.org/conversation/david_christian-we-need-a-modern-origin-story-a-big-history>; Spier, *Big History and the Future of Humanity*, p. 31: note 1; フェルナン・ブローデル（山上浩嗣、浜名優美訳）「長期持続」E・ル＝ロワ＝ラデュリ、A・ビュルギエール監修（浜名優美監訳）『叢書「アナール 1929–2010」歴史の対象と方法　Ⅲ　1958–1968』藤原書店、二〇一三年。

（8） このシンプルな公式は、高校生向けのビッグヒストリーの教育事業ビッグヒストリー・プロジェクト（https://school.bighistoryproject.com/bhplive）で、それぞれの敷居を説明するのに使われているものだ。

（9） Eric Chaisson, *Cosmic Evolution: The Rise of Complexity in Nature*, Cambridge, Mass.: Harvard University Press, 2001, p. 139: table 2.

（10） Christian, *Big History*, Disc 8, Lecture 48.

注

重大な論争が起こっている項目を除いて、注はなるべく最小限にとどめるよう努めた。

まえがき

（1） William H. McNeill, "Mythistory, or Truth, Myth, History, and Historians," *American Historical Review* 91, no. 1 (Feb. 1986) : 7.

（2） H. G. Wells, *Outline of History: Being a Plain History of Life and Mankind*, 3rd ed. (New York: Macmillan, 1921), vi. ［邦訳：『世界史概観　上・下』長谷部文雄・阿部知二訳、岩波新書、1993年］

（3） 偉大な生物学者のE・O・ウィルソンは、現代のさまざまな学問領域をより緊密に結びつけることの決定的重要性について雄弁に語っている。以下を参照のこと。E. O. Wilson, *Consilience: The Unity of Knowledge* (London : Abacus, 1998). ［邦訳：『知の挑戦――科学的知性と文化的知性の統合』山下篤子訳、角川書店、2002年］

（4） 私はこの言葉を以下で最初に使った。"The Case for 'Big History,'" *Journal of World History* 2, no. 2 (Fall 1991) : 223–38.

序章

（1） こうした発見の歴史および、考古学者と今日マンゴ湖のそばに住む人々による、それらの発見についてのおおいに異なる認識については、以下の素晴らしい短篇ドキュメンタリーを参照のこと。Andrew Pike and Ann McGrath, *Message from Mungo* (Ronin Films, 2014).

（2） オーストラリア内陸部の考古学に関する卓越した作品には以下がある。Mike Smith, *The Archaeology of Australia's Deserts* (Cambridge: Cambridge University Press, 2013).

（3） *The Power of Myth*, episode 2, Bill Moyers and Joseph Campbell, 1988, http://billmoyers.com/content/ep-2-joseph-campbell-and-the-power-of-myth-the-message-of-the-myth/.

（4） Alvarez, *A Most Improbable Journey*, 33. ［邦訳：『ありえない138億年史――宇宙誕生と私たちを結ぶビッグヒストリー』山田美明訳、光文社、2018年］

（5） Fritjof Capra and Pier Luigi Luisi, *The Systems View of Life: A Unifying Vision* (Cambridge: Cambridge University Press, 2014), 280 所収。

(6) ゴルディロックスの原理は以下で綿密に検討されている。Spier, *Big History*, 63–68 以降。

1 始まり

(1) Richard S. Westfall, *The Life of Isaac Newton* (Cambridge: Cambridge University Press, 1993), 259. ニュートンは後に、宇宙は神の「感覚中枢」であるという考え方について思い直したが、神は「文字どおりの意味で遍在」するという概念は堅持した。
(2) バートランド・ラッセルが1927年3月、ロンドンのバタシーのタウンホールで行なった、「なぜ私はキリスト教徒ではないか」と題する講演より。
(3) Christian, *Maps of Time*, 17 での引用。
(4) Deborah Bird Rose, *Nourishing Terrains: Australian Aboriginal Views of Landscape and Wilderness* (Canberra: Australian Heritage Commission, 1996), 23.［邦訳：『生命の大地――アボリジニ文化とエコロジー』保苅実訳、平凡社、2003年］
(5) Joseph Campbell, *The Hero with a Thousand Faces*, 2nd ed. (Princeton, NJ: Princeton University Press, 1968), 261.［邦訳：『千の顔をもつ英雄　上・下』倉田真木・斎藤静代・関根光宏訳、ハヤカワ文庫 NF、2015年、他］
(6) Stephen Hawking, *A Brief History of Time: From the Big Bang to Black Holes* (London: Bantam, 1988), 151.［邦訳：『ホーキング、宇宙を語る――ビッグバンからブラックホールまで』林一訳、ハヤカワ文庫 NF、1995年、他］
(7) Terry Pratchett, *Lords and Ladies* (London: Victor Gollancz, 1992) からのこの引用に関しては、エリース・ボーハンに感謝する。
(8) パラダイムに関する代表的な文献としては以下がある。Thomas Kuhn, *The Structure of Scientific Revolutions*, 2nd ed. (Chicago: University of Chicago Press, 1970).［邦訳：『科学革命の構造』中山茂訳、みすず書房、1984年、他］
(9) Peter Atkins, *Chemistry: A Very Short Introduction* (Oxford: Oxford University Press, 2015), loc. 722, Kindle.
(10) Lawrence Krauss, *A Universe from Nothing: Why There Is Something Rather than Nothing* (New York: Simon and Schuster, 2012).［邦訳：『宇宙が始まる前には何があったのか？』青木薫訳、文春文庫、2017年、他］
(11) Erwin Schrödinger, *What Is Life?*［邦訳：『生命とは何か――物理的にみた生細胞』岡小天・鎮目恭夫訳、岩波文庫、2008年、他］および *Mind and Matter* (Cambridge: Cambridge University Press, 1967), 73.［邦訳：『精神と物質――意識と科学的世界像をめぐる考察』中村量空訳、工作舎、1999年、他］
(12) Campbell, *The Hero with a Thousand Faces*, 25–26.［前掲『千の顔をもつ英雄』］
(13) Peter M. Hoffmann, *Life's Ratchet: How Molecular Machines Extract Order from Chaos* (New York: Basic Books, 2012), loc. 179, Kindle.

(14)　その考えに関して、さらに詳しくは以下を参照のこと。Krauss, *A Universe from Nothing.*［前掲『宇宙が始まる前には何があったのか？』］

2　恒星と銀河

（1）「分子の見地からは、何かを持ち上げるのは、それに含まれる分子をすべて同じ方向に動かすことに相当する。……仕事とは、周囲の原子の同一の動きを利用してエネルギーを移すことである」。Peter Atkins, *Four Laws That Drive the Universe*（Oxford: Oxford University Press, 2007）, 32.［邦訳：『万物を駆動する四つの法則——科学の基本、熱力学を究める』斉藤隆央訳、早川書房、2009年］

（2）以下を参照のこと。Chaisson, *Cosmic Evolution*, and Spier, *Big History.*

（3）Andrew King, *Stars: A Very Short Introduction*（Oxford: Oxford University Press, 2012）, 49.［邦訳：『星——巨大ガス球の生と死』中田好一訳、丸善出版、2013年］

（4）同上、59.

（5）同上、60.

（6）同上、66.

3　分子と衛星

（1）Atkins, *Chemistry*, loc. 788, Kindle.

（2）Robert M. Hazen, "Evolution of Minerals," *Scientific American*（March 2010）: 61.

（3）John Chambers and Jacqueline Mitton, *From Dust to Life: The Origin and Evolution of Our Solar System*（Princeton, NJ: Princeton University Press, 2014）, 7.

（4）Doug Macdougall, *Why Geology Matters: Decoding the Past, Anticipating the Future*（Berkeley: University of California Press, 2011）, 4.

（5）Doug Macdougall, *Nature's Clocks: How Scientists Measure the Age of Almost Everything*（Berkeley: University of California Press, 2008）, 58–60.

（6）Tim Lenton, *Earth Systems Science: A Very Short Introduction*（Oxford: Oxford University Press, 2016）, loc. 1297, Kindle.

4　生命

（1）このたとえと計算は、ともに以下より。Hoffmann, *Life's Ratchet*, loc. 238, Kindle.

（2）John Holland, *Complexity: A Very Short Introduction*（Oxford: Oxford University Press, 2014）, 8. 複雑適応系は、「不変ではない要素」を含んでいる。「通常は「行動主体《エージェント》」と呼ばれるそうした要素は、他の行動主体との相互作用に応じて学習または適応する」

（3） Seth Lloyd, *Programming the Universe*（New York: Knopf, 2006）, 44.［邦訳：『宇宙をプログラムする宇宙——いかにして「計算する宇宙」は複雑な世界を創ったか？』水谷淳訳、早川書房、2007年］
（4） Luciano Floridi, *Information: A Very Short Introduction*（Oxford: Oxford University Press, 2010）, loc. 295, Kindle に引用されたグレゴリー・ベイトソンの言葉。
（5） Daniel C. Dennett, *Kinds of Minds: Towards an Understanding of Consciousness*（London: Weidenfeld and Nicolson, 1996）, 82.［邦訳：『心はどこにあるのか』土屋俊訳、ちくま学芸文庫、2016年、他］
（6） David S. Goodsell, *The Machinery of Life*, 2nd ed.（New York: Springer Verlag, 2009）, loc. 700, Kindle.［邦訳：『生命のメカニズム——美しいイメージで学ぶ構造生命科学入門』中村春木監訳、工藤高裕・西川建・中村春木訳、シナジー、2015年］
（7）「構造を生み出すプロセスはみな、その構造に固有の潜在情報を増加させ、その分だけエントロピーが減少する（ミクロ状態の数の減少）」。*From Matter to Life: Information and Causality*, ed. Sara Imari Walker, Paul C. W. Davies, and George F. R. Ellis（Cambridge: Cambridge University Press, 2017）, chapter 4, Kindle 所収の Anne-Marie Grisogono, "（How）Did Information Emerge?" より。
（8） Hoffmann, *Life's Ratchet*, loc. 3058, Kindle.
（9） Charles Darwin, *The Origin of Species*（New York: Penguin, 1985）, 130–31.［邦訳：『種の起原』堀伸夫・堀大才訳、朝倉書店、2009年、他］
（10） ダーウィンの考えが持っていた威力と、衝撃を与える力の大きさは、Daniel C. Dennett, *Darwin's Dangerous Idea: Evolution and the Meaning of Life*（London: Allen Lane, 1995）［邦訳：『ダーウィンの危険な思想——生命の意味と進化』山口泰司監訳、大崎博・斎藤　孝・石川幹人・久保田俊彦訳、青土社、2001年、他］に見事に描かれている。
（11） 豊かな化学作用のためのゴルディロックス条件についての優れた考察をしているのが、Jeffrey Bennett and Seth Shostak, *Life in the Universe*, 3rd ed.（Boston: Addison-Wesley, 2011）, chapter 7 だ。
（12） Daniel C. Dennett, *From Bacteria to Bach: The Evolution of Minds*（New York: Penguin, 2017）, 48.［邦訳：『心の進化を解明する——バクテリアからバッハへ』木島泰三訳、青土社、2018年］
（13） *Science* 356, no. 6334（April 14, 2017）: 132.
（14） Hazen, "Evolution of Minerals," 58.
（15） Peter Ward and Joe Kirschvink, *A New History of Life: The Radical New Discoveries About the Origins and Evolution of Life on Earth*（London: Bloomsbury Press, 2016）, 65–66.［邦訳：『生物はなぜ誕生したのか——生命の起源と進化の最新科学』梶山あゆみ訳、河出書房新社、2016年］
（16） Allen P. Nutman et al., "Rapid Emergence of Life Shown by Discovery of

3,700-Million-Year-Old Microbial Structures," *Nature* 537 (September 22, 2016): 535–38, doi:10.1038/nature19355.
(17) Nadia Drake, "This May Be the Oldest Known Sign of Life on Earth," *National Geographic*, March 1, 2017, https://www.nationalgeographic.com/news/2017/03/oldest-life-earth-iron-fossils-canada-vents-science/.
(18) Madeline C. Weiss et al., "The Physiology and Habitat of the Last Universal Common Ancestor," *Nature Microbiology* 1, article no. 16116 (2016), doi:10.1038/nmicrobiol.2016.116.
(19) Nick Lane, *Life Ascending: The Ten Great Inventions of Evolution* (New York: W. W. Norton, 2009), loc. 421, Kindle.［邦訳：『生命の跳躍――進化の10大発明』斉藤隆央訳、みすず書房、2010年］
(20) テレンス・ディーコンは、これを「autocell」と呼んでいる。以下を参照のこと。Grisogono, "(How) Did Information Emerge?"

5 小さな生命と生物圏

(1) 生物圏という考え方については、Vaclav Smil, *The Earth's Biosphere: Evolution, Dynamics, and Change* (Cambridge, MA: MIT Press, 2002) と、リン・マーギュリスの前書きがついたVladimir Vernadskyの先駆的な作品 *The Biosphere* (Göttingen, Germany: Copernicus, 1998) を参照のこと。生物圏の歴史の簡潔な概要については、以下を参照のこと。Mark Williams et al., "The Anthropocene Biosphere," *Anthropocene Review* (2015): 1–24, doi: 10.1177/2053019615591020.
(2) Christian, Brown, and Benjamin, *Big History*, 46.［邦訳：『ビッグヒストリー』］
(3) Andrea Wulf, *The Invention of Nature: The Adventures of Alexander von Humboldt, the Lost Hero of Science* (London: John Murray, 2015), loc. 2368, Kindle.［邦訳：『フンボルトの冒険――自然という〈生命の網〉の発明』鍛原多惠子訳、NHK出版、2017年］
(4) Bennett and Shostak, *Life in the Universe*, 130.
(5) Hazen, "Evolution of Minerals," 63.
(6) Bennett and Shostak, *Life in the Universe*, 134.
(7) David Grinspoon, *Earth in Human Hands: Shaping Our Planet's Future* (New York: Grand Central Publishing, 2016), 204.
(8) これらのメカニズムについての考察は、同上、44以降を参照のこと。
(9) Ward and Kirschvink, *A New History of Life*, 64.［前掲『生物はなぜ誕生したのか』］
(10) Dennis Bray, *Wetware: A Computer in Every Living Cell* (New Haven, CT: Yale University Press, 2009), loc. 1084, Kindle.［邦訳：『ウェットウェア――単細胞は生きたコンピューターである』熊谷玲美・田沢恭子・寺町朋子訳、早川書

房、2011年］

(11)　この説明は以下より。Gerhard Roth, *The Long Evolution of Brains and Minds*（New York: Springer, 2013）, 70.

(12)　以下を参照のこと。Andrew Knoll, *Life on a Young Planet: The First Three Billion Years of Evolution on Earth*（Princeton, NJ: Princeton University Press, 2003）, 20［邦訳：『生命　最初の30億年――地球に刻まれた進化の足跡』斉藤隆央訳、紀伊國屋書店、2005年］。この本は、原核生物の代謝系の驚くべき多様性に関する素晴らしい作品だ。最初期の生物が利用していたエネルギーの流れについては、以下を参照のこと。Olivia P. Judson, "The Energy Expansions of Evolution," *Nature: Ecology and Evolution* 28（April 2017）: 1–9.

(13)　Lenton, *Earth Systems Science*, 18.

(14)　同上、loc. 1344, Kindle.

(15)　Hazen, "Evolution of Minerals," 63.

(16)　Lenton, *Earth Systems Science*, loc. 1418, Kindle.

(17)　Donald E. Canfield, *Oxygen: A Four Billion Year History*（Princeton, NJ: Princeton University Press, 2014）, loc. 893, Kindle.

(18)　Lenton, *Earth Systems Science*, loc. 1438, Kindle.

(19)　Roth, *The Long Evolution of Brains and Minds*, 73–75.

6　大きな生命と生物圏

(1)　Michael J. Benton, *The History of Life: A Very Short Introduction*（Oxford: Oxford University Press, 2008）, loc. 766, Kindle.［邦訳：『生命の歴史――進化と絶滅の40億年』鈴木寿志・岸田拓士訳、丸善出版、2013年］以下も参照のこと。Bray, *Wetware*, loc. 2008 以降、Kindle.［前掲『ウェットウェア』］

(2)　Siddhartha Mukherjee, *The Gene: An Intimate History*（New York: Scribner, 2016）, loc. 5797, Kindle.［邦訳：『遺伝子――親密なる人類史　上・下』仲野徹監修、田中文訳、早川書房、2018年］

(3)　Sean B. Carroll, *Endless Forms Most Beautiful: The New Science of Evo Devo and the Making of the Animal Kingdom*（London: Weidenfeld and Nicolson, 2011）, 71 以降。［邦訳：『シマウマの縞　蝶の模様――エボデボ革命が解き明かす生物デザインの起源』渡辺政隆・経塚淳子訳、光文社、2007年］

(4)　この後の考察の多くは、以下に基づく。Ward and Kirschvink, *A New History of Life*, chapter 7.［前掲『生物はなぜ誕生したのか』］

(5)　Doug Macdougall, *Why Geology Matters*, 132.

(6)　Ward and Kirschvink, *A New History of Life*, 119.［前掲『生物はなぜ誕生したのか』］

(7)　同上、124.

(8)　Niles Eldredge and S. J. Gould, "Punctuated Equilibria: An Alternative to Phyletic Gradualism," in *Models in Paleobiology*, ed. T. J. M. Schopf（San Fran-

cisco: Freeman Cooper, 1972), 82–115.

(9) バージェス頁岩化石に関して、異論があるにしても素晴らしい作品に、以下がある。Stephen Jay Gould, *Wonderful Life: The Burgess Shale and the Nature of History* (London: Hutchinson, 1989). [邦訳:『ワンダフル・ライフ——バージェス頁岩と生物進化の物語』渡辺政隆訳、ハヤカワ文庫 NF、2000年]

(10) 以下で使われた用語。Ward and Kirschvink, *A New History of Life*, 222. [前掲『生物はなぜ誕生したのか』]

(11) Lenton, *Earth Systems Science*, 44.

(12) 同上、48:「顕生代を通して、大気中の二酸化炭素における最も顕著な変化は、植物が陸上に進出したせいで起こった。この変化は4億7000万年前頃から始まり、3億7000万年前に最初の森林が登場してから勢いを増した。その結果起こったケイ酸塩鉱物風化作用の加速は、大気中の二酸化炭素濃度を1桁下げたと推定され、地球は寒冷化して石炭紀とペルム紀に一連の氷期を経験した」

(13) 同上、72.

(14) 同上、24, 炭素の埋没と大気中の酸素濃度との関係について。Hazen, "Evolution of Minerals," 58 は、地球には4億年前までに4000種類を超える鉱物がすべて揃っていたと主張している。

(15) Roth, *The Long Evolution of Brains and Minds*, 229.

(16) Daniel Cossins, "Why Do We Seek Knowledge?," *New Scientist* (April 1, 2017):33.

(17) 神経科学者のアントニオ・ダマシオは、*Self Comes to Mind: Constructing the Conscious Mind* (Calgary, Alberta: Cornerstone Digital, 2011) [邦訳:『自己が心にやってくる——意識ある脳の構築』山形浩生訳、早川書房、2013年] で、私たちの認知感覚は、自分の体の肉感的マップや視覚的マップや触覚的マップから始まる、絶えず移ろう現実のマップの中に埋め込まれている、と主張している。

(18) Dylan Evans, *Emotion: A Very Short Introduction* (Oxford: Oxford University Press, 2001), loc. 334, Kindle. [邦訳:『1冊でわかる 感情』遠藤利彦訳、岩波書店、2005年]

(19) Roth, *The Long Evolution of Brains and Minds*, 15–16.

(20) 同上、162–63.

(21) この考察では、私は地質学者ウォルター・アルバレスによるこの出来事の説明に厳密に即している。彼は小惑星の衝突で恐竜が一掃されたことを立証した。彼の以下の短い佳作を参照のこと。Walter Alvarez, *T. Rex and the Crater of Doom* (New York: Vintage, 1998). [邦訳:『絶滅のクレーター——T・レックス最後の日』月森左知訳、新評論、1997年]

(22) *Science News*, https://www.sciencenews.org/article/devastation-detectives-try-solve-dinosaur-disappearance.

(23) Stephen Brusatte and Zhe-Xi Luo, "Ascent of the Mammals," *Scientific American* (June 2016):20–27.

(24) Ward and Kirschvink, *A New History of Life*, 315. ［前掲『生物はなぜ誕生したのか』］

(25) 同上、316.

7 人間

(1) この点については、以下で雄弁に論じられている。Grinspoon, *Earth in Human Hands*.

(2) Robin Dunbar, *The Human Story: A New History of Mankind's Evolution* (London: Faber and Faber, 2004), 71.

(3) Roth, *The Long Evolution of Brains and Minds*, 226.

(4) これは古くからあるジョークで、私自身は以下の作品で出くわした。Daniel C. Dennett, *Consciousness Explained* (London: Penguin, 1991), 177［邦訳：『解明される意識』山口泰司訳、青土社、1998年］。デネットは終身在職権のたとえを、コロンビア出身のアメリカの神経科学者ロドルフォ・リナスのものとしている。

(5) この最後の見解については、以下を参照のこと。Michael S. A. Graziano, *Consciousness and the Social Brain* (Oxford: Oxford University Press, 2013).

(6) 類人猿やサルの集団における駆け引きの複雑さについては、フランス・ドゥ・ヴァールやジェーン・グドールの作品、さらにはヒヒのコミュニティに関する、以下の新しい研究の中で論じられている。Dorothy L. Cheney and Robert M. Seyfarth, *Baboon Metaphysics: The Evolution of a Social Mind* (Chicago: University of Chicago Press, 2007).

(7) 以下を参照のこと。Christopher Seddon, *Humans: From the Beginning* (New York: Glanville Books, 2014), 42–45.

(8) EQについては、以下を参照のこと。同上、225以降、およびRoth, *The Long Evolution of Brains and Minds*, 232.

(9) Roth, *The Long Evolution of Brains and Minds*, 228.

(10) 脳容量と集団の規模の相関関係については、以下を参照のこと。John Gowlett, Clive Gamble, and Robin Dunbar, "Human Evolution and the Archaeology of the Social Brain," *Current Anthropology* 53, no. 6 (December 2012): 695–96.

(11) *New Scientist* (April 29, 2017): 10.

(12) Robin Dunbar, *Human Evolution* (New York: Penguin, 2014), 163. ［邦訳：『人類進化の謎を解き明かす』鍛原多惠子訳、インターシフト、2016年］

(13) Gowlett, Gamble, and Dunbar, "Human Evolution," 695–96.

(14) Michael Tomasello, *The Cultural Origins of Human Cognition* (Cambridge, MA: Harvard University Press, 1999), loc. 39, Kindle. ［邦訳：『心とことばの起源を探る――文化と認知』大堀壽夫・中澤恒子・西村義樹・本多啓訳、勁草書房、2006年］

(15) James R. Hurford, *The Origins of Language: A Slim Guide* (Oxford: Oxford University Press, 2014), 68; Cheney and Seyfarth, *Baboon Metaphysics*, loc.

2408, Kindle:「人間以外の霊長類がものを教えるという証拠については……乏しいの一言で要約できる」

(16) Tomasello, *The Cultural Origins of Human Cognition*, loc. 5, Kindle [前掲『心とことばの起源を探る』]:「忠実な社会的伝達は……退歩を防ぐ歯止め装置として機能しうる――その結果、新しく考案された人工物や慣行は、さらなる改変や改善がなされるまで、少なくともある程度の忠実さをもって、その新たなより良い形態を維持することになる」。トマセロはこれを「協働学習(コラボラティブ・ラーニング)」と名づけた。

(17) Steven Pinker, *The Sense of Style: The Thinking Person's Guide to Writing in the Twenty-First Century* (New York: Penguin, 2015), 110.

(18) この見解は、以下によって提唱されている。Roth, *The Long Evolution of Brains and Minds*, 264;数多くの単語を記憶する人間特有の能力については、以下を参照のこと。Hurford, *The Origins of Language*, 119.

(19) 以下を参照のこと。Terrence Deacon, *The Symbolic Species: The Co-Evolution of Language and the Brain* (New York: W. W. Norton, 1998) [邦訳:『ヒトはいかにして人となったか――言語と脳の共進化』金子隆芳訳、新曜社、1999年] および Michael Tomasello, *Why We Cooperate* (Cambridge, MA: MIT Press, 2009) [邦訳:『ヒトはなぜ協力するのか』橋彌和秀訳、勁草書房、2013年]。言語の進化に関する近年の調査については、以下を参照のこと。W. Tecumseh Fitch, *The Evolution of Language* (Cambridge: Cambridge University Press, 2010) および Peter J. Richerson and Robert Boyd, "Why Possibly Language Evolved," *Biolinguistics* 4, nos. 2/3 (2010): 289–306. Alex Mesoudi, *Cultural Evolution: How Darwinian Theory Can Explain Human Culture and Synthesize the Social Sciences* (Chicago: University of Chicago Press, 2011) [邦訳:『文化進化論――ダーウィン進化論は文化を説明できるか』野中香方子訳、NTT 出版、2016年] は、文化の変遷に関する数多くの研究を対象にした、ダーウィン主義の観点からの、近年における優れた調査報告だ。

(20) Eric R. Kandel, *In Search of Memory: The Emergence of a New Science of Mind* (New York: W. W. Norton, 2006), loc. 330, Kindle.

(21) William H. McNeill, "*The Rise of the West* After Twenty-Five Years," *Journal of World History* l, no. 1 (1990): 2.

(22) Sally McBrearty and Alison S. Brooks, "The Revolution That Wasn't: A New Interpretation of the Origin of Modern Human Behavior," *Journal of Human Evolution* 39 (2000): 453–563.

(23) この想像は以下から引いた。Peter J. Richerson and Robert Boyd, *Not by Genes Alone: How Culture Transformed Human Evolution* (Chicago: University of Chicago Press, 2005), 139.

(24) Dunbar, *Human Evolution*, 13. [前掲『人類進化の謎を解き明かす』]

(25) この見解の概要は、以下によくまとめられている。Chris Scarre, ed., *The*

Human Past: World Prehistory and the Development of Human Societies (London: Thames and Hudson, 2005), 143–45.

(26) *Cambridge World History*, vol. 1, ed. Merry Wiesner-Hanks (Cambridge: Cambridge University Press, 2015), 452 所収の Peter Hiscock, "Colonization and Occupation of Australasia."

(27) こうした移動については、以下に詳しい説明がある。Peter Bellwood, *First Migrants: Ancient Migration in Global Perspective* (Malden, MA: Wiley-Blackwell, 2013).

(28) 初期の拡散モデルについては、以下を参照のこと。Hiscock, "Colonization and Occupation of Australasia," 433–38.

(29) 数値は以下より。Christian, *Maps of Time*, 143.

(30) Marshall Sahlins, "The Original Affluent Society," *Stone Age Economics* (London: Tavistock, 1972), 1–39. [邦訳:『石器時代の経済学』山内昶訳、法政大学出版局、2012年]

8 農耕

(1) Vaclav Smil, *Harvesting the Biosphere: What We Have Taken from Nature* (Cambridge, MA: MIT Press, 2013).

(2) Jared Diamond, *Guns, Germs, and Steel: The Fates of Human Societies* (London: Vintage, 1998) [邦訳:『銃・病原菌・鉄――一万三〇〇〇年にわたる人類史の謎 上・下』倉骨彰訳、草思社文庫、2012年、他] はエピローグで、自然実験という考え方を掘り下げている。

(3) 以下を参照のこと。http://www.theaustralian.com.au/national-affairs/indigenous/aborigines-were-building-tone-houses-9000-years-ago/news-story/30ef4873a7c8aaa2b80d01a12680df77.

(4) 人間の歴史における男女の役割変化について概説した最近の優れた作品には以下がある。Merry E. Wiesner-Hanks, *Gender in History: Global Perspectives*, 2nd ed. (Malden, MA: Wiley-Blackwell, 2011).

(5) Marc Cohen, *The Food Crisis in Prehistory* (New Haven, CT: Yale University Press, 1977), 65:「世界各地の集団は、数千年のうちに次々と農業を導入せざるをえなくなるのだった」

(6) Scarre, ed., *The Human Past*, 214–15.

(7) Bruce Pascoe, *Dark Emu: Black Seeds: Agriculture or Accident?* (Broome, Australia: Magabala Books, 2014) では、オーストラリア先住民の栽培技術が数多く紹介されている。鎌については、以下に記述がある。loc. 456, Kindle.

(8) これは、ジャレド・ダイアモンドの名著、*Guns, Germs, and Steel* [前掲『銃・病原菌・鉄』] の中心的な主張の一つだ。

(9) Bellwood, *First Migrants*, 124.

(10) Smil, *Harvesting the Biosphere*, loc. 2075, Kindle.

(11) Merry Wiesner-Hanks, ed., *Cambridge World History*, vol. 2 (Cambridge: Cambridge University Press, 2015), 221, 224–28.
(12) Dunbar, *Human Evolution*, 77. [前掲『人類進化の謎を解き明かす』]

9 農耕文明

(1) *Man the Hunter*, ed. R. Lee and I. DeVore (Chicago: Aldine, 1968) 所収の Richard Lee, "What Hunters Do for a Living, or, How to Make Out on Scarce Resources."
(2) Scarre, ed., *The Human Past*, 403.
(3) Alfred J. Andrea and James H. Overfield, *The Human Record: Sources of Global History*, vol. 1, 4th ed. (Boston: Wadsworth, 2008), 23–24 での引用。
(4) Robert C. Tucker, ed., *The Marx-Engels Reader*, 2nd ed. (New York: W. W. Norton, 1978), 608 での引用。
(5) *Cambridge World History*, vol. 3, Merry Wiesner-Hanks, ed. (Cambridge: Cambridge University Press, 2015), 115–16 所収の Hans J. Nissen, "Urbanization and the Techniques of Communication: The Mesopotamian City of Uruk During the Fourth Millennium BCE."
(6) Mark McClish and Patrick Olivelle, eds., *The Arthasastra: Selections from the Classic Indian Work on Statecraft* (Indianapolis: Hackett Publishing, 2012), sections 1.4.13–15, Kindle. [邦訳：カウティリヤ『実利論――古代インドの帝王学 上・下』上村勝彦訳、岩波文庫、1984年、他]
(7) 同上、sections 1.4.1–1.4.4, 1.5.1.
(8) 同上、section 2.36.3.
(9) 同上、section 2.35.4.
(10) Thomas Piketty, *Capital in the Twenty-First Century*, trans. Arthur Goldhammer (Cambridge, MA: Harvard University Press, 2014), 270 [邦訳：『21世紀の資本』山形浩生・守岡桜・森本正史訳、みすず書房、2014年]。以下も参照のこと。同、258, table 7. 2.

10 現代世界の前夜

(1) Grace Karskens, *The Colony: A History of Early Sydney* (New South Wales: Allen and Unwin, 2009), loc. 756–79, Kindle.
(2) 世界全体で激化していた新たな資源の争奪戦を、以下の作品が見事に描写している。John Richards, *The Unending Frontier: Environmental History of the Early Modern World* (Berkeley: University of California Press, 2006).
(3) Alfred W. Crosby, *Ecological Imperialism: The Biological Expansion of Europe, 900–1900* (Cambridge: Cambridge University Press, 1986). [邦訳：『ヨーロッパの帝国主義――生態学的視点から歴史を見る』佐々木昭夫訳、ちくま学芸文庫、2017年、他]

(4) Felipe Fernández-Armesto, *Pathfinders: A Global History of Exploration* (New York: W. W. Norton, 2007), 161 以降。
(5) David Wootton, *The Invention of Science: A New History of the Scientific Revolution* (New York: Penguin, 2015), 68.
(6) Steven J. Harris, "Long-Distance Corporations, Big Sciences, and the Geography of Knowledge," *Configurations* 6 (1998) : 269 での引用。
(7) Wootton, *The Invention of Science*, 37.
(8) 同上、54.
(9) 同上、35.
(10) 同上、5–6, 8–9.
(11) Margaret Jacob and Larry Stewart, *Practical Matter: Newton's Science in the Service of Industry and Empire, 1687–1851* (Cambridge, MA: Harvard University Press, 2004), 16.
(12) David Christian, *"Living Water": Vodka and Russian Society on the Eve of Emancipation* (Oxford: Oxford University Press, 1990).
(13) E. A. Wrigley, *Energy and the English Industrial Revolution* (Cambridge: Cambridge University Press, 2011), loc. 298–306, Kindle. マルサス、ジェヴォンズ、リカード、ミルも、自然界が成長に制限を課しているという考え方を受け容れていた。以下での考察も参照のこと。Donald Worster, *Shrinking the Earth: The Rise and Decline of American Abundance* (Oxford: Oxford University Press, 2016), 44–49.
(14) Alfred W. Crosby, *Children of the Sun: A History of Humanity's Unappeasable Appetite for Energy* (New York: W. W. Norton, 2006), 60.
(15) Wrigley, *Energy and the English Industrial Revolution*, loc. 2112, Kindle.
(16) ニューコメンの蒸気機関の歴史と、科学革命へのつながりについては、以下を参照のこと。Wootton, *The Invention of Science*, chapter 14.
(17) Wrigley, *Energy and the English Industrial Revolution*, loc. 2112, Kindle.
(18) Daniel Yergin, *The Prize: The Epic Quest for Oil, Money, and Power* (New York: Free Press, 1991), chapter 1. [邦訳:『石油の世紀——支配者たちの興亡 上・下』日高義樹・持田直武訳、日本放送出版協会、1991年]
(19) 同上、16.

11 人新世

(1) Graham Allison and Philip Zelikow, *Essence of Decision: Explaining the Cuban Missile Crisis*, 2nd ed. (New York: Longman, 1999), 271. [邦訳:『決定の本質——キューバ・ミサイル危機の分析 第2版 Ⅰ・Ⅱ』漆嶋稔訳、日経BP社、2016年]
(2) Angus Maddison, *The World Economy: A Millennial Perspective* (Paris: Organisation for Economic Co-Operation and Development, 2001), 127. [邦

訳：『経済統計で見る世界経済2000年史』金森久雄監訳、（財）政治経済研究所訳、柏書房、2004年］

（3） Lenton, *Earth Systems Science*, 82.

（4） Ha-Joon Chang, *Economics: The User's Guide* (New York: Pelican, 2014), 429, 世界銀行が発表した数値に基づく。［邦訳：『ケンブリッジ式経済学ユーザーズガイド――経済学の95%はただの常識にすぎない』酒井泰介訳、東洋経済新報社、2015年］

（5） Lenton, *Earth Systems Science*, 82, 96–97.

（6） この科学者はウォーレス・ブロッカーで、*The Berkshire Encyclopedia of Sustainability, Vol. 10: The Future of Sustainability*, ed. Ray Anderson et al. (Barrington, MA: Berkshire Publishing, 2012), 22 所収の David Christian, "Anthropocene Epoch" での引用。

（7） *The Oxford Research Encyclopedia, Environmental Science* (Oxford: Oxford University Press, 2015), 4–5 所収の Jan Zalasiewicz and Colin Waters, "The Anthropocene."

12 すべてはどこへ向かおうとしているのか？

（1） キム・スタンリー・ロビンソンの火星三部作――*Red Mars* (1993)［邦訳：『レッド・マーズ　上・下』大島豊訳、東京創元社、1998年］, *Green Mars* (1994)［邦訳：『グリーン・マーズ　上・下』大島豊訳、東京創元社、2001年］, *Blue Mars* (1996)［邦訳：『ブルー・マーズ　上・下』大島豊訳、東京創元社、2017年］――は、火星の植民地化がどのようなものになりうるかについて、含蓄に富む真に迫ったSFの描写を提供してくれる。

（2） Campbell, *The Hero with a Thousand Faces*, 46.［前掲『千の顔をもつ英雄』］

（3） *The Principles of Political Economy*, Google Books, http://www.efm.bris.ac.uk/het/mill/book4/bk4ch06　所収の J. S. Mill, "Of the 'Stationary State.' "［邦訳：『経済学原理　1巻〜5巻』末永茂喜訳、岩波文庫、1959〜1963年、他、第4巻所収「停止状態について」］

（4） Johan Rockström et al., "A Safe Operating Space for Humanity," *Nature* 461 (September 24, 2009): 472–75；以下でアップデートされている。Will Steffen et al., "Planetary Boundaries: Guiding Human Development on a Changing Planet," *Science* (January 2015): 1–15.

（5） Steffen et al., "Planetary Boundaries," 1.

（6）「成熟した人新世」という考え方は、以下で探究されている。Grinspoon, *Earth in Human Hands*. この項で示した考え方のいくつかは、以下から拝借した。Paul Raskin, *Journey to Earthland: The Great Transition to Planetary Civilization* (Boston: Tellus Institute, 2016).

（7） この後の説明の詳細は、ショーン・キャロルの素晴らしい作品より。*The Big Picture: On the Origins of Life, Meaning, and the Universe Itself* (New York:

Dutton, 2016), loc. 878, Kindle.［邦訳：『この宇宙の片隅に』松浦俊輔訳、青土社、2017年］

参考文献

注には特定のテーマに関してとりわけ有用と思われる書物の一部を示しておいた。とはいえ、取り上げた作品のほとんどは最近のものであり、刊行から時を経たカール・セーガンの名著『COSMOS』のような、古典的作品の多くは含まれていない。以下のリストは主に、過去に広角レンズを向ける作品に的を絞ってあり、ビッグヒストリーと、現代版のオリジン・ストーリーと、ビッグヒストリーの主要テーマの一部を取り上げた書籍の入門的参考文献一覧と考えることができる。

書籍と論文

Alvarez, Walter. *A Most Improbable Journey: A Big History of Our Planet and Ourselves*. New York: W. W. Norton, 2016. ［邦訳：『ありえない138億年史――宇宙誕生と私たちを結ぶビッグヒストリー』山田美明訳、光文社、2018年］小惑星が恐竜を絶滅させたことを示した地質学者による、ビッグヒストリーの物語の個人的探究。

Brown, Cynthia Stokes. *Big History: From the Big Bang to the Present*, 2nd ed. New York: New Press, 2012. ビッグヒストリーの物語の一バージョン。

Bryson, Bill. *A Short History of Nearly Everything*. New York: Doubleday, 2003. ［邦訳：『人類が知っていることすべての短い歴史　上・下』楡井浩一訳、新潮文庫、2014年、他］宇宙に関する私たちの近代的な科学的解釈がどのように発展してきたかについての、見事で非常に読みやすい説明。

Chaisson, Eric. *Cosmic Evolution: The Rise of Complexity in Nature*. Cambridge, MA: Harvard University Press, 2001. この作品は、エネルギー密度の流れとしだいに増す複雑さとのつながりを探究する。

Christian, David. *Maps of Time: An Introduction to Big History*. 2nd ed. Berkeley: University of California Press, 2011. First published in 2004. ビッグヒストリーの物語を語ろうとする、現代的な試みの最初期の一作品。

———. *This Fleeting World: A Short History of Humanity*. Great Barrington, MA: Berkshire Publishing, 2008. ［邦訳：『ビッグヒストリー入門――科

学の力で読み解く世界史』渡辺政隆訳、WAVE出版、2015年］人間の歴史を短くまとめた作品。
———. “What Is Big History?” *Journal of Big History* 1, no. 1 (2017) : 4–19, https://journalofbighistory.org/index.php/jbh.
Christian, David, Cynthia Stokes Brown, and Craig Benjamin. *Big History: Between Nothing and Everything*. New York: McGraw-Hill, 2014.［邦訳：『ビッグヒストリー　われわれはどこから来て、どこへ行くのか——宇宙開闢から138億年の「人間」史』長沼毅監修、石井克弥・竹田純子・中川泉訳、明石書店、2016年］大学生向けのビッグヒストリーの教科書。
Macquarie University Big History Institute. *Big History*. London: DK Books, 2016.［邦訳：『ビッグヒストリー大図鑑——宇宙と人類138億年の物語』オフィス宮崎訳、河出書房新社、2017年］ビッグヒストリーの物語を美しい写真や図版で解説した作品。
Rodrigue, Barry, Leonid Grinin, and Andrey Korotayev, eds. *From Big Bang to Galactic Civilizations: A Big History Anthology*. Vol. 1, *Our Place in the Universe*. Delhi: Primus Books, 2015. 小論のアンソロジー。
Spier, Fred. *Big History and the Future of Humanity*. 2nd ed. Malden, MA: Wiley-Blackwell, 2015. ビッグヒストリーの背後にある主要な理論的概念のいくつかを引き出そうとする野心的な試み。

ビッグヒストリーに関するその他の情報源

ビル・ゲイツは、高校用のビッグヒストリーの無料オンラインコースである、ビッグヒストリー・プロジェクトの創始に資金を提供してくれた。今やビッグヒストリーは、独自の学術的機関（国際ビッグヒストリー学会）を持っている。マッコーリー大学はビッグヒストリーの教育と研究を進めるためにビッグヒストリー研究所を創設してくれた。

2011年にビッグヒストリーについて私が行なったTEDトークの講演は、ビッグヒストリーの考え方を簡潔に紹介するべくデザインされた。以下で閲覧できる。https://www.ted.com/talks/david_christian_big_history

用語集

専門用語と、本書の中で独特の意味で使われている用語を、以下にまとめておく。

亜原子粒子　原子の構成要素。陽子や中性子や電子など。

暗黒エネルギー（ダークエネルギー）　性質や源泉がまだわかっていないエネルギーだが、宇宙が加速しながら膨張している原因かもしれず、宇宙の質量の約７割を占める可能性がある。

暗黒物質（ダークマター）　それが持つ重力の作用は検出できるが、厳密な源泉と形態がまだわかっていない物質。宇宙の質量の約25パーセントを占める可能性がある。

隕石　宇宙空間から地球に落下した物体。ほとんどの隕石は太陽系が誕生して以来ほとんど変わっていないので、太陽系の形成と進化に関する情報を提供してくれる。

インフレーション　宇宙論では、ビッグバン後の最初の１秒間の初期に起こった、極端に急速な宇宙の膨張の期間のことをいう。

宇宙　私たちが証拠に基づく知識を持っているいっさいのものの総体。ビッグバンで形成された。

宇宙マイクロ波背景放射（CMBR）　ビッグバンの約38万年後に、最初の原子が形成されたときの放射の名残。今日でも検出可能で、ビッグバン宇宙論を支持する決定的な証拠の一つ。

宇宙論　宇宙とその進化を研究する学問。

栄養段階　光合成のエネルギーが植物から草食動物へ、肉食動物へ、さらには人間社会のエリートへと移っていく食物連鎖における段階。各段階でかなりの量のエネルギーが失われるので、高い段階ほど必ず個体群が小さくなる。

液体　物質の流体状態で、原子あるいは分子どうしは結合しているものの、お互いの脇や周りを通過できる。液体は収まっている容器の形状を取る。

エネルギー　何かが起こったり動いたり変化したりする潜在性。私たちの宇宙では、エネルギーは、重力、電磁気力、強い核力、弱い核力の四つの主要な

形態で存在しているが、暗黒エネルギーの形態でも存在している。

エントロピー　熱力学の第二法則に従って、構造化の度合いが低くなるという、宇宙の傾向。

大型動物相　大型の哺乳動物。その多くは、旧石器時代後期に人間がオーストラレーシアやシベリアやアメリカ大陸に到達して間もなく、絶滅に追い込まれた。

オリジン・ストーリー　時空のいっさいの進化の説明で、特定のコミュニティが利用できる最善の知識に基づいている。オリジン・ストーリーは、主要な宗教と教育の伝統すべての本質的な部分を成し、時空における自分の居場所を理解する強力な手段を提供する。

温室効果ガス　二酸化炭素やメタンのように、太陽光からのエネルギーを吸収して保持するガス。温室効果ガスは、十分な量があると、地球の表面の温度を上げる傾向がある。

温度　科学では、何かを構成している原子の平均的な運動エネルギーの尺度を指す。

科学　この世界や宇宙を厳密に、証拠に基づいて研究する近代以降の伝統で、17世紀の科学革命以来発展してきた。

化学浸透　イオンが濃度勾配に沿って細胞膜を通過する動き。細胞内では、細胞膜中のATP合成酵素がこのエネルギーを利用してATP分子を充電する。

核　地球の中心にある最も密度が高い領域で、主に鉄とニッケルから成る。地球の磁場の源。

核融合　陽子が激しく衝突し、正の電荷の反発力を克服し、強い核力によって結合するときに起こる。核融合では一部の物質がエネルギーに変わるので、厖大なエネルギーが放出される。水素爆弾のエネルギーや恒星が放出するエネルギーの源。

ガス　個々の分子あるいは原子がしっかりと結合していない、物質の状態。

化石燃料　地中に埋もれて化石化した有機物質（主に石炭と石油と天然ガス）で、はるか昔に光合成で蓄えられたエネルギーを含んでいる。現代の世界の主要なエネルギー源。

家畜化　ある動物種が別の種と共進化するときの、その種の遺伝的改変。農業の基盤。

活性化エネルギー　反応の発端となる最初のエネルギーの一撃。始まった反応は、はるかに大きなエネルギーを生み出しうる。森林火災を引き起こすマッチの火のようなもの。

完新世　最終氷期末以降の地質年代で、約１万1700年前に始まる。

カンブリア爆発　約５億4000万年前に、硬い体の部位を持つ大型の生物が突然爆発的に増えたこと。

吸収線　恒星の光を分光器で分析したときに現れる黒い線。吸収線は、恒星の光のエネルギーの一部を吸収した特定の元素の存在を示しており、スペクトルの青の端か赤の端に向かって偏移するので、遠方の天体の動きを検出できる。

旧石器時代　約20万年前に私たちの種が初めて登場してから、およそ１万1000年前の最終氷期末と農耕の開始までの、人間の歴史上の時代。

共生　二つの種の間の依存関係で、その関係はあまりに緊密であるため、それぞれの種の進化の仕方に影響を及ぼし始める。栽培化された植物や家畜化された動物との人間の関係は、共生の一種だ。

銀河　重力によってまとまっている何百万あるいは何十億もの恒星の集団。私たちの属する銀河は天の川銀河。

クォーク　亜原子粒子で、陽子と中性子は強い核力によって結びつけられたクォークからできている。

グローバル化　交換ネットワークの規模が増大すること。1500年以降はついに、そうしたネットワークが全世界に及び始めた。

ゲノム　それぞれの細胞のDNAの中に保管されている情報で、細胞の機能の仕方を統制し、細胞が自身の正確な複製を作ることを可能にする。

ケフェイド変光星　規則正しいパターンで明るさが変化する恒星。２種類あり、変化の割合は固有の明るさと結びついているので、その恒星までの距離が推定できる。そのため、ケフェイド変光星を天文学的標準光源として使えば、さまざまな天体までの距離が割り出せる。

ケルビン　セ氏温度と同じ目盛間隔の尺度だが、絶対零度（－273.15℃）から始まる。水の氷点はケルビンでは273.15K、セ氏では０℃。

原核生物　細菌と古細菌のドメインに属する、細胞核を持たない単細胞生物。地球上の最初期の生命体は原核生物だった。「真核生物」の項を参照のこと。

原子　通常の物質の最小粒子で、陽子と中性子と電子から成る。原子物質は宇宙の質量の５パーセントにしかならないかもしれない。「暗黒エネルギー」と「暗黒物質」の項も参照のこと。

原子核　原子の高密な核で、主に中性子と陽子から成る。

顕生代　地球の歴史の四大区分の一つで、約５億4000万年前から今日まで。大きな生物（「大きな生命」）の時代。

原生代　地球の歴史の四大区分の一つで、およそ25億年前から５億4000万年前

まで。

元素　原子物質の基本的な形態。各元素は、原子核の中の陽子の数によって区別されている。元素は、固有の属性に従って、元素周期表の中で分類されており、約92の安定した元素がある。

元素周期表　最初、ドミトリ・メンデレーエフによって考案された化学元素の表で、似た特徴を持つ元素ごとにグループ分けしてある。

光合成　植物あるいは植物に似た生物が自分の代謝の原動力とするために太陽光からエネルギーを捉えること。

光子　質量を持たない電磁エネルギーの粒子で、真空中を光速で移動する。波のような特性も持っている。

更新世　約260万年前から約１万1700年前にかけての地質年代。ほとんどが氷河時代。

恒星　物質の集まりが崩壊し、その中心で核融合反応が始まるときに形成される天体。恒星は重力でかき集められ、銀河となる。

酵素　触媒として働き、細胞内の反応を促進する生化学的分子。酵素がなければ、そうした反応にははるかに大きな活性化エネルギーの入力が必要となる。

降着　恒星の周りの軌道にある物質が集まって惑星や衛星や小惑星を形成する過程。

光年　地球の暦で１年間に真空の中を光が進む距離で、およそ９兆5000億キロメートル。

呼吸　動物が酸素を取り込むこと。また、糖に蓄えてあったエネルギーを解放するために、細胞内で酸素を使うこと。

古細菌　単細胞の原核生物。古細菌は生物の三大ドメインの一つ。「細菌」と「真核生物」の項も参照のこと。

固体　個々の原子や分子が緊密に結合しているので簡単には位置を変えられない、物質の状態。

ゴルディロックス条件　新しい形態の複雑さが現れるのを可能にするのに「まさにふさわしい」、稀で特別な前提条件と環境。

細菌　生物の三大ドメインの一つである細菌ドメインに属する単細胞の原核生物。「古細菌」と「真核生物」の項も参照のこと。

栽培化　ある植物種が別の種と共進化するときの、その種の遺伝的改変。農業の基盤。

サヤ取り売買　ある市場で安く買い、別の市場で高く売って、大きな利益をあげること。

酸素　原子番号8の化学元素。反応性が著しく高い。

時空　アインシュタインは、時間と空間は単一の普遍的枠組みの一部として解釈するのが最善だと主張し、その枠組みを時空と呼んだ。

仕事　熱力学理論では、非ランダムな変化を生み出す能力。

視差　観測者の移動に伴う、背景に対する物体の見かけ上の動き。測量技師や天文学者は視差を利用して、遠方の物体や近くの恒星までの距離を計算する。

自然選択　個々の生物は、環境にどれだけうまく適応するか次第で、生き延びて繁殖したり、そうできなかったりするという、チャールズ・ダーウィンの主要な考え方。このメカニズムは、進化の根源的な原動力。

資本主義　商業活動と商人が主役を演じる社会制度で、政府は歳入の多くを商業から得ているため、商業を優遇する。

自由エネルギー　ランダムに流れないエネルギーで、そのため、仕事をすることができる（たとえば、タービンを通って流れる水のエネルギー）。

宗教　信仰の伝統で、高度に制度化されたものもあり、すべてが何らかの形のオリジン・ストーリーを本質的なものとして内に持っているように見える。

集合的学習　人々の間で情報が共有される、人間特有の過程で、その情報は非常に精度が高く分量も多く、世代を経るうちに蓄積していく。私たちの種は、情報と生物圏をしだいに支配するようになっているが、そのカギを握っているのがこの集合的学習だ。

重力　エネルギーの基本的な四形態の一つで、弱いものの、はるか彼方にまで及び、質量あるいはエネルギーを持ったものをすべて引き寄せる傾向がある。アインシュタインは、重力が時空の形状を歪めることによって作用することを示した。

狩猟採集　環境から資源を集め、限定的な処理を行なうことに基づく、旧石器時代の特徴的な技術。

情報　変化がどのように起こりうるかを決める基本的な規則。これらの規則のいくつかは普遍的だが、生物は局地的な情報（直近の環境でのみ通用する規則）を感知してそれに反応できる必要がある。情報は、物事がどのように機能するかについての知識を指すこともありうる。

情報食者　肉食動物が肉を食べるように情報を摂取するもの。生物はすべて情報食者だ。

触媒　必要な活性化エネルギーを減らすことによって、特定の化学反応を促進する分子（たいていはタンパク質）。その分子自体はその反応によって変化することはない。

真核生物　生命の三大ドメインの一つである真核生物ドメインに属する真核生

物は、内部に細胞小器官を持つ細胞からできている。最初の真核生物は、原核生物から成る残る二つの生命のドメイン（細菌と古細菌のドメイン）に属する生物の合体を通して出現した。多細胞生物はみな、真核細胞から成る。「古細菌」と「細菌」と「原核生物」の項も参照のこと。

人口転換　近代以降、死亡率の低下が人口の増加を推進したが、都市化が進むうちに、ついには出生率が下がったため、今日では人口の伸びが鈍っている。人口転換のせいで、ほとんどの農民社会で支配的だった、家族やジェンダーに基づく役割分担に対する態度が一変した。

人新世　人間の歴史における最新の時代で、この間に人間は、生物圏の変化の最大の要因となった。完新世の後から続いている新しい地質年代として提唱されている。

水素　原子番号１の化学元素（原子核に陽子を１個持っている）。宇宙で最も豊富な元素。

生物圏　生命と、生物の副産物が行き渡り、形作る地球の圏域。

生命　あらゆる生物の創発特性。私たちは地球上の生命しか知らないので正確に定義するのが難しいが、その特性には、ホメオスタシスを維持したり、代謝を行なったり、繁殖したり、進化したりする能力が含まれる。

赤色巨星　アークトゥルスのような、膨張し、温度が比較的低い（赤い）表面を持つ、死にゆく恒星。

赤方偏移　スペクトルの赤い端に向かう、吸収線の偏移。ある天体が地球から遠ざかっていることを示す。宇宙が膨張しているという重要な証拠。

相転移　気体から液体あるいは固体への変化のような、状態の変化。

創発　「創発特性」の項を参照のこと。

創発特性　既存の構造が結びついて新しい構造になり、元の構成部分にはなかった属性を持ったとき、その新しい属性のことをいう。たとえば恒星は、恒星を形作っている原子物質にはなかった属性を持っている。

太古代　地球の歴史の四大区分の一つで、40億年前から25億年前。

代謝　環境からエネルギーの流れを引き込んで活用するという、生物の能力。

太陽　私たちに最も身近な恒星で、生物圏の原動力となるエネルギーの大半の源。

太陽風　太陽からの、電荷を帯びた亜原子粒子の流れ。

多元宇宙（マルチバース）　ことによるとわずかに異なる基本法則とエネルギーの形態を持った、多数の宇宙が存在するかもしれないという、推論の域を出ない考え方。

多細胞生物　多細胞の生物。「大きな生命」。

炭素　元素周期表の６番目の元素。炭素自身や他の元素と結合するのが得意なため、生物にとって基本的な元素。

地殻　地球の表層で、主に、十分冷えて固まった、花崗岩や玄武岩のような比較的軽い岩石から成る。ほとんどの生物がそこで生きている。

地球　私たちが暮らしている惑星。ことによると、生物を宿しているのは地球だけかもしれない。

秩序（構造）　物質とエネルギーの、非ランダムな、すなわちパターンを持つ配置。

中性子　亜原子粒子で、たいてい原子核の中に見つかる。陽子とほぼ同じ質量だが、電荷は帯びていない。

超新星爆発　巨大な恒星が最期を迎えたときに起こす巨大な爆発。超新星爆発の内部で、多くの新しい化学元素が生み出される。

月　地球を周回する天体。地球の誕生後間もなく、地球と別の天体との衝突によって形成された。

強い核力　エネルギーの基本的な四形態の一つ。亜原子粒子のスケールで作用し、クォークを結合して陽子や中性子にしたり、原子核を維持したりする。

定住　移動をしない生活様式。個人も家族も恒久的な住居を本拠地としてその近辺に主にとどまる。たいてい農業と結びついているが、豊かな狩猟採集民も定住化することがある。

適応放散　急速な生物学的進化と多様化の時期。大量絶滅イベントの後に続くことが多い。

電子　負の電荷を帯びた、亜原子粒子。通常は原子核を周回している。

電磁気力　エネルギーの基本的な四形態の一つ。小さなスケールで強力であり、正と負の二つの形で存在し、化学と生物学では最も重要なエネルギーの形態。

天文学的標準光源　ケフェイド変光星あるいは１ａ型超新星のような天体で、そこまでの距離が特定できるので、それを利用すれば、他の天体までの距離を割り出せる。

同位体　同じ元素の原子で、陽子の数は同じだが、中性子の数が違うもの。

ドップラー効果　物体どうしが近づいたり離れたりするとき、放出された放射線の周波数が見かけ上、変化する現象。警察のスピード違反取締や、地球に近づいたり地球から離れたりする恒星や銀河の動きの検出に使われる。

ナトゥーフ人　約１万4500〜１万1500年前に、地中海の東の肥沃な三日月地帯に住んでいた、「豊かな狩猟採集民」を指す考古学用語。

人間　ホモ・サピエンスという種の成員。

熱エネルギー　物質のあらゆる粒子のランダムな動きの原動力となる運動エネルギー。物質は絶対零度になったとき初めて、すべての熱エネルギーを失う。「温度」の項を参照のこと。

熱力学　エネルギーがどのように流れ、どのように形態を変えるかの学問。熱力学の第一法則によれば、宇宙のエネルギーの総量は不変である、すなわち「保存される」という。熱力学の第二法則によれば、エネルギーはしだいにランダムな、すなわち混沌とした形態へと向かう傾向にあり、したがって、宇宙の長期的な傾向は、ランダム性、すなわちエントロピーの増大へ向かうという。「エントロピー」の項を参照のこと。

熱力学の第一法則　「熱力学」の項を参照のこと。

熱力学の第二法則　「熱力学」の項を参照のこと。

農業　環境を操作して、人間にとって有用性の高い動植物の生産を増やし、利用できるエネルギーの流れと資源を最大化することを可能にする一連の技術。

農耕時代　人間の歴史のうち、農業技術が主役だった時代。最終氷期後に始まり、２～３世紀前に終わった。

農耕文明　農業によって支えられた何百万もの人から成るコミュニティで、都市や国家、官僚制度、軍隊、社会階層、書字を伴う。

白色矮星　外層を吹き飛ばした、高密の、死んだ恒星で、何十億年もかけて冷えていく。

パラダイム　特定の学問領域の研究者たちに広く受け容れられ、その分野の中の情報を統合する考え。たとえば、ビッグバン宇宙論（天文学）、プレートテクトニクス（地質学）、自然選択（生物学）。科学史家のＴ・Ｓ・クーンの研究に基づく。

パンゲア　約３億年前から２億年前にかけて存在した超大陸。

半減期　放射性同位体の半分が崩壊するのにかかる時間。放射年代測定法にとって不可欠の概念。放射性同位体はそれぞれ半減期が違うので、さまざまな同位体を使えば、異なる時間スケールで出来事や物体の年代を推定することができる。

反物質　亜原子粒子で、他の亜原子粒子とそっくりだが、逆の電荷を帯びている。たとえば陽電子（正の電荷を帯びた電子）。物質と反物質が出合うと、互いに相手を消滅させ、純粋なエネルギーに変わる。

ビッグバン宇宙論　私たちの宇宙は、約138億2000万年前に微小で高密のエネルギー集合物から出現したとする、1960年代に出てきた、パラダイムとなる

考え方。

氷河時代　ところどころに温暖な間氷期を挟む氷期の時代で、約260万年前、更新世初頭に始まった。

肥沃な三日月地帯　メソポタミア周辺の水分が豊富な弧状の土地で、農業が最初に登場した場所。

ファイア・スティック農業　生産性を上げるために土地を定期的に焼き払うことに基づく旧石器時代の技術。

複雑さ　複雑なものは単純なものより多くの可動部分を持っており、それらの部分が正確な形で結びつき、新しい創発特性を生み出す。

物質　空間を占有する、この宇宙における物理的な「もの」。アインシュタインは、物質は圧縮されたエネルギーから成り、（たとえば、陽子どうしが融合する間に）エネルギーに戻せることを示した。

プラズマ　温度が非常に高いために、亜原子粒子が結合して原子を形成できない、物質の状態。

ブラックホール　あまりに密度が高いため、その重力からは、光さえも含めて何一つ逃れられない領域。超巨星が最期を迎えて崩壊するときに形成されることが多い。すべての銀河の中心にはブラックホールがあるかもしれない。

プレートテクトニクス　1960年代に登場したパラダイムで、地球の核の熱を原動力とするマントル内の対流が、地表の構造プレートを動かしているという考え方。

分化　初期の地球が熱せられて溶融し、核、マントル、地殻といった具合に、密度が小さくなる順に層に分かれた過程。

分光器　光を別々の周波数に分離する装置。天体の化学組成を突き止めるのに使う。

分子　複数の原子が化学結合によって結びついたもの。

ヘリウム　原子番号２の化学元素（原子核に陽子を２個持っている）。宇宙で２番目に多い元素。化学的に不活性。

ヘルツシュプルング＝ラッセル図　恒星の固有の明るさ、すなわち光度（恒星が放出するエネルギーの量）と、色（表面温度）を示す図。天文学者にとって、異なる種類の恒星と、恒星が進化する異なる道筋を分類する有力な手段。

放射年代測定法　放射性同位体の規則正しい崩壊に基づいて、20世紀半ばに開発された年代測定技術。本書の年表は、この技術がなければ構築できなかっただろう。

放射能　多くの原子核が自然に崩壊して、亜原子粒子を放出する傾向。

ホミニン（ヒト亜族）　私たち自身の種の祖先に当たる二足歩行の類人猿で、約700万年前に私たちの祖先がチンパンジーに連なる進化系統から分岐して以降、進化してきた。

ホメオスタシス（恒常性）　平衡状態。生物は、環境における変化を感知してそれに順応することで、ホメオスタシスを維持する。

ホモ・サピエンス　本書の読者全員が属する大型類人猿の種。

マップ　一般には、地形あるいは地理的地域の概要を示す図という意味で使われる。本書では、私たちが大きな枠組みの中での自分自身の居場所を特定するために、時空間に関して、そして、全宇宙とその歴史に関して創出する図という、比喩的な意味でしばしば使われる。

マントル　地球の半ば溶融した層で、地殻の下、核の外側に位置し、約3000キロメートルの厚さがある。

ミランコヴィッチ・サイクル　地球の軌道と傾きの変動。地球が太陽から受けるエネルギーの量を左右する。そうした変動によって、更新世の氷河時代のサイクルが説明しやすくなる。

冥王代　地球の歴史の四大区分の一つで、地球が最初に形成された46億年前に始まり、およそ40億年前に終わった。

豊かな狩猟採集民　ナトゥーフ人のような、定住型の狩猟採集民で、通常は、並外れて自然の恵みが多い地域に見られる。

陽子　亜原子粒子で、正の電荷を帯びており、原子核の中に見つかる。陽子の数で元素の原子番号が決まる。

弱い核力　エネルギーの基本的な四形態の一つ。亜原子粒子のスケールで作用し、多くの形態の原子核崩壊を引き起こす。

量子物理学　亜原子粒子のレベルでの現象の学問。このレベルでは、粒子の正確な位置と動きを特定できないので、物理法則は確率として表さなければならない。

臨界　それまでにない創発特性を持った、何か新しくてより複雑なものが現れる、変わり目。本書で語られる物語は、しだいに増す複雑さの八つの臨界を中心に構築されている。

惑星　化学的に豊かな恒星の周りの軌道で形成される天体。

ワールドゾーン　人の住む世界における巨大な地域（アフロ・ユーラシア、オ

ーストラレーシア、アメリカ大陸、太平洋）で、1500年までは互いにほぼ完全に切り離されていた。そのため、それぞれのワールドゾーンでは歴史が異なる形で展開した。

ATP（アデノシン三リン酸）　すべての生細胞でエネルギーを運ぶために使われる分子。

DNA　デオキシリボ核酸。ほとんどの生物で遺伝情報を担っている分子。

LUCA　全生物最終共通祖先。地球の全生物の推定祖先。

RNA　リボ核酸。DNA の近縁で、あらゆる細胞の中にあり、遺伝情報を伝えることも、代謝を行なうこともできる。

1a型超新星　固有の明るさが知られている種類の超新星。したがって、天文学的標準光源として利用できる。

図版出典

（51ページ）NASA, ESA, and the Hubble Heritage Team（STScI/AURA)-Hubble/Europe Collaboration／（55ページ）NASA/WMAP Science Team／（75ページ）NASA, ESA, J. Hester and A. Loll（Arizona State University）／（96ページ）ⓒ iStockphoto.com/Melissa Kopka／（114ページ）Museums Victoria, Photographer: Rodney Start, https://collections.museumvictoria.com.au/specimens/115／（147ページ）ⓒ iStockphoto.com/lkonya／（166ページ）ⓒ iStockphoto.com/Joe_Guetzloff／（178ページ）ⓒ iStockphoto.com/paocca／（205ページ）The Metropolitan Museum of Art／（252ページ）［上］ⓒ iStockphoto.com/Mehtap Yıldız、［下］ⓒ iStockphoto.com/xxf／（261ページ）Museum of Fine Arts, Boston／（263ページ）ⓒ iStockphoto.com/FSYLN／（272ページ）［上］［下］ⓒ Trustees of the British Museum/amanaimages

著者　デイヴィッド・クリスチャン
(David Christian)
一九四六年アメリカ生まれ。歴史学者。マッコーリー大学教授および同大学ビッグヒストリー研究所所長。宇宙創成から現代までの歴史を一望する「ビッグヒストリー」を提唱し、一躍注目を集める。おもな邦訳書に、『ビッグヒストリー　われわれはどこから来て、どこへ行くのか』（共著、明石書店）などがある。

訳者　柴田裕之（しばた・やすし）
翻訳家。おもな訳書に、ユヴァル・ノア・ハラリ『サピエンス全史』『ホモ・デウス』（ともに河出書房新社）、エイドリアン・オーウェン『生存する意識』（みすず書房）などがある。

オリジン・ストーリー　138億年全史《おくねんぜんし》

二〇一九年一一月一五日　初版第一刷発行

著　者　デイヴィッド・クリスチャン
訳　者　柴田裕之
発行者　喜入冬子
発行所　株式会社　筑摩書房
東京都台東区蔵前二―五―三　郵便番号一一一―八七五五
電話番号　〇三―五六八七―二六〇一（代表）
装幀者　大倉真一郎
印刷・製本　三松堂印刷株式会社

ISBN978-4-480-85818-4　C0020